큐브수학 개념 무료 스마트러닝

째 QR코드 스캔하여 1초 만에 바로 강의 시청

째 최적화된 강의 커리큘럼으로 학습 효과 UP!

❶ **수학 개념 설명 강의**
교재의 개념 학습과 동영상을 함께 보면 개념이 쉽게 이해됩니다.

❷ **익힘 문제 풀이 강의**
수학 익힘 문제를 틀렸을 때 수학 전문 선생님의 강의를 보면서 문제 푸는 방법을 쉽게 이해합니다.

❸ **서술형 문제 풀이 강의**
서술형 잡기에서 풀이를 쓰기 어려울 때 문제 해결 전략 강의를 통해 서술형 풀이를 체계적으로 완성합니다.

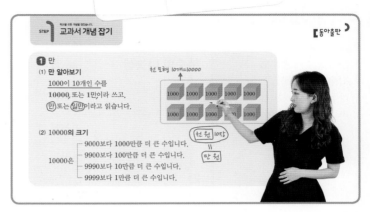

#큐브수학 #초등수학 #무료

큐브수학 개념 초등수학 6학년 강의 목록

단원명	학습 내용	단원명	학습 내용
1. 분수의 나눗셈	**개념 강의** ❶ (자연수)÷(자연수)의 몫을 분수로 나타내기 ❷ (분수)÷(자연수) ❸ (분수)÷(자연수)를 분수의 곱셈으로 나타내기 ❹ (대분수)÷(자연수) **문제 강의** 수학 익힘 문제 잡기 **서술형 강의** 서술형 잡기	4. 비와 비율	**개념 강의** ❶ 두 수 비교하기 ❷ 비 ❸ 비율 ❹ 비율이 사용되는 경우 ❺ 백분율 ❻ 백분율이 사용되는 경우 **문제 강의** 수학 익힘 문제 잡기 **서술형 강의** 서술형 잡기
2. 각기둥과 각뿔	**개념 강의** ❶ 각기둥(1) ❷ 각기둥(2) ❸ 각기둥의 전개도 ❹ 각기둥의 전개도 그리기 ❺ 각뿔(1) ❻ 각뿔(2) **문제 강의** 수학 익힘 문제 잡기 **서술형 강의** 서술형 잡기	5. 여러 가지 그래프	**개념 강의** ❶ 그림그래프로 나타내기 ❷ 띠그래프 ❸ 띠그래프로 나타내기 ❹ 원그래프 ❺ 원그래프로 나타내기 ❻ 그래프 해석하기 ❼ 여러 가지 그래프 비교 **문제 강의** 수학 익힘 문제 잡기 **서술형 강의** 서술형 잡기
3. 소수의 나눗셈	**개념 강의** ❶ 자연수의 나눗셈을 이용한 (소수)÷(자연수) ❷ 각 자리에서 나누어떨어지지 않는 (소수)÷(자연수) ❸ 몫이 1보다 작은 소수인 (소수)÷(자연수) ❹ 소수점 아래 0을 내려 계산하는 (소수)÷(자연수) ❺ 몫의 소수 첫째 자리에 0이 있는 (소수)÷(자연수) ❻ (자연수)÷(자연수)의 몫을 소수로 나타내기 ❼ 몫의 소수점 위치 확인하기 **문제 강의** 수학 익힘 문제 잡기 **서술형 강의** 서술형 잡기	6. 직육면체의 부피와 겉넓이	**개념 강의** ❶ 직육면체의 부피 비교 ❷ 직육면체의 부피 구하는 방법 ❸ m^3 알아보기 ❹ 직육면체의 겉넓이 구하는 방법 **문제 강의** 수학 익힘 문제 잡기 **서술형 강의** 서술형 잡기

큐브수학

초등수학 6학년

학습 계획표

학습 계획표를 따라
차근차근 수학 공부를
시작해 보세요.
큐브수학과 함께라면
수학 공부, 어렵지 않습니다.

단원명	공부한 날			공부할 내용	
				진도북	매칭북
1. 분수의 나눗셈	1일차	월	일	008~011쪽	01~03쪽
	2일차	월	일	012~015쪽	04쪽
	3일차	월	일	016~019쪽	30~34쪽
	4일차	월	일	020~022쪽	
2. 각기둥과 각뿔	5일차	월	일	026~029쪽	05~06쪽
	6일차	월	일	030~033쪽	07쪽
	7일차	월	일	034~039쪽	08~09쪽
	8일차	월	일	040~043쪽	35~40쪽
	9일차	월	일	044~046쪽	
3. 소수의 나눗셈	10일차	월	일	050~053쪽	10~11쪽
	11일차	월	일	054~057쪽	12쪽
	12일차	월	일	058~061쪽	13~14쪽
	13일차	월	일	062~065쪽	15~16쪽
	14일차	월	일	066~071쪽	41~47쪽
	15일차	월	일	072~074쪽	
4. 비와 비율	16일차	월	일	078~081쪽	17~18쪽
	17일차	월	일	082~085쪽	19쪽
	18일차	월	일	086~091쪽	20~21쪽
	19일차	월	일	092~095쪽	48~53쪽
	20일차	월	일	096~098쪽	
5. 여러 가지 그래프	21일차	월	일	102~105쪽	22~23쪽
	22일차	월	일	106~109쪽	24쪽
	23일차	월	일	110~115쪽	
	24일차	월	일	116~121쪽	54~60쪽
	25일차	월	일	122~124쪽	
6. 직육면체의 부피와 겉넓이	26일차	월	일	128~131쪽	25~26쪽
	27일차	월	일	132~135쪽	27쪽
	28일차	월	일	136~139쪽	28~29쪽
	29일차	월	일	140~143쪽	61~64쪽
	30일차	월	일	144~146쪽	

진도북

큐브 수학
개념

6·1

구성과 특징

큐브수학 개념
이렇게 활용하세요.

추천1

개념 반복 학습과 수학 익힘 반복 학습
으로 기본을 다지는 방법

| 개념 반복 학습 | 진도북 STEP 1 → 매칭북 학습지 → 진도북 STEP 2 |
| 수학 익힘 반복 학습 | 진도북 STEP 3 → 매칭북 수학 익힘 |

추천2

예습과 복습으로 개념을 쉽고 빠르게
이해하는 방법

예습	매칭북 기초력 학습지
	진도북
복습	매칭북 미리 보는 수학 익힘

진도북

STEP 1 교과서 개념 잡기

교과서 개념과 문제로 개념을 쉽게 이해할
수 있습니다.

한눈에 쏙 그림으로 공부할 개념에 대해
흥미를 가집니다.

교과서 공통 꼭 알아야 할 교과서 핵심 문
제입니다.

▶ 개념 강의 동영상 제공

STEP 2 개념 한 번 더 잡기

〈교과서 개념 잡기〉의 유사 문제로 개념을 한
번 더 공부하여 완벽하게 다집니다.

STEP 3 수학 익힘 문제 잡기

수학 익힘 문제 유형으로 실력을 다집니다.

익힘책 공통 꼭 알아야 할 익힘책의 중요
문제를 익힙니다.

생각+문제 문제 해결 능력과 교과 역량을
키우는 문제입니다.

▶ 문제 강의 동영상 제공

큐브수학 개념은 학교별 모든 교과서 개념과 수학 익힘 문제를 한 권에 담은 기본 개념서입니다. **무료 스마트러닝**과 함께 큐브수학 개념으로 수학의 자신감을 키우세요.

서술형 잡기

풀이 과정을 따라 익히며 체계적으로 서술형 문제를 해결합니다.

▶ 서술형 강의 동영상 제공

기초력 학습지

개념별 기초 문제입니다.
진도북의 〈교과서 개념 잡기〉를
공부한 다음 학습지로 개념별
기초력을 완성합니다.

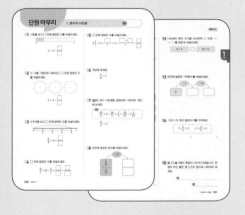

단원 마무리

해당 단원을 잘 공부했는지 확인하여 실력을 점검합니다.

미리 보는 수학 익힘

수학 익힘의 유사 문제입니다.
진도북의 〈수학 익힘 문제 잡기〉
를 공부한 다음 반복 학습하여
수학 실력을 완성합니다.

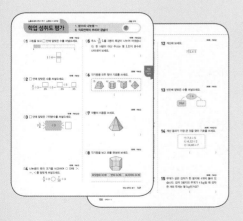

학업 성취도 평가

한 학기를 마무리 하며 나의 수준을 평가하고, 다음 학기를 대비합니다.

차례

1

006~023쪽
분수의 나눗셈

❶ (자연수)÷(자연수)의 몫을 분수로 나타내기
❷ (분수)÷(자연수)
❸ (분수)÷(자연수)를 분수의 곱셈으로 나타내기
❹ (대분수)÷(자연수)

2

024~047쪽
각기둥과 각뿔

❶ 각기둥(1)
❷ 각기둥(2)
❸ 각기둥의 전개도
❹ 각기둥의 전개도 그리기
❺ 각뿔(1)
❻ 각뿔(2)

3

048~075쪽
소수의 나눗셈

❶ 자연수의 나눗셈을 이용한 (소수)÷(자연수)
❷ 각 자리에서 나누어떨어지지 않는 (소수)÷(자연수)
❸ 몫이 1보다 작은 소수인 (소수)÷(자연수)
❹ 소수점 아래 0을 내려 계산하는 (소수)÷(자연수)
❺ 몫의 소수 첫째 자리에 0이 있는 (소수)÷(자연수)
❻ (자연수)÷(자연수)의 몫을 소수로 나타내기
❼ 몫의 소수점 위치 확인하기

4 076~099쪽
비와 비율

1 두 수 비교하기
2 비
3 비율
4 비율이 사용되는 경우
5 백분율
6 백분율이 사용되는 경우

5 100~125쪽
여러 가지 그래프

1 그림그래프로 나타내기
2 띠그래프
3 띠그래프로 나타내기
4 원그래프
5 원그래프로 나타내기
6 그래프 해석하기
7 여러 가지 그래프 비교

6 126~147쪽
직육면체의 부피와 겉넓이

1 직육면체의 부피 비교
2 직육면체의 부피 구하는 방법
3 m^3 알아보기
4 직육면체의 겉넓이 구하는 방법

학업 성취도 평가 149~152쪽

1 분수의 나눗셈

맛있는 돈가스가 3조각이네.
형이랑 둘이서 똑같이 나누어 먹으려면
돈가스를 각각 몇 조각씩 먹어야 하지?

무료
스마트
러닝

동영상 강의와 함께 계획을 세워 공부합니다.
동영상 강의를 시청했으면 ☐에 ∨표 하세요.

공부한 날	동영상 확인	쪽수	학습 내용
월 일	▶ ☐	008~013쪽	**교과서 개념 잡기** ❶ (자연수)÷(자연수)의 몫을 분수로 나타내기 ❷ (분수)÷(자연수) ❸ (분수)÷(자연수)를 분수의 곱셈으로 나타내기 ❹ (대분수)÷(자연수)
월 일		014~015쪽	개념 한 번 더 잡기
월 일	▶ ☐	016~018쪽	수학 익힘 문제 잡기
월 일	▶ ☐	019쪽	서술형 잡기
월 일		020~022쪽	단원 마무리

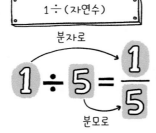

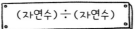

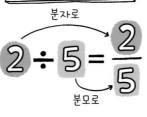

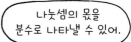

나눗셈의 몫을 분수로 나타낼 수 있어.

개념 강의

1 (자연수)÷(자연수)의 몫을 분수로 나타내기

(1) 1÷(자연수)

예 1÷3의 계산

1을 똑같이 3으로 나눈 것 중의 하나는 $\frac{1}{3}$입니다.

→ 1÷3=$\frac{1}{3}$

(2) 몫이 1보다 작은 (자연수)÷(자연수)

예 2÷3의 계산

1÷3과 2÷3의 비교
2÷3은 1÷3과 비교했을 때 나누어지는 수가 2배이므로 몫도 2배가 됩니다.

1÷3은 $\frac{1}{3}$이고 2÷3은 $\frac{1}{3}$이 2개이므로 $\frac{2}{3}$입니다. → 2÷3=$\frac{2}{3}$

(자연수)÷(자연수)에서
• (자연수)<(자연수)
 → (몫)<1
• (자연수)>(자연수)
 → (몫)>1

(3) 몫이 1보다 큰 (자연수)÷(자연수)

예 5÷2의 계산

방법1 1÷2를 이용하기

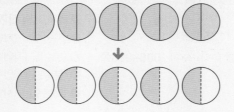

1÷2=$\frac{1}{2}$이고, 5÷2는 $\frac{1}{2}$이 5개입니다.

→ 5÷2=$\frac{5}{2}$=2$\frac{1}{2}$

방법2 몫과 나머지 이용하기

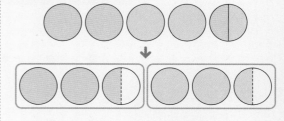

5÷2=2…1이고, 나머지 1을 2로 나누면 $\frac{1}{2}$입니다.

→ 5÷2=2$\frac{1}{2}$=$\frac{5}{2}$

교과서 공통 **1** 2÷4의 몫을 분수로 나타내려고 합니다. 물음에 답하세요.

(1) 1÷4와 2÷4를 각각 그림으로 나타내고, 몫을 구하세요.

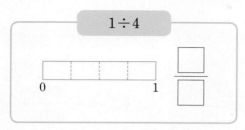 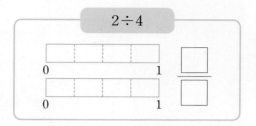

(2) ☐ 안에 알맞은 수를 써넣으세요.

$$1 \div 4 = \frac{\square}{\square} \text{이므로 } 2 \div 4 \text{의 몫은 } \frac{1}{4} \text{이 } \square \text{개인 } \frac{\square}{\square} \text{입니다.}$$

2 4÷5를 그림으로 나타내고, ☐ 안에 알맞은 수를 써넣으세요.

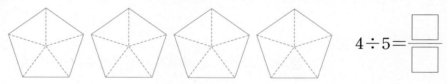

$$4 \div 5 = \frac{\square}{\square}$$

3 1÷6을 이용하여 7÷6의 몫을 구하려고 합니다. ☐ 안에 알맞은 수를 써넣으세요.

$$1 \div 6 = \frac{\square}{\square} \text{이고, } 7 \div 6 \text{은 } \frac{1}{6} \text{이 } \square \text{개입니다.}$$

$$\rightarrow 7 \div 6 = \frac{\square}{6} = \square \frac{\square}{6}$$

4 나눗셈의 몫을 분수로 나타내어 보세요.

(1) 1÷7

(2) 2÷9

(3) 3÷7

(4) 11÷6

014쪽 에서 개념을 한 번 더 다집니다.

한눈에
방법쏙

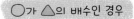
○가 △의 배수인 경우　　○가 △의 배수가 아닌 경우　　분수의 곱셈으로 나타내기

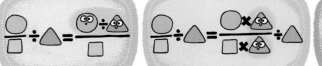

개념 강의

2 (분수)÷(자연수)

(1) 분자가 자연수의 배수인 (분수)÷(자연수)

(예) $\dfrac{6}{7} \div 2$의 계산

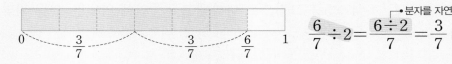

$$\dfrac{6}{7} \div 2 = \dfrac{6 \div 2}{7} = \dfrac{3}{7}$$

• 분자를 자연수로 나누기

(2) 분자가 자연수의 배수가 아닌 (분수)÷(자연수)

(예) $\dfrac{1}{2} \div 3$의 계산

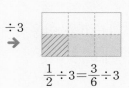

$$\dfrac{1}{2} \div 3 = \boxed{\dfrac{1 \times 3}{2 \times 3}} \div 3 = \dfrac{3}{6} \div 3 = \dfrac{3 \div 3}{6} = \dfrac{1}{6}$$

└ • 분자를 자연수의 배수인 수로 바꾸기

3 (분수)÷(자연수)를 분수의 곱셈으로 나타내기

÷(자연수)를 × $\dfrac{1}{(자연수)}$ 로
바꾸어 계산합니다.

(예) $\dfrac{5}{6} \div 4$의 계산

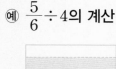

$\dfrac{5}{6} \div 4$는 $\dfrac{5}{6}$를 똑같이 4로
나눈 것 중의 하나입니다.

$\dfrac{5}{6}$의 $\dfrac{1}{4}$이므로 $\dfrac{5}{6} \times \dfrac{1}{4}$ 입니다.

$$\rightarrow \dfrac{5}{6} \div 4 = \dfrac{5}{6} \times \dfrac{1}{4} = \dfrac{5}{24}$$

1 그림을 보고 $\dfrac{4}{5} \div 2$의 몫을 구하려고 합니다. □ 안에 알맞은 수를 써넣으세요.

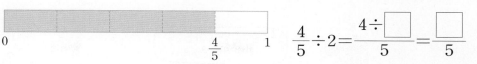

$$\dfrac{4}{5} \div 2 = \dfrac{4 \div \boxed{}}{5} = \dfrac{\boxed{}}{5}$$

2 □ 안에 알맞은 수를 써넣으세요.

(1) $\dfrac{8}{9} \div 4 = \dfrac{8 \div \boxed{}}{9} = \dfrac{\boxed{}}{\boxed{}}$

(2) $\dfrac{5}{6} \div 2 = \dfrac{\boxed{}}{12} \div 2 = \dfrac{\boxed{} \div 2}{12} = \dfrac{\boxed{}}{\boxed{}}$

교과서 공통 3 그림을 보고 $\dfrac{2}{3} \div 5$를 계산하려고 합니다. □ 안에 알맞은 수를 써넣으세요.

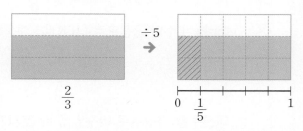

$\dfrac{2}{3} \div 5$의 몫은 $\dfrac{2}{3}$를 똑같이 5로 나눈 것 중의 하나입니다.

이것은 $\dfrac{2}{3}$의 $\dfrac{\boxed{}}{\boxed{}}$이므로 $\dfrac{2}{3} \times \dfrac{\boxed{}}{\boxed{}}$입니다.

→ $\dfrac{2}{3} \div 5 = \dfrac{2}{3} \times \dfrac{\boxed{}}{\boxed{}} = \dfrac{\boxed{}}{\boxed{}}$

4 보기와 같이 나눗셈을 곱셈으로 나타내어 계산해 보세요.

보기
$$\dfrac{9}{5} \div 4 = \dfrac{9}{5} \times \dfrac{1}{4} = \dfrac{9}{20}$$

$\dfrac{10}{7} \div 3$

014쪽 에서 개념을 한 번 더 다집니다.

1. 분수의 나눗셈 **011**

학교별 모든 개념을 담았습니다.

교과서 개념 잡기

한눈에
방법쏙

대분수를 먼저 가분수로
바꾸는 것이 중요해.

$$2\frac{1}{3} \div 4 = \frac{7}{3} \div 4 = \frac{7}{3} \times \frac{1}{4}$$

대분수를 가분수로   나눗셈은 곱셈으로

개념 강의

4 (대분수)÷(자연수)

(1) 대분수를 가분수로 바꾸었을 때 분자가 자연수의 배수인 (대분수)÷(자연수)

(예) $1\frac{4}{5} \div 3$의 계산

대분수를 가분수로 바꾸지
않고 계산하면 계산이 틀리
게 됩니다.

· $1\frac{3}{7} \div 3 = 1\frac{3}{7} \times \frac{1}{3}$
　　　　$= 1\frac{1}{7} (\times)$

· $1\frac{3}{7} \div 3 = \frac{10}{7} \times \frac{1}{3}$
　　　　$= \frac{10}{21} (\bigcirc)$

　방법1 분자를 자연수로 나누어 계산하기

　　$1\frac{4}{5} \div 3 = \frac{9}{5} \div 3 = \frac{9 \div 3}{5} = \frac{3}{5}$

　방법2 분수의 곱셈으로 나타내어 계산하기

　　$1\frac{4}{5} \div 3 = \frac{9}{5} \div 3 = \frac{9}{5} \times \frac{1}{3} = \frac{9}{15} \left(= \frac{3}{5} \right)$

(2) 대분수를 가분수로 바꾸었을 때 분자가 자연수의 배수가 아닌 (대분수)÷(자연수)

(예) $1\frac{3}{4} \div 5$의 계산

　방법1 분자를 자연수로 나누어 계산하기 ──● 분자를 자연수의 배수인 수로 바꾸기

　　$1\frac{3}{4} \div 5 = \frac{7}{4} \div 5 = \frac{35}{20} \div 5 = \frac{35 \div 5}{20} = \frac{7}{20}$

　방법2 분수의 곱셈으로 나타내어 계산하기

　　$1\frac{3}{4} \div 5 = \frac{7}{4} \div 5 = \frac{7}{4} \times \frac{1}{5} = \frac{7}{20}$

> (대분수)÷(자연수)는 대분수를 가분수로 바꾼 다음 (분수)÷(자연수)와
> 같은 방법으로 계산합니다.

나눗셈을 맞게 계산했는지
확인하는 방법

● ÷ ■ = ▲

➡ 확인 ■ × ▲ = ●

(3) 몫을 맞게 구했는지 확인하기

●──── 나누는 수와 몫의 곱이
나누어지는 수가 되면
맞게 계산한 것입니다.

(예) $1\frac{4}{5} \div 2 = \frac{9}{5} \div 2 = \frac{9}{5} \times \frac{1}{2} = \frac{9}{10}$ ➡ 확인 $2 \times \frac{9}{10} = \frac{9}{5} = 1\frac{4}{5}$

1 그림을 보고 $2\frac{2}{5} \div 3$을 계산하려고 합니다. 물음에 답하세요.

(1) ☐ 안에 알맞은 수를 써넣으세요.

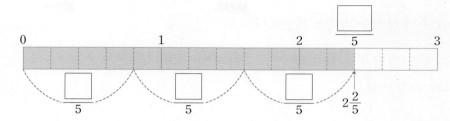

(2) $2\frac{2}{5} \div 3$을 계산해 보세요.

$$2\frac{2}{5} \div 3 = \frac{\boxed{}}{5} \div 3 = \frac{\boxed{} \div 3}{5} = \frac{\boxed{}}{5}$$

교과서 공통 **2** $5\frac{1}{4} \div 7$을 두 가지 방법으로 계산하려고 합니다. ☐ 안에 알맞은 수를 써넣으세요.

방법 1 분자를 자연수로 나누어 계산하기

$$5\frac{1}{4} \div 7 = \frac{\boxed{}}{4} \div 7 = \frac{\boxed{} \div 7}{4} = \frac{\boxed{}}{4}$$

방법 2 분수의 곱셈으로 나타내어 계산하기

$$5\frac{1}{4} \div 7 = \frac{\boxed{}}{4} \div 7 = \frac{\boxed{}}{4} \times \frac{1}{\boxed{}} = \frac{\boxed{}}{4}$$

3 나눗셈을 하여 기약분수로 나타내어 보세요.

(1) $2\frac{2}{7} \div 4$

(2) $2\frac{2}{9} \div 8$

(3) $1\frac{5}{6} \div 2$

(4) $3\frac{3}{4} \div 5$

015쪽 에서 개념을 **한 번 더** 다집니다.

1 (자연수)÷(자연수)의 몫을 분수로 나타내기

01 $3 \div 5$를 그림으로 나타내고, □ 안에 알맞은 수를 써넣으세요.

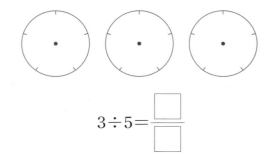

$$3 \div 5 = \dfrac{\square}{\square}$$

02 $4 \div 3$의 몫을 분수로 나타낸 과정입니다. □ 안에 알맞은 수를 써넣으세요.

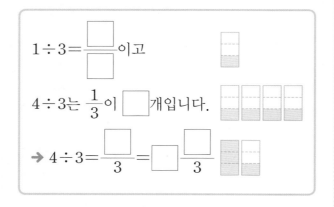

$1 \div 3 = \dfrac{\square}{\square}$이고

$4 \div 3$는 $\dfrac{1}{3}$이 □개입니다.

$\rightarrow 4 \div 3 = \dfrac{\square}{3} = \square\dfrac{\square}{3}$

03 나눗셈의 몫을 분수로 나타내어 보세요.

(1) $1 \div 8$

(2) $7 \div 2$

(3) $12 \div 5$

2 (분수)÷(자연수)

04 수직선을 보고 □ 안에 알맞은 수를 써넣으세요.

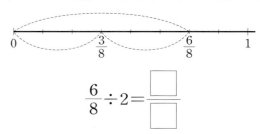

$$\dfrac{6}{8} \div 2 = \dfrac{\square}{\square}$$

05 $\dfrac{1}{4} \div 3$의 몫을 구하려고 합니다. □ 안에 알맞은 수를 써넣으세요.

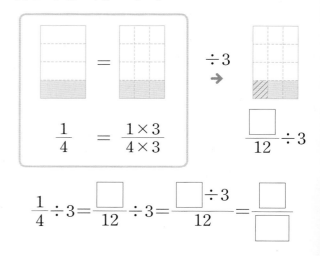

$$\dfrac{1}{4} = \dfrac{1 \times 3}{4 \times 3}$$

$$\dfrac{1}{4} \div 3 = \dfrac{\square}{12} \div 3 = \dfrac{\square \div 3}{12} = \dfrac{\square}{\square}$$

06 □ 안에 알맞은 수를 써넣으세요.

$$\dfrac{5}{9} \div 3 = \dfrac{\square}{27} \div 3 = \dfrac{\square \div 3}{27} = \dfrac{\square}{27}$$

3 (분수)÷(자연수)를 분수의 곱셈으로 나타내기

07 그림을 보고 □ 안에 알맞은 수를 써넣으세요.

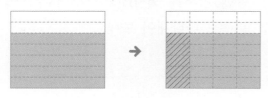

$$\frac{5}{7} \div 4 = \frac{5}{7} \times \frac{\square}{\square} = \frac{\square}{\square}$$

08 □ 안에 알맞은 수를 써넣으세요.

$$\frac{8}{11} \div 5 = \frac{8}{11} \times \frac{\square}{\square} = \frac{\square}{\square}$$

09 보기와 같이 나눗셈을 곱셈으로 나타내어 계산해 보세요.

> **보기**
> $$\frac{7}{6} \div 10 = \frac{7}{6} \times \frac{1}{10} = \frac{7}{60}$$

$$\frac{9}{7} \div 2$$

10 계산해 보세요.

(1) $\frac{5}{8} \div 2$　　　　(2) $\frac{13}{4} \div 5$

4 (대분수)÷(자연수)

11 $3\frac{1}{5} \div 4$를 두 가지 방법으로 계산해 보세요.

> **방법1** 분자를 자연수로 나누어 계산하기
> $$3\frac{1}{5} \div 4$$

> **방법2** 분수의 곱셈으로 나타내어 계산하기
> $$3\frac{1}{5} \div 4$$

12 $2\frac{1}{8} \div 3$을 계산하고 맞게 구했는지 확인하려고 합니다. □ 안에 알맞은 수를 써넣으세요.

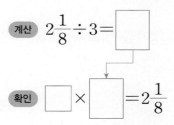

계산 $2\frac{1}{8} \div 3 = \boxed{}$

확인 $\boxed{} \times \boxed{} = 2\frac{1}{8}$

13 계산해 보세요.

(1) $3\frac{2}{5} \div 4$　　　　(2) $1\frac{2}{9} \div 8$

14 □ 안에 알맞은 기약분수를 써넣으세요.

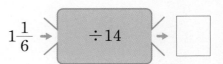

$1\frac{1}{6} \rightarrow \boxed{\div 14} \rightarrow \boxed{}$

수학 익힘 문제잡기

01 관계있는 것끼리 이어 보세요.

008쪽 개념 ❶

(1) $5 \div 2$ •

(2) $3 \div 7$ •

(3) $7 \div 3$ •

• $\dfrac{3}{7}$

• $\dfrac{5}{2}$

• $\dfrac{2}{5}$

• $\dfrac{7}{3}$

02 몫의 크기를 비교하여 더 작은 것에 ○표 하세요.

008쪽 개념 ❶

$5 \div 6$ $11 \div 12$

(   )   (   )

03 □ 안에 알맞은 수를 써넣으세요.

008쪽 개념 ❶

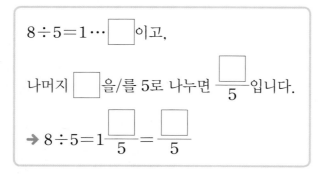

$8 \div 5 = 1 \cdots \boxed{}$ 이고,

나머지 $\boxed{}$ 을/를 5로 나누면 $\dfrac{\boxed{}}{5}$ 입니다.

➔ $8 \div 5 = 1\dfrac{\boxed{}}{5} = \dfrac{\boxed{}}{5}$

익힘책 공통   008쪽 개념 ❶

04 정현이는 미술 시간에 길이가 3 m인 리본을 5모둠에 똑같이 나누어 주려고 합니다. 한 모둠에 리본을 몇 m씩 나누어 주어야 하는지 분수로 나타내어 보세요.

식 _____

답 _____

008쪽 개념 ❶

05 한 봉지에 $\dfrac{9}{5}$ kg씩 들어 있는 콩이 5봉지 있습니다. 이 콩을 유리병 4개에 똑같이 나누어 담으려면 유리병 한 개에 담을 콩은 몇 kg인가요?

(   )

008쪽 개념 ❶

06 어떤 수를 7로 나누어야 할 것을 잘못하여 곱했더니 56이 나왔습니다. 바르게 계산하여 그 몫을 분수로 나타내어 보세요.

(   )

07 나눗셈의 몫을 분수로 <u>잘못</u> 나타낸 것을 찾아 기호를 쓰세요.

010쪽 개념 ❷

ㄱ $\dfrac{5}{6} \div 10 = \dfrac{1}{12}$　　ㄴ $\dfrac{6}{7} \div 2 = \dfrac{3}{7}$

ㄷ $\dfrac{4}{7} \div 3 = \dfrac{12}{7}$　　ㄹ $\dfrac{9}{10} \div 2 = \dfrac{9}{20}$

(　　　　　)

08 정삼각형의 한 변의 길이는 몇 m인지 기약분수로 나타내어 보세요.

010쪽 개념 ❷

내가 그린 정삼각형의 둘레는 $\dfrac{3}{4}$ m야.

지은

(　　　　　)

09 몫이 큰 것부터 차례로 ◯ 안에 1, 2, 3을 쓰세요.

010쪽 개념 ❸

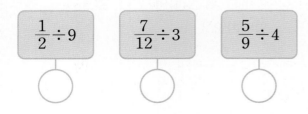

$\dfrac{1}{2} \div 9$　　$\dfrac{7}{12} \div 3$　　$\dfrac{5}{9} \div 4$

10 빈칸에 알맞은 분수를 써넣으세요.

010쪽 개념 ❸

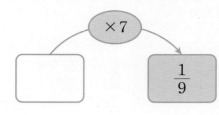

$\times 7$

$\dfrac{1}{9}$

11 수 카드 3장을 한 번씩 모두 사용하여 계산 결과가 가장 작은 (진분수)÷(자연수)의 나눗셈식을 만들려고 합니다. □ 안에 알맞은 수를 써넣고, 계산한 값을 구하세요.

010쪽 개념 ❸

문제 강의

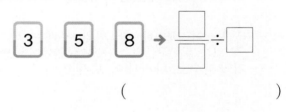

3　5　8　➡　$\dfrac{\Box}{\Box} \div \Box$

(　　　　　)

12 가로가 4 cm이고 넓이가 $\dfrac{64}{5}$ cm²인 직사각형의 세로는 몇 cm인지 기약분수로 나타내어 보세요.

익힘책 공통　010쪽 개념 ❸

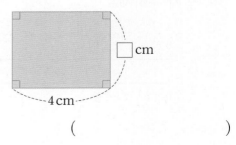

□ cm

4 cm

(　　　　　)

012쪽 개념 ④

13 □ 안에 들어갈 수 있는 자연수는 **모두** 몇 개 인가요?

$$\frac{\Box}{6} < 1\frac{2}{3} \div 2$$

( )

012쪽 개념 ④

14 무게가 똑같은 배 8개가 들어 있는 바구니의 무게를 재어 보니 $3\frac{3}{4}$ kg이었습니다. 빈 바구니의 무게가 $\frac{1}{4}$ kg이라면 배 한 개의 무게는 몇 kg인지 기약분수로 나타내어 보세요.

( )

익힘책 공통

012쪽 개념 ④

15 페인트 3통으로 벽면 $4\frac{2}{3}$ m²를 칠했습니다. 페인트 한 통으로 칠한 벽면의 넓이는 몇 m² 인지 구하세요.

( )

012쪽 개념 ④

16 꼬마 김밥 3인분을 만드는 데 필요한 재료와 재료의 양입니다. 꼬마 김밥 1인분을 만드는 데 필요한 밥과 참기름의 양을 각각 구하세요. (단, 꼬마 김밥 1인분을 만드는 데 들어 가는 각 재료의 양은 일정합니다.)

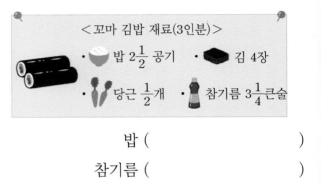

< 꼬마 김밥 재료(3인분) >
· 밥 $2\frac{1}{2}$ 공기   · 김 4장
· 당근 $\frac{1}{2}$ 개   · 참기름 $3\frac{1}{4}$ 큰술

밥 ( )

참기름 ( )

생각＋문제

17 ㉮와 ㉯ 수목원에서 다음과 같이 각각 꽃밭에 꽃을 심었습니다. **장미를 심은 넓이가 더 넓은 곳**은 어느 수목원인지 구하세요.

㉮ 수목원: 꽃밭 21 m²에 장미, 튤립, 국화, 채송화를 똑같은 넓이로 심었 습니다.

㉯ 수목원: 꽃밭 19 m²에 철쭉, 장미, 국화 를 똑같은 넓이로 심었습니다.

(1) 두 수목원에서 장미를 심은 넓이는 각각 몇 m²인가요?

㉮ 수목원 ( )

㉯ 수목원 ( )

(2) 장미를 심은 넓이가 더 넓은 곳은 어느 수목 원인가요?

( )

서술형 잡기

1 계산이 **잘못된 이유를 쓰고, 바르게 계산**해 보세요.

$$1\frac{9}{10} \div 3 = 1\frac{9 \div 3}{10} = 1\frac{3}{10}$$

해결 순서
❶ 잘못된 이유 쓰기
❷ 바르게 계산하기

이유 ❶ 대분수를 [   ]로 바꾸지 않고 계산하였습니다.

바른 계산
❷

2 계산이 **잘못된 이유를 쓰고, 바르게 계산**해 보세요.

$$5\frac{6}{7} \div 2 = 5\frac{6 \div 2}{7} = 5\frac{3}{7}$$

해결 순서
❶ 잘못된 이유 쓰기
❷ 바르게 계산하기

이유

바른 계산

3 넓이가 $\frac{24}{5}$ cm²인 정육각형을 6칸으로 똑같이 나누었습니다. **색칠한 부분의 넓이는 몇 cm²**인지 기약분수로 나타내려고 합니다. 풀이 과정을 쓰고, 답을 구하세요.

해결 순서
❶ 정육각형의 한 칸의 넓이 구하기
❷ 색칠한 부분의 넓이 구하기

풀이 ❶ (정육각형의 한 칸의 넓이)

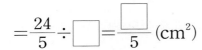
$$= \frac{24}{5} \div \boxed{} = \frac{\boxed{}}{5} \text{ (cm}^2)$$

❷ (색칠한 부분의 넓이)

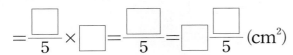
$$= \frac{\boxed{}}{5} \times \boxed{} = \frac{\boxed{}}{5} = \boxed{}\frac{\boxed{}}{5} \text{ (cm}^2)$$

 답

4 넓이가 $\frac{45}{7}$ cm²인 정오각형을 5칸으로 똑같이 나누었습니다. **색칠한 부분의 넓이는 몇 cm²**인지 기약분수로 나타내려고 합니다. 풀이 과정을 쓰고, 답을 구하세요.

해결 순서
❶ 정오각형의 한 칸의 넓이 구하기
❷ 색칠한 부분의 넓이 구하기

풀이

답

01 그림을 보고 □ 안에 알맞은 수를 써넣으세요.

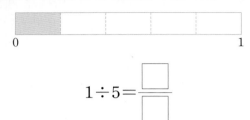

$$1 \div 5 = \frac{\square}{\square}$$

02 $3 \div 4$를 그림으로 나타내고, □ 안에 알맞은 수를 써넣으세요.

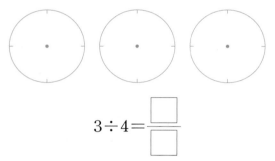

$$3 \div 4 = \frac{\square}{\square}$$

03 수직선을 보고 □ 안에 알맞은 수를 써넣으세요.

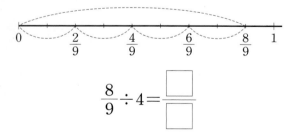

$$\frac{8}{9} \div 4 = \frac{\square}{\square}$$

04 □ 안에 알맞은 수를 써넣으세요.

$$\frac{5}{7} \div 6 = \frac{5}{7} \times \frac{\square}{\square} = \frac{\square}{\square}$$

05 □ 안에 알맞은 수를 써넣으세요.

$$2\frac{1}{7} \div 5 = \frac{\square}{7} \div 5 = \frac{\square \div \square}{7} = \frac{\square}{\square}$$

06 계산해 보세요.

$$\frac{3}{8} \div 7$$

07 보기와 같이 나눗셈을 곱셈으로 나타내어 계산해 보세요.

보기
$$\frac{16}{5} \div 3 = \frac{16}{5} \times \frac{1}{3} = \frac{16}{15} = 1\frac{1}{15}$$

$$\frac{11}{2} \div 4$$

08 빈칸에 알맞은 분수를 써넣으세요.

÷9

| $\frac{5}{8}$ | |
| $\frac{2}{9}$ | |

09 작은 수를 큰 수로 나눈 몫을 기약분수로 나타내어 보세요.

$$\frac{24}{7} \qquad 9$$

( )

10 나눗셈의 몫을 찾아 이어 보세요.

(1) $1\frac{1}{4} \div 9$ •

(2) $2\frac{2}{3} \div 7$ •

• $\frac{4}{30}$

• $\frac{5}{36}$

• $\frac{8}{21}$

11 나눗셈의 몫을 분수로 잘못 나타낸 사람은 누구인가요?

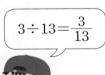 $11 \div 2 = \frac{2}{11}$

$3 \div 13 = \frac{3}{13}$

서현 　　 준서

( )

12 나눗셈의 몫의 크기를 비교하여 ○ 안에 >, =, <를 알맞게 써넣으세요.

$$6 \div 5 \qquad \bigcirc \qquad 10 \div 9$$

13 빈칸에 알맞은 기약분수를 써넣으세요.

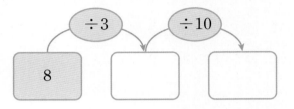

8 　 $\div 3$ 　 $\div 10$

14 ㉠과 ㉡의 계산 결과의 차를 구하세요.

$$㉠ \ \frac{5}{3} \div 2 \qquad ㉡ \ 1\frac{2}{5} \div 4$$

( )

15 물 2 L를 5명이 똑같이 나누어 마셨습니다. 한 명이 마신 물은 몇 L인지 분수로 나타내어 보세요.

식

답

16 밑변의 길이가 5 cm이고 넓이가 $13\frac{3}{4}$ cm²인 평행사변형의 높이는 몇 cm인지 기약분수로 나타내어 보세요.

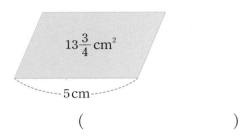

(   )

17 □ 안에 들어갈 수 있는 자연수를 모두 구하세요.

$$\frac{5}{8} < \frac{\square}{8} < 3\frac{3}{8} \div 3$$

(   )

18 철사 $\frac{3}{4}$ m를 겹치지 않게 모두 사용하여 크기가 똑같은 정오각형 모양을 2개 만들었습니다. 만든 정오각형의 한 변의 길이는 몇 m인가요?

(   )

서술형

19 계산이 잘못된 이유를 쓰고, 바르게 계산해 보세요.

$$2\frac{6}{7} \div 3 = 2\frac{6 \div 3}{7} = 2\frac{2}{7}$$

이유 _____

_____

바른 계산

서술형

20 넓이가 $3\frac{5}{9}$ cm²인 정팔각형을 8칸으로 똑같이 나누었습니다. 색칠한 부분의 넓이는 몇 cm² 인지 기약분수로 나타내려고 합니다. 풀이 과정을 쓰고, 답을 구하세요.

풀이 _____

_____

_____

_____

답 _____

동굴에서 비밀 금고를 발견했어요!

이 금고는 모든 버튼을 한 번씩 빠짐없이 누르고

마지막에 '열림'을 누르면 열린다고 해요.

버튼에 적힌 숫자는 이동하는 칸 수, 문자는 이동하는 방향을 의미해요.

금고를 열려면 처음에 어떤 버튼을 눌러야 할까요? 모두 도와주세요~!

1U: 한 칸 위로
1D: 한 칸 아래로
1R: 한 칸 오른쪽으로
1L: 한 칸 왼쪽으로

마지막에 '열림'을 눌러야 하니까 거꾸로 생각해 보자!

● 정답은 진도북 148쪽에서 확인하세요.

2 각기둥과 각뿔

와, 이 집은 정말 예쁘게 생겼네~.
각기둥과 각뿔 모양으로 이루어져 있어.
나도 건축가가 되어 멋진 집을 지어야지!

동영상 강의와 함께 계획을 세워 공부합니다.
동영상 강의를 시청했으면 ◯에 ∨표 하세요.

공부한 날	동영상 확인	쪽수	학습 내용
월 일	▶◯	026~031쪽	**교과서 개념 잡기** ❶ 각기둥⑴ ❷ 각기둥⑵ ❸ 각기둥의 전개도 ❹ 각기둥의 전개도 그리기
월 일		032~033쪽	개념 한 번 더 잡기
월 일	▶◯	034~037쪽	**교과서 개념 잡기** ❺ 각뿔⑴ ❻ 각뿔⑵
월 일		038~039쪽	개념 한 번 더 잡기
월 일	▶◯	040~042쪽	수학 익힘 문제 잡기
월 일	▶◯	043쪽	서술형 잡기
월 일		044~046쪽	단원 마무리

각기둥의 겨냥도

1 각기둥(1)

(1) 각기둥

서로 평행하고 합동인 두 다각형이 있는 입체도형을 **각기둥**이라고 합니다.

보이는 모서리는 실선으로, 보이지 않는 모서리는 점선 으로 나타냅니다.

(2) 각기둥의 밑면

① 각기둥에서 서로 평행하고 합동인 두 면을 **밑면**이라고 합니다. → 면 ㄱㄴㄷ, 면 ㄹㅁㅂ

② 두 밑면은 나머지 면들과 모두 수직으로 만납니다.

(3) 각기둥의 옆면

① 각기둥에서 두 밑면과 만나는 면을 **옆면**이라고 합니다.

→ 면 ㄱㄹㅁㄴ, 면 ㄴㅁㅂㄷ, 면 ㄷㅂㄹㄱ

② 옆면의 수는 한 밑면의 변의 수와 같습니다.

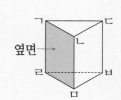

직육면체인 각기둥의 밑면

① 직육면체인 각기둥의 모 든 면은 밑면이 될 수 있 습니다.

② 두 밑면을 정하면 나머지 4개의 면은 옆면이 됩니다.

(4) 각기둥의 밑면과 옆면의 모양

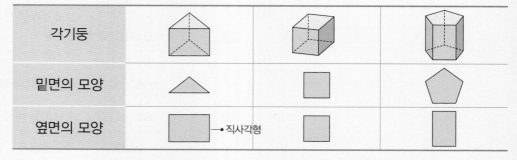

→ 각기둥의 밑면은 다각형이고, 옆면은 모두 직사각형입니다.

1 도형을 모양에 따라 분류하려고 합니다. 물음에 답하세요.

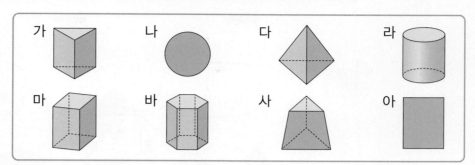

(1) 주어진 도형을 입체도형과 평면도형으로 분류해 보세요.

입체도형	평면도형

(2) ☐ 안에 알맞은 말을 써넣으세요.

> 서로 평행하고 합동인 두 다각형이 있는 입체도형은 ☐, ☐,
>
> ☐ 이고, 이와 같은 입체도형을 ☐ 이라고 합니다.

교과서 공통 2 각기둥에서 서로 평행한 두 면을 찾아 색칠하고, ☐ 안에 알맞은 말을 써넣으세요.

> 각기둥에서 서로 평행하고 합동인
>
> 두 면을 ☐ 이라고 합니다.

3 각기둥을 보고 물음에 답하세요.

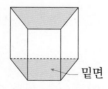
밑면

(1) 각기둥에서 두 밑면과 만나는 면은 **모두** 몇 개인가요?

(   )

(2) 두 밑면과 만나는 면은 어떤 모양인가요?

(   )

032쪽 에서 개념을 한 번 더 다집니다.

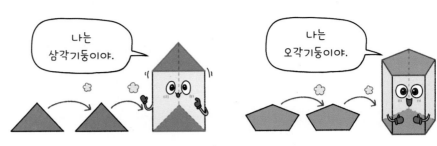

밑면의 모양이 ★각형인 각기둥 ➡ ★각기둥

개념 강의

2 각기둥(2)

(1) 각기둥의 이름

각기둥은 밑면의 모양에 따라 **삼각기둥, 사각기둥, 오각기둥, ...**이라고 합니다.

각기둥			
밑면의 모양	삼각형	사각형	오각형
각기둥의 이름	삼각기둥	사각기둥	오각기둥

각기둥의 구성 요소의 수

• (꼭짓점의 수)
 =(한 밑면의 변의 수)×2
• (면의 수)
 =(한 밑면의 변의 수)+2
• (모서리의 수)
 =(한 밑면의 변의 수)×3

(2) 각기둥의 구성 요소

① 면과 면이 만나는 선분을 **모서리**라고 합니다.
② 모서리와 모서리가 만나는 점을 **꼭짓점**이라고 합니다.
③ 두 밑면 사이의 거리를 **높이**라고 합니다.

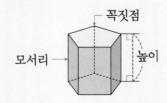

④ 각기둥의 높이는 옆면끼리 만나서 생긴 모서리의 길이와 같습니다.

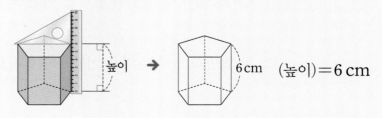

1 각기둥의 이름을 알아보려고 합니다. 물음에 답하세요.

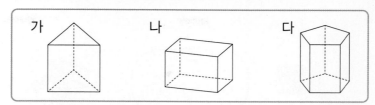

가　　나　　다

(1) 각기둥의 두 밑면을 찾아 그 둘레를 따라 색연필로 선을 그어 보세요.

(2) 밑면의 모양은 각각 어떤 도형인가요?

　　　가 (　　　　　　), 나 (　　　　　　), 다 (　　　　　　)

(3) 각기둥의 이름을 각각 쓰세요.

　　　가 (　　　　　　), 나 (　　　　　　), 다 (　　　　　　)

교과서 공통 **2** 각기둥의 이름을 쓰세요.

(1)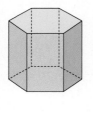

　　(　　　　　　)

(2)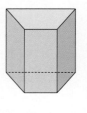

　　(　　　　　　)

3 각기둥의 겨냥도에서 꼭짓점은 빨간색으로, 모서리는 초록색으로 표시하고, 각 각 몇 개인지 세어 보세요.

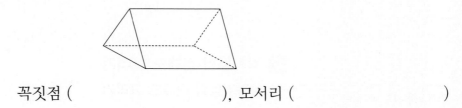

꼭짓점 (　　　　　　　), 모서리 (　　　　　　)

4 각기둥을 보고 표를 완성해 보세요.

한 밑면의 변의 수(개)	꼭짓점의 수(개)	면의 수(개)	모서리의 수(개)
5			

032쪽 에서 개념을 한 번 더 다집니다.

한눈에
핵심쏙

어느 모서리를
자르는가에 따라
여러 가지 전개도가
나와.

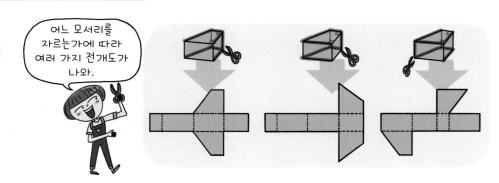

개념 강의

3 각기둥의 전개도

(1) 각기둥의 전개도 알아보기

각기둥의 모서리를 잘라서 평면 위에 펼쳐 놓은 그림을 각기둥의 **전개도**라고
합니다.

(2) 각기둥의 전개도의 특징

예 삼각기둥의 전개도 알아보기

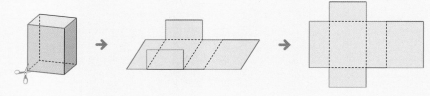

밑면

옆면

밑면

① 두 밑면은 합동이고, 전개도를 접었을 때 서로
평행합니다.
② 전개도를 접었을 때 서로 겹쳐지는 면이 없습니다.
③ 전개도를 접었을 때 만나는 모서리의 길이가 같
습니다.

4 각기둥의 전개도 그리기

예 삼각기둥의 전개도 그리기

전개도를 그릴 때 잘린 모서
리는 실선으로, 잘리지 않은
모서리는 점선으로 그립니다.

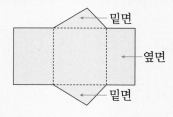

4cm 3cm
5cm
3cm

┌ 밑면: 삼각형 2개
└ 옆면: 직사각형 3개

→

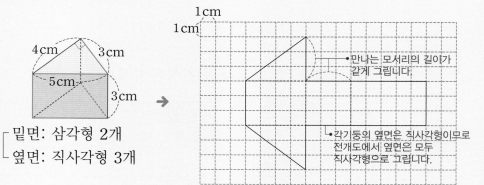

1cm
1cm

•만나는 모서리의 길이가
같게 그립니다.

•각기둥의 옆면은 직사각형이므로
전개도에서 옆면은 모두
직사각형으로 그립니다.

1 전개도를 접었을 때 만들어지는 입체도형의 이름을 쓰세요.

(1)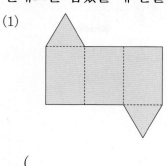

(2)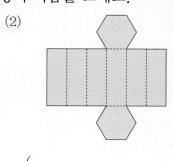

(   )   (   )

교과서 공통 **2** 사각기둥을 만들 수 <u>없는</u> 것을 찾으려고 합니다. 알맞은 말에 ◯표 하세요.

가   나

(가 , 나)는 접었을 때 밑면이 서로 (겹쳐지므로 , 겹쳐지지 않으므로)
사각기둥을 만들 수 없습니다.

3 전개도를 접어서 각기둥을 만들었습니다. ☐ 안에 알맞은 수를 써넣으세요.

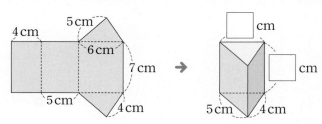

4 삼각기둥의 전개도를 완성해 보세요.

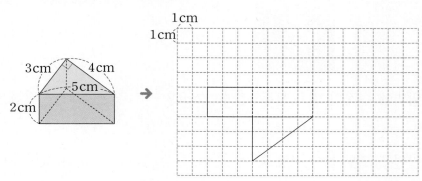

033쪽 에서 개념을 한 번 더 다집니다.

1 각기둥⑴

01 각기둥인 것을 **모두** 고르세요.

( )

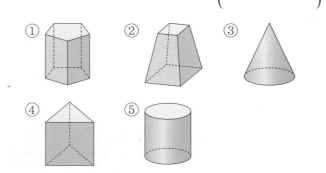

02 각기둥에서 밑면을 **모두** 찾아 색칠해 보세요.

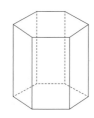

03 각기둥을 보고 물음에 답하세요.

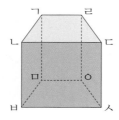

(1) 밑면에 수직인 면은 **모두** 몇 개인가요?

( )

(2) 옆면을 모두 찾아 쓰세요.

( )

2 각기둥⑵

04 각기둥을 보고 밑면의 모양과 각기둥의 이름을 쓰세요.

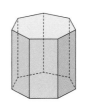

밑면의 모양	각기둥의 이름

05 보기에서 알맞은 말을 골라 □ 안에 써넣으세요.

보기
높이 꼭짓점 밑면 모서리 옆면

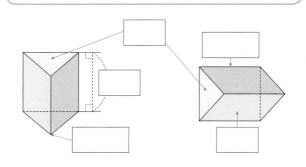

06 각기둥을 보고 물음에 답하세요.

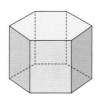

(1) 모서리는 **모두** 몇 개인가요?

( )

(2) 꼭짓점은 **모두** 몇 개인가요?

( )

(3) 높이를 나타내는 모서리는 **모두** 몇 개인가요?

( )

③ 각기둥의 전개도

07 전개도를 접었을 때 만들어지는 입체도형의 이름을 쓰세요.

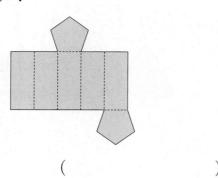

(   )

[08~09] 전개도를 보고 물음에 답하세요.

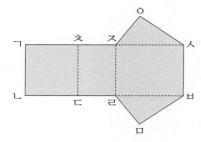

08 전개도를 접었을 때 선분 ㄱㄴ과 맞닿는 선분을 찾아 쓰세요.

(   )

09 전개도를 접었을 때 면 ㅇㅈㅅ과 만나는 면을 **모두** 찾아 쓰세요.

(   )

10 전개도를 접었을 때 색칠한 면과 마주 보는 면을 찾아 ○표 하세요.

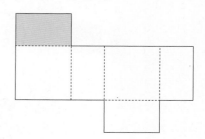

④ 각기둥의 전개도 그리기

11 육각기둥의 겨냥도를 보고 육각기둥의 전개도를 완성해 보세요.

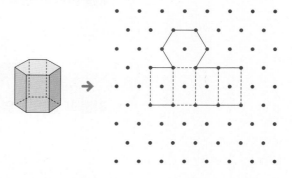

12 오른쪽과 같이 밑면이 사다리꼴인 사각기둥의 전개도를 완성해 보세요.

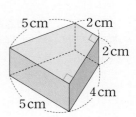

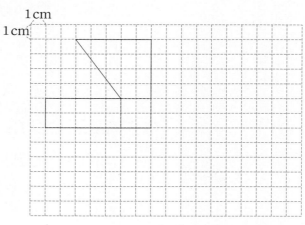

교과서 개념 잡기

학교별 모든 개념을 담았습니다.

한눈에 **핵심쏙**

바닥에 놓인 면이 밑면이야.

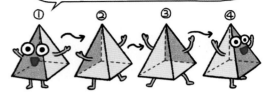

내 옆면의 모양은 모두 삼각형이고, 옆면의 수는 밑면의 변의 수와 같아.

개념 강의

5 각뿔(1)

(1) 각뿔

밑에 놓인 면이 다각형이고 옆으로 둘러싼 면이 모두 삼각형인 입체도형을 **각뿔**이라고 합니다.

(2) 각뿔의 밑면과 옆면

① 각뿔을 놓았을 때 바닥에 놓인 면을 **밑면**이라고 합니다. ➔ 면 ㄴㄷㄹㅁ

② 각뿔에서 밑면과 만나는 면을 **옆면**이라고 합니다.

➔ 면 ㄱㄴㄷ, 면 ㄱㄷㄹ, 면 ㄱㄹㅁ, 면 ㄱㅁㄴ

각뿔의 옆면은 모두 한 점에서 만납니다.

(3) 각기둥과 각뿔의 비교

도형	밑면의 모양	옆면의 모양	밑면의 수(개)
	오각형	▭ ●직사각형	2
	오각형	▲ ●삼각형	1

① 각기둥의 옆면은 모두 직사각형이고, 각뿔의 옆면은 모두 삼각형입니다.

② 각기둥의 밑면은 2개이고, 각뿔의 밑면은 1개입니다.

1 입체도형을 보고 ☐ 안에 알맞은 말을 써넣으세요.

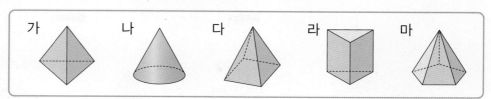

(1) 밑에 놓인 면이 다각형이고 옆으로 둘러싼 면이 모두 삼각형인 입체도형은

☐ , ☐ , ☐ 입니다.

(2) 위 (1)과 같은 입체도형을 ☐ 이라고 합니다.

교과서 공통 **2** 각뿔에 ○표, 각뿔이 아닌 것에 ✕표 하세요.

　　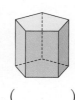　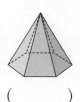

(　　)　(　　)　(　　)　(　　)

---

3 각뿔에서 바닥에 놓인 면을 찾아 색칠하고, ☐ 안에 알맞은 말을 써넣으세요.

각뿔을 놓았을 때 바닥에 놓인 면을 ☐ 이라 하고,
밑면과 만나는 면을 ☐ 이라고 합니다.

---

4 각뿔을 보고 밑면과 옆면은 각각 몇 개인지 구하세요.

밑면	
옆면	

038쪽 에서 개념을 **한 번 더** 다집니다.

한눈에
용어 쏙

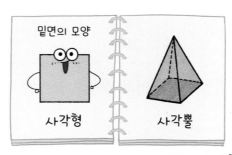 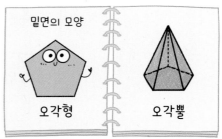

밑면의 모양이 ★각형인 각뿔 ➡ ★각뿔

개념 강의

6 각뿔(2)

(1) 각뿔의 이름

각뿔은 밑면의 모양에 따라 **삼각뿔, 사각뿔, 오각뿔, ...** 이라고 합니다.

각뿔			
밑면의 모양	삼각형	사각형	오각형
각뿔의 이름	삼각뿔	사각뿔	오각뿔

각뿔의 구성 요소의 수

• (꼭짓점의 수)
 =(밑면의 변의 수)+1
• (면의 수)
 =(밑면의 변의 수)+1
• (모서리의 수)
 =(밑면의 변의 수)×2

(2) 각뿔의 구성 요소

① 면과 면이 만나는 선분을 **모서리**라고 합니다.

② 모서리와 모서리가 만나는 점을 **꼭짓점**이라고 합니다.

③ 꼭짓점 중에서도 옆면이 모두 만나는 점을 **각뿔의 꼭짓점**이라고 합니다.

④ 각뿔의 꼭짓점에서 밑면에 수직인 선분의 길이를 **높이**라고 합니다.

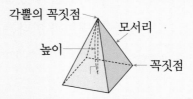

⑤ 자와 삼각자를 이용하여 각뿔의 높이를 잴 수 있습니다.

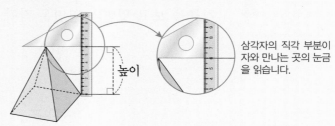

삼각자의 직각 부분이
자와 만나는 곳의 눈금
을 읽습니다.

1 각뿔의 이름을 알아보려고 합니다. 물음에 답하세요.

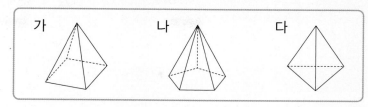

(1) 각뿔의 밑면을 찾아 그 둘레를 따라 색연필로 선을 그어 보세요.

(2) 밑면의 모양은 각각 어떤 도형인가요?

　　가 (　　　　　　　), 나 (　　　　　　　), 다 (　　　　　　　)

(3) 각뿔의 이름을 각각 쓰세요.

　　가 (　　　　　　　), 나 (　　　　　　　), 다 (　　　　　　　)

교과서 공통 2 각뿔의 이름을 쓰세요.

(1)
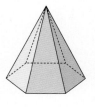
(　　　　　　　)

(2)
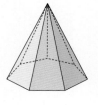
(　　　　　　　)

3 각뿔을 보고 □ 안에 알맞은 말을 써넣으세요.

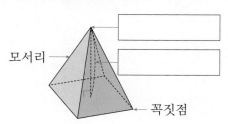

모서리 →

→ 꼭짓점

4 각뿔을 보고 표를 완성해 보세요.

밑면의 변의 수(개)	꼭짓점의 수(개)	면의 수(개)	모서리의 수(개)
6			

039쪽 에서 개념을 한 번 더 다집니다.

5 각뿔(1)

01 밑에 놓인 면이 다각형이고 옆으로 둘러싼 면이 모두 삼각형인 입체도형을 **모두** 찾아 기호를 쓰세요.

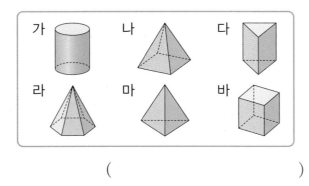

( )

02 각뿔을 찾아 ○표 하세요.

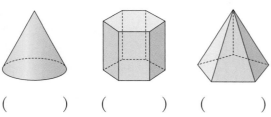

( ) ( ) ( )

03 각뿔을 보고 □ 안에 알맞은 말을 써넣으세요.

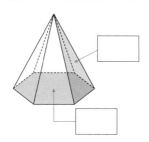

04 각뿔에서 밑면은 ○표, 옆면은 △표 하세요.

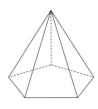

05 각뿔을 보고 밑면의 모양과 옆면의 모양은 각각 어떤 도형인지 쓰세요.

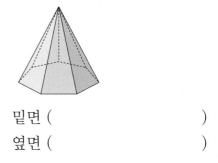

밑면 ( )
옆면 ( )

06 각뿔을 보고 밑면과 옆면을 **모두** 찾아 쓰세요.

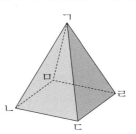

밑면	
옆면	

6 **각뿔**(2)

07 각뿔을 보고 밑면의 모양과 각뿔의 이름을 쓰세요.

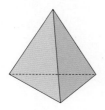

밑면의 모양	
각뿔의 이름	

08 각뿔의 이름을 쓰세요.

( )

09 밑면의 모양이 육각형이고, 옆면의 모양은 모두 삼각형인 입체도형의 이름을 쓰세요.

( )

10 각뿔의 겨냥도에서 모서리는 초록색으로, 꼭짓점은 파란색으로 표시해 보세요.

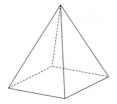

11 각뿔의 높이를 바르게 잰 것을 찾아 ○표 하세요.

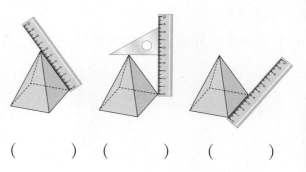

( ) ( ) ( )

12 각뿔을 보고 물음에 답하세요.

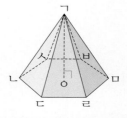

(1) 각뿔에서 '각뿔의 꼭짓점'을 찾아 쓰세요.

( )

(2) 각뿔의 높이를 나타내는 선분을 찾아 쓰세요.

( )

13 각뿔을 보고 꼭짓점과 모서리가 각각 몇 개인지 구하세요.

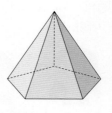

꼭짓점 ( )

모서리 ( )

학교별 모든 수학 익힘 문제를 담았습니다.

문제 강의

026쪽 개념 ❶

01 각기둥에서 밑면을 **모두** 찾아 쓰세요.

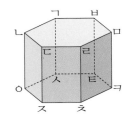

( )

026쪽 개념 ❶

02 각기둥의 겨냥도를 완성해 보세요.

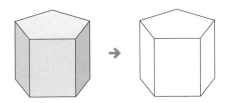

028쪽 개념 ❷

03 각기둥에 대해 잘못 말한 사람의 이름을 쓰세요.

문제 강의

삼각기둥의 꼭짓점은 9개야.
영주

옆면이 5개인 각기둥은 오각기둥이야.
도은

( )

028쪽 개념 ❷

04 각기둥의 높이는 몇 cm인가요?

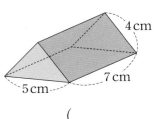

( )

익힘책 공통   028쪽 개념 ❷

05 각기둥을 보고 표를 완성한 다음 규칙을 찾아 식으로 나타내어 보세요.

도형		
한 밑면의 변의 수(개)	4	5
꼭짓점의 수(개)		
면의 수(개)		
모서리의 수(개)		

• (꼭짓점의 수)=(한 밑면의 변의 수)×☐

• (면의 수)=(한 밑면의 변의 수)+☐

• (모서리의 수)=(한 밑면의 변의 수)×☐

030쪽 개념 ❸

06 삼각기둥의 전개도가 아닌 것을 찾아 기호를 쓰세요.

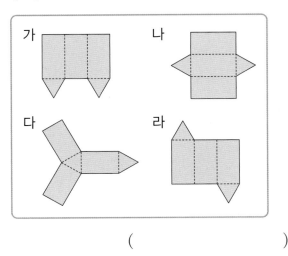

( )

07 사각기둥의 전개도를 보고 선분 ㄷㅈ의 길이는 몇 cm인지 구하세요.

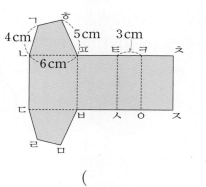

(　　　　　　　　)

08 왼쪽 전개도를 접어서 오른쪽 각기둥을 만들었습니다. 이 각기둥의 모든 모서리의 길이의 합이 20 cm일 때 밑면의 한 변의 길이는 몇 cm인지 구하세요. (단, 각기둥의 옆면은 모두 합동입니다.)

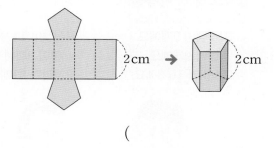

(　　　　　　　　)

09 오른쪽 사각기둥의 전개도를 두 가지 방법으로 그려 보세요.

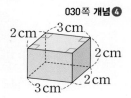

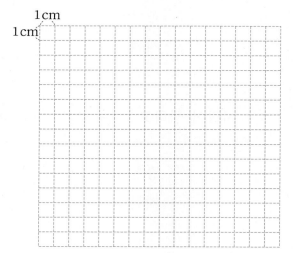

10 밑면의 모양이 오른쪽 그림과 같고, 높이가 3 cm인 삼각기둥의 전개도를 그려 보세요.

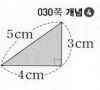

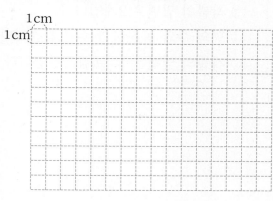

11 밑면의 모양이 다음과 같은 각뿔의 이름을 찾아 이어 보세요.

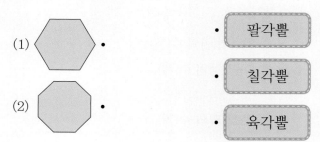

(1) 　　　・

(2) 　　　・

・ 팔각뿔

・ 칠각뿔

・ 육각뿔

12 입체도형을 보고 표를 완성해 보세요.

가　　　　　　나

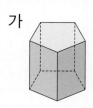 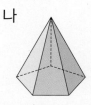

도형	가	나
밑면의 모양		
옆면의 모양	직사각형	
밑면의 수(개)		

036쪽 **개념 6**

13 각뿔에 대한 설명으로 <u>잘못된</u> 것을 찾아 기호를 쓰세요.

> ㉠ 각뿔의 밑면은 2개입니다.
> ㉡ 면의 수와 꼭짓점의 수가 같습니다.
> ㉢ 각뿔의 옆면은 모두 삼각형입니다.

( )

036쪽 **개념 6**

16 영우는 피라미드를 보고 모서리는 빨대를, 꼭짓점은 고무찰흙을 사용하여 사각뿔을 만들었습니다. 사각뿔을 만드는 데 사용한 빨대와 고무찰흙은 각각 몇 개인가요?

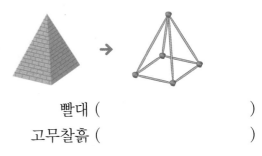

빨대 ( )
고무찰흙 ( )

익힘책 공통

14 각뿔을 보고 표를 완성한 다음 규칙을 찾아 식으로 나타내어 보세요.

036쪽 **개념 6**

도형		
밑면의 변의 수(개)	3	6
꼭짓점의 수(개)		
면의 수(개)		
모서리의 수(개)		

• (꼭짓점의 수)=(밑면의 변의 수)+ ☐

• (면의 수)=(밑면의 변의 수)+ ☐

• (모서리의 수)=(밑면의 변의 수)× ☐

생각 + 문제

17 승현이와 지현이는 각기둥 또는 각뿔에 대하여 말하고 있습니다. 두 사람이 말하고 있는 **입체도형의 이름**을 각각 쓰세요.

> 꼭짓점이 9개예요.
> 면이 9개예요.
> 모서리가 16개예요.

승현

> 꼭짓점이 14개예요.
> 면이 9개예요.
> 모서리가 21개예요.

지현

(1) 두 사람이 말하고 있는 입체도형은 각기둥과 각뿔 중 어느 것인지 쓰세요.

승현 ( )
지현 ( )

(2) 두 사람이 말하고 있는 입체도형의 이름을 각각 쓰세요.

승현 ( )
지현 ( )

036쪽 **개념 6**

15 밑면의 모양이 오른쪽과 같은 각뿔이 있습니다. 이 각뿔의 꼭짓점은 **모두** 몇 개인지 구하세요.

( )

서술형 잡기

1 입체도형이 **각기둥이 아닌 이유**를 쓰세요.

이유 • 서로 평행한 두 면이 [   ]이 아니므로 각기둥이 아닙니다.

• 서로 평행한 두 면을 제외한 다른 면이 모두 [   ]이 아니므로 각기둥이 아닙니다.

2 입체도형이 **각뿔이 아닌 이유**를 쓰세요.

이유 _____

_____

_____

3 다음 각기둥은 밑면이 정오각형이고 옆면이 모두 직사각형입니다. **이 각기둥의 모든 모서리의 길이의 합은 몇 cm**인지 풀이 과정을 쓰고, 답을 구하세요.

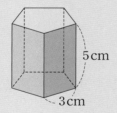

5 cm
3 cm

해결 순서 ❶ 길이가 3 cm, 5 cm인 모서리의 수 각각 구하기
❷ 모든 모서리의 길이의 합 구하기

풀이 ❶ 길이가 3 cm인 모서리는 [ ]개,

길이가 5 cm인 모서리는 [ ]개입니다.

❷ (모든 모서리의 길이의 합)

$= 3 \times \boxed{} + 5 \times \boxed{} = \boxed{}$ (cm)

답 _____

4 다음 각기둥은 밑면이 정삼각형이고 옆면이 모두 직사각형입니다. **이 각기둥의 모든 모서리의 길이의 합은 몇 cm**인지 풀이 과정을 쓰고, 답을 구하세요.

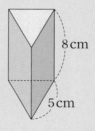

8 cm
5 cm

해결 순서 ❶ 길이가 5 cm, 8 cm인 모서리의 수 각각 구하기
❷ 모든 모서리의 길이의 합 구하기

풀이 _____

_____

_____

_____

답 _____

01 각기둥에서 밑면을 모두 찾아 색칠해 보세요.

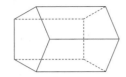

02 각뿔에서 ㉠의 이름은 무엇인가요?

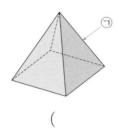

(   )

03 각뿔을 보고 밑면의 모양과 각뿔의 이름을 쓰세요.

밑면의 모양	
각뿔의 이름	

04 오른쪽 각기둥의 이름을 쓰세요.

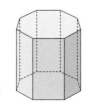

(   )

05 각기둥에서 옆면은 모두 몇 개인가요?

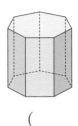

(   )

[06~07] 입체도형을 보고 물음에 답하세요.

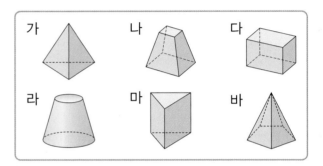

06 각기둥을 모두 찾아 기호를 쓰세요.

(   )

07 각뿔을 모두 찾아 기호를 쓰세요.

(   )

08 각뿔의 높이를 잴 수 있는 선분을 찾아 쓰세요.

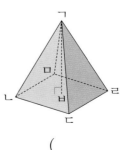

(   )

09 오른쪽 각기둥에서 높이를 나타 내는 모서리는 모두 몇 개인가 요?

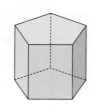

( )

10 밑면의 모양이 다음과 같은 각뿔의 이름을 찾 아 이어 보세요.

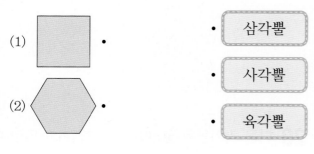

(1) ·

· 삼각뿔

· 사각뿔

(2) ·

· 육각뿔

11 전개도를 접었을 때 만들어지는 입체도형의 이 름을 쓰세요.

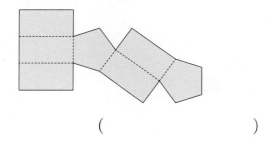

( )

12 각기둥에 대한 설명이 <u>아닌</u> 것은 어느 것인가 요? ( )

① 두 밑면은 합동입니다.

② 두 밑면은 서로 평행합니다.

③ 옆면은 모두 직사각형입니다.

④ 밑면의 모양은 같으나 크기는 다릅니다.

⑤ 두 밑면 사이의 거리를 높이라고 합니다.

13 각뿔을 보고 빈칸에 알맞은 수를 써넣으세요.

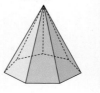

꼭짓점의 수(개)	
면의 수(개)	
모서리의 수(개)	

14 전개도를 접어서 각기둥을 만들었습니다. □ 안에 알맞은 수를 써넣으세요.

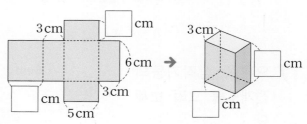

15 두 입체도형의 공통점을 바르게 말한 사람의 이름을 쓰세요.

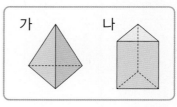

경석: 가와 나는 밑면의 수가 같아.

은아: 가와 나는 밑면의 모양이 같아.

( )

정답 11쪽

16 사각기둥의 전개도를 모두 찾아 기호를 쓰세요.

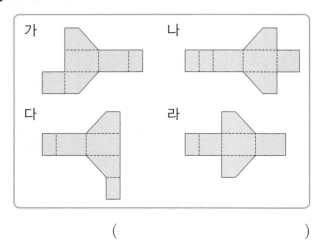

가   나

다   라

(   )

서술형

19 입체도형이 각뿔이 <u>아닌</u> 이유를 쓰세요.

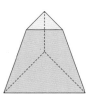

이유 _____

_____

_____

17 오른쪽 삼각기둥의 전개도를 그려 보세요.

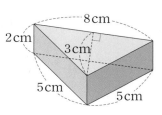

1cm
1cm

서술형

20 다음 각기둥은 밑면이 정육각형이고 옆면이 모두 직사각형입니다. 이 각기둥의 모든 모서리의 길이의 합은 몇 cm인지 풀이 과정을 쓰고, 답을 구하세요.

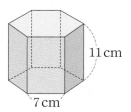

풀이 _____

_____

_____

_____

답 _____

18 밑면의 모양이 오른쪽과 같은 각기둥이 있습니다. 이 각기둥의 꼭짓점은 모두 몇 개인지 구하세요.

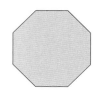

(   )

귀여운 펭귄들이 여기 다 모여있어요~!

아래만 보는 펭귄도 있고, 위를 보고 있는 펭귄도 있고

다들 어딘가를 바라보고 있어요.

그중에서 나와 눈이 마주친 펭귄들은 몇 마리인지 30초 안에 모두 세어 봐요~!

눈 마주침

● 정답은 진도북 148쪽에서 확인하세요.

3 소수의 나눗셈

우유를 많이 마시면 덩크슛도 할 수 있겠지?
앞으로 3일 동안 우유 1.5 L를 다 마셔 버릴테다!
매일 0.5 L씩 마시면 되겠어~.

무료
스마트
러닝

동영상 강의와 함께 계획을 세워 공부합니다.
동영상 강의를 시청했으면 ◯에 ∨표 하세요.

공부한 날	동영상 확인	쪽수	학습 내용
월 일	▶️ ◯	050~055쪽	**교과서 개념 잡기** ❶ 자연수의 나눗셈을 이용한 (소수)÷(자연수) ❷ 각 자리에서 나누어떨어지지 않는 (소수)÷(자연수) ❸ 몫이 1보다 작은 소수인 (소수)÷(자연수)
월 일		056~057쪽	**개념 한 번 더 잡기**
월 일	▶️ ◯	058~063쪽	**교과서 개념 잡기** ❹ 소수점 아래 0을 내려 계산하는 (소수)÷(자연수) ❺ 몫의 소수 첫째 자리에 0이 있는 (소수)÷(자연수) ❻ (자연수)÷(자연수)의 몫을 소수로 나타내기 ❼ 몫의 소수점 위치 확인하기
월 일		064~065쪽	**개념 한 번 더 잡기**
월 일	▶️ ◯	066~070쪽	**수학 익힘 문제 잡기**
월 일	▶️ ◯	071쪽	**서술형 잡기**
월 일		072~074쪽	**단원 마무리**

한눈에
핵심쏙

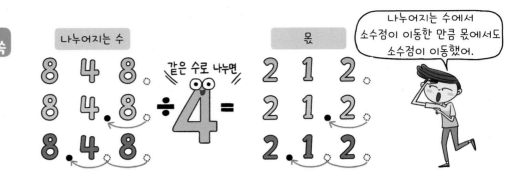

1 자연수의 나눗셈을 이용한 (소수)÷(자연수)

(1) 단위를 바꾸어 계산하기

개념 강의

예 끈 39.6 cm를 3명에게 똑같이 나누어 주기

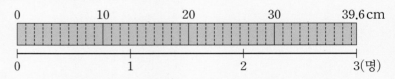

cm를 mm로, m를 cm로 바꾸어 자연수의 나눗셈을 이용합니다.

① cm 단위를 mm 단위로 바꾸어 소수를 자연수로 나타냅니다.

1 cm=10 mm이므로 39.6 cm=396 mm입니다.

② 자연수의 나눗셈을 이용하면 396÷3=132입니다.

③ 한 명이 가질 수 있는 끈의 길이는 132 mm=13.2 cm입니다.

(2) 나누는 수가 같은 나눗셈에서 나누어지는 수와 몫의 관계

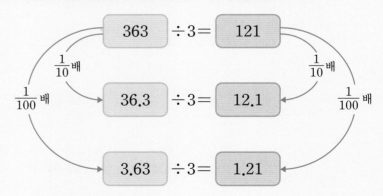

① 나누어지는 수가 $\frac{1}{10}$ 배가 되면 몫도 $\frac{1}{10}$ 배가 됩니다.

→ 몫의 소수점이 왼쪽으로 한 칸 이동합니다.

② 나누어지는 수가 $\frac{1}{100}$ 배가 되면 몫도 $\frac{1}{100}$ 배가 됩니다.

→ 몫의 소수점이 왼쪽으로 두 칸 이동합니다.

1 리본 46.2 cm를 2명에게 똑같이 나누어 줄 때 한 사람이 가지게 될 리본의 길이는 몇 cm인지 구하려고 합니다. 물음에 답하세요.

(1) ☐ 안에 알맞은 수를 써넣으세요.

1 cm=10 mm이므로 46.2 cm=☐ mm입니다.

☐ ÷2=☐ (mm) ➡ ☐ cm

(2) 한 사람이 가지게 될 리본의 길이는 몇 cm인가요?

(   )

교과서 공통 **2** ☐ 안에 알맞은 수를 써넣으세요.

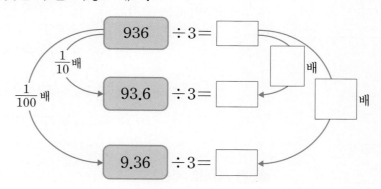

3 자연수의 나눗셈을 이용하여 소수의 나눗셈을 해 보세요.

(1) 663÷3=221

    66.3÷3=☐

    6.63÷3=☐

(2) 448÷4=112

    44.8÷4=☐

    4.48÷4=☐

056쪽 에서 개념을 한 번 더 다집니다.

교과서 개념 잡기

학교별 모든 개념을 담았습니다.

한눈에
방법쏙

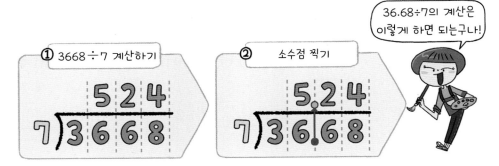

① 3668÷7 계산하기

② 소수점 찍기

36.68÷7의 계산은 이렇게 하면 되는구나!

개념 강의

분수의 나눗셈으로 바꾸어 계산하는 방법

① (소수 한 자리 수)
  ÷(자연수)
  → (분모가 10인 분수)
  ÷(자연수)

$$●.■÷★=\frac{●■}{10}÷★$$

② (소수 두 자리 수)
  ÷(자연수)
  → (분모가 100인 분수)
  ÷(자연수)

$$●.■▲÷★=\frac{●■▲}{100}÷★$$

---

2 각 자리에서 나누어떨어지지 않는 (소수)÷(자연수)

예 36.68÷7의 계산

방법 1 분수의 나눗셈으로 바꾸어 계산하기

$$36.68÷7=\frac{3668}{100}÷7=\frac{3668÷7}{100}=\frac{524}{100}=5.24$$

방법 2 자연수의 나눗셈을 이용하여 계산하기

나누어지는 수가 $\frac{1}{100}$배가 되면 몫도 $\frac{1}{100}$배가 됩니다.

$\frac{1}{100}$배

$$3668÷7=524 \quad → \quad 36.68÷7=5.24$$

$\frac{1}{100}$배

방법 3 세로로 계산하기

자연수의 나눗셈과 같은 방법으로 계산한 후 계산 결과에 소수점을 찍습니다.

		5	2	4
7)	3	6	6	8
	3	5		
			1	6
			1	4
			2	8
			2	8
				0

→

		5.	2	4
7)	3	6.	6	8
	3	5		
			1	6
			1	4
			2	8
			2	8
				0

● 나누어지는 수의 소수점을 올려 찍습니다.

1 12.24÷8을 분수의 나눗셈으로 바꾸어 계산해 보세요.

$$12.24 \div 8 = \frac{\boxed{}}{100} \div 8 = \frac{\boxed{} \div 8}{100} = \frac{\boxed{}}{100} = \boxed{}$$

교과서 공통 2 19.26÷9를 자연수의 나눗셈을 이용하여 계산해 보세요.

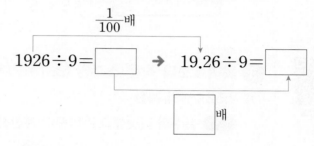

3 (소수)÷(자연수)를 계산한 것입니다. 알맞은 위치에 소수점을 찍어 보세요.

(1)
```
       5□2□7
   5)2 6.3 5
     2 5
     ─────
       1 3
       1 0
     ─────
         3 5
         3 5
       ─────
           0
```

(2)
```
       2□3□2
   8)1 8.5 6
     1 6
     ─────
       2 5
       2 4
     ─────
         1 6
         1 6
       ─────
           0
```

4 계산해 보세요.

(1)
```
   4)5.3 6
```

(2)
```
   6)9 1.2
```

(3)
```
   8)2 8.3 2
```

056쪽 에서 개념을 한 번 더 다집니다.

STEP 1 교과서 개념 잡기

학교별 모든 개념을 담았습니다.

한눈에
핵심쏙

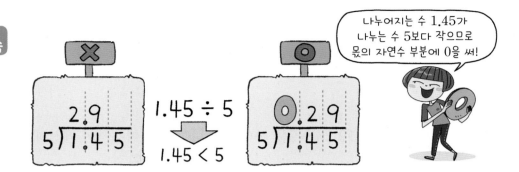

나누어지는 수 1.45가
나누는 수 5보다 작으므로
몫의 자연수 부분에 0을 써!

$1.45 \div 5$

$1.45 < 5$

개념 강의

(소수)÷(자연수)에서
• (소수) > (자연수)
 ➔ (몫) > 1
• (소수) < (자연수)
 ➔ (몫) < 1

❸ 몫이 1보다 작은 소수인 (소수)÷(자연수)

예 2.52÷6의 계산

방법 1 분수의 나눗셈으로 바꾸어 계산하기

$$2.52 \div 6 = \frac{252}{100} \div 6 = \frac{252 \div 6}{100} = \frac{42}{100} = 0.42$$

소수 두 자리 수 → 분모가 100인 분수

방법 2 자연수의 나눗셈을 이용하여 계산하기

나누어지는 수가 $\frac{1}{100}$배가 되면 몫도 $\frac{1}{100}$배가 됩니다.

$\frac{1}{100}$배

$$252 \div 6 = 42 \quad \rightarrow \quad 2.52 \div 6 = 0.42$$

$\frac{1}{100}$배

방법 3 세로로 계산하기

① 자연수의 나눗셈과 같은 방법으로 계산합니다.
② 몫의 소수점은 나누어지는 수의 소수점을 올려 찍습니다.
③ 자연수 부분이 비어 있을 경우 몫의 자연수 부분에 0을 씁니다.

		4	2
6)	2	5	2
	2	4	
		1	2
		1	2
			0

➔

	0 .	4	2
6)	2 . 5		2
	2	4	
		1	2
		1	2
			0

• 2.52<6이므로
몫의 자연수 부분은
0입니다.

1   1.92÷8을 분수의 나눗셈으로 바꾸어 계산해 보세요.

$$1.92 \div 8 = \frac{\boxed{}}{100} \div 8 = \frac{\boxed{} \div 8}{100} = \frac{\boxed{}}{100} = \boxed{}$$

2   자연수의 나눗셈을 이용하여 □ 안에 알맞은 수를 써넣으세요.

(1) 511 ÷ 7 = \boxed{}

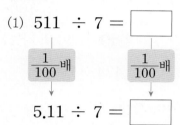

5.11 ÷ 7 = \boxed{}

(2) 315 ÷ 9 = \boxed{}

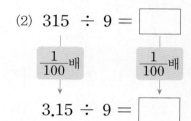

3.15 ÷ 9 = \boxed{}

교과서 공통 3   □ 안에 알맞은 수를 써넣으세요.

(1)
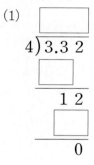

(2)
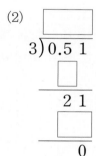

4   계산해 보세요.

(1)

$$4 \overline{)0.6\,8}$$

(2)

$$5 \overline{)1.8\,5}$$

(3)

$$6 \overline{)5.1\,6}$$

057쪽 에서 개념을 **한 번 더** 다집니다.

1 자연수의 나눗셈을 이용한 (소수)÷(자연수)

01 9.39 m인 끈을 3등분할 때 끈 한 도막의 길이를 구하려고 합니다. □ 안에 알맞은 수를 써넣으세요.

(1) 1 m＝100 cm

➔ 9.39 m＝ □ cm

(2) 939÷3＝ □ ➔ 9.39÷3＝ □

(3) (끈 한 도막의 길이)＝ □ m

02 488÷4를 이용하여 48.8÷4를 계산하려고 합니다. □ 안에 알맞은 수를 써넣으세요.

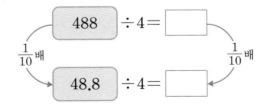

488 ÷4＝ □

$\frac{1}{10}$배 $\frac{1}{10}$배

48.8 ÷4＝ □

03 505÷5＝101을 이용하여 계산해 보세요.

(1) 50.5÷5

(2) 5.05÷5

2 각 자리에서 나누어떨어지지 않는 (소수)÷(자연수)

04 14.24÷4를 두 가지 방법으로 계산하려고 합니다. □ 안에 알맞은 수를 써넣으세요.

방법1 분수의 나눗셈으로 바꾸어 계산하기

$14.24 \div 4 = \dfrac{\boxed{}}{100} \div 4 = \dfrac{\boxed{} \div 4}{100}$

$= \dfrac{\boxed{}}{100} = \boxed{}$

방법2 자연수의 나눗셈을 이용하여 계산하기

1424÷4＝ □ ➔ 14.24÷4＝ □

05 자연수의 나눗셈을 이용하여 □ 안에 알맞은 수를 써넣으세요.

(1) 585÷5＝ □ ➔ 58.5÷5＝ □

(2) 1872÷6＝ □ ➔ 18.72÷6＝ □

06 보기와 같은 방법으로 계산해 보세요.

보기

$17.45 \div 5 = \dfrac{1745}{100} \div 5 = \dfrac{1745 \div 5}{100}$

$= \dfrac{349}{100} = 3.49$

47.88÷9

07 계산해 보세요.

(1)
$$3)\overline{5\ 3.4}$$

(2)
$$8)\overline{9\ 9.2}$$

10 □ 안에 알맞은 수를 써넣으세요.

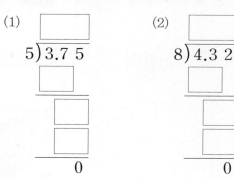

3 몫이 1보다 작은 소수인 (소수)÷(자연수)

08 □ 안에 알맞은 수를 써넣으세요.

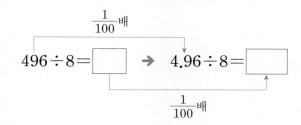

11 계산해 보세요.

(1)
$$4)\overline{0.9\ 2}$$

(2)
$$6)\overline{5.1\ 6}$$

09 □ 안에 알맞은 수를 써넣으세요.

(1) $1.68 \div 7 = \dfrac{168}{\boxed{}} \div 7 = \dfrac{168 \div 7}{\boxed{}}$

$= \dfrac{\boxed{}}{\boxed{}} = \boxed{}$

(2) $0.87 \div 3 = \dfrac{\boxed{}}{100} \div 3 = \dfrac{\boxed{} \div 3}{100}$

$= \dfrac{\boxed{}}{100} = \boxed{}$

12 빈칸에 알맞은 소수를 써넣으세요.

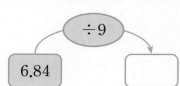

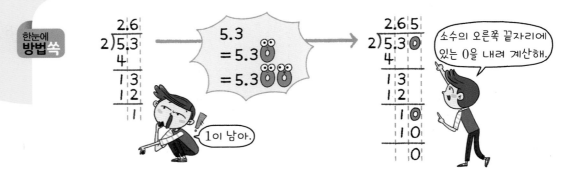

개념 강의

4 소수점 아래 0을 내려 계산하는 (소수)÷(자연수)

예 7.2÷5의 계산

방법 1 분수의 나눗셈으로 바꾸어 계산하기

분자가 나누어떨어지도록 7.2를 $\frac{720}{100}$으로 고칩니다.

$$7.2 \div 5 = \frac{72}{10} \div 5 = \frac{720}{100} \div 5 = \frac{720 \div 5}{100} = \frac{144}{100} = 1.44$$

• 72÷5=14 … 2
• 720÷5=144
몫이 자연수로 나누어떨어지는 720÷5를 이용하여 계산합니다.

방법 2 자연수의 나눗셈을 이용하여 계산하기

나누어지는 수가 $\frac{1}{100}$배가 되면 몫도 $\frac{1}{100}$배가 됩니다.

$$720 \div 5 = 144 \;\rightarrow\; 7.2 \div 5 = 1.44$$

$\frac{1}{100}$배

방법 3 세로로 계산하기

나누어떨어지지 않을 때에는 나누어지는 수의 오른쪽 끝자리에 0이 계속 있는 것으로 생각하고 0을 내려 계산합니다.

		1	4	4
5	)	7	2	0
		5		
		2	2	
		2	0	
			2	0
			2	0
				0

→

		1	4	4
5	)	7 .	2	⓪
		5		
		2	2	
		2	0	
			2	0
			2	0
				0

1 3.6÷8을 분수의 나눗셈으로 바꾸어 계산해 보세요.

$$3.6÷8=\dfrac{\boxed{}}{10}÷8=\dfrac{\boxed{}}{100}÷8=\dfrac{\boxed{}÷8}{100}=\dfrac{\boxed{}}{100}=\boxed{}$$

2 2.7÷6을 자연수의 나눗셈을 이용하여 계산해 보세요.

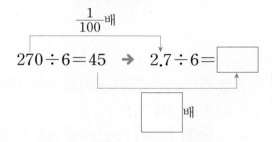

$$270÷6=45 \;\;→\;\; 2.7÷6=\boxed{}$$

교과서 공통 **3** 나누어떨어지도록 □ 안에 알맞은 수를 써넣으세요.

(1)
```
     0.3□
  5)1.7 0
    1 5
      2□
    ──
      □
    ──
      □
```

(2)
```
     6.7□
  2)1 3.5 0
    1 2
    ──
      1 5
      1 4
    ──
        1□
      ──
        □
      ──
        □
```

4 계산해 보세요.

(1)
```
  4)9.4
```

(2)
```
  6)8.1
```

(3)
```
  8)1 2.4
```

064쪽 에서 개념을 한 번 더 다집니다.

학교별 모든 개념을 담았습니다.

교과서 개념 잡기

한눈에
방법쏙

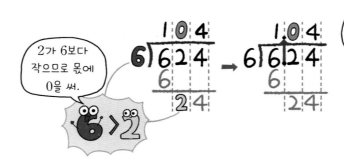

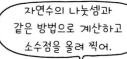

자연수의 나눗셈과 같은 방법으로 계산하고 소수점을 올려 찍어.

개념 강의

5 몫의 소수 첫째 자리에 0이 있는 (소수)÷(자연수)

㉮ 8.1÷2의 계산

방법1 분수의 나눗셈으로 바꾸어 계산하기

분자가 나누어떨어지도록 소수를 분수로 고칩니다.

$$8.1 \div 2 = \frac{81}{10} \div 2 = \frac{810}{100} \div 2 = \frac{810 \div 2}{100} = \frac{405}{100} = 4.05$$

방법2 자연수의 나눗셈을 이용하여 계산하기

나누어지는 수가 $\frac{1}{100}$배가 되면 몫도 $\frac{1}{100}$배가 됩니다.

$$810 \div 2 = 405 \rightarrow 8.1 \div 2 = 4.05$$

$\frac{1}{100}$배

$\frac{1}{100}$배

몫의 소수 첫째 자리에 0을 빠뜨리고 계산하지 않도록 주의합니다.

방법3 세로로 계산하기

나누어야 할 수가 나누는 수보다 작은 경우 몫에 0을 쓰고 수를 하나 더 내려 계산합니다.

1이 나누는 수 2보다 작아 나눌 수 없으므로 몫에 0을 쓰고 수를 하나 더 내립니다.

1 12.18÷6을 분수의 나눗셈으로 바꾸어 계산해 보세요.

$$12.18 \div 6 = \frac{\boxed{}}{100} \div 6 = \frac{\boxed{} \div 6}{100} = \frac{\boxed{}}{100} = \boxed{}$$

교과서 공통 2 5.25÷5를 자연수의 나눗셈을 이용하여 계산해 보세요.

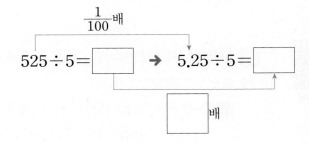

3 □ 안에 알맞은 수를 써넣으세요.

(1)
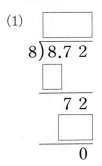

(2)
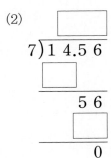

4 계산해 보세요.

(1) 3)6.2 1

(2) 4)4.2 4

(3) 9)2 7.8 1

064쪽 에서 개념을 한 번 더 다집니다.

교과서 개념 잡기

학교별 모든 개념을 담았습니다.

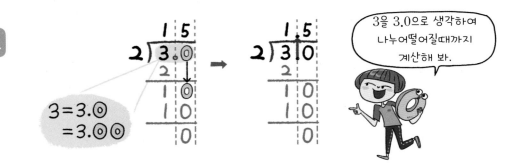

한눈에 방법쏙

3을 3.0으로 생각하여 나누어떨어질때까지 계산해 봐.

개념 강의

6 (자연수)÷(자연수)의 몫을 소수로 나타내기

(예) 3÷4의 계산

방법 1 몫을 분수로 나타낸 다음 소수로 나타내기

분모가 100인 분수로 나타낸 후 소수로 나타냅니다.

$$3 \div 4 = \frac{3}{4} = \frac{75}{100} = 0.75$$

방법 2 세로로 계산하기

더 이상 계산할 수 없을 때까지 0을 내려 계산하고, 소수점을 자연수 바로 뒤에서 올려 찍습니다.

		7	5
4)	3	0	0
	2	8	
		2	0
		2	0
			0

→

		0 .	7	5
4)	3	0	0
	2	8	
		2	0
		2	0
			0

→3을 3.00으로 생각하여 계산합니다.

7 몫의 소수점 위치 확인하기

(예) 15.3÷3의 몫을 어림셈하여 소수점의 위치 찾기

올림, 버림을 사용하여 올바른 소수점의 위치를 찾을 수도 있습니다.

반올림하여 나타내기	어림한 몫 구하기	소수점의 위치 찾기
15.3을 반올림하여 일의 자리까지 나타내면 15입니다. 15.3÷3 → 15÷3	→ 15÷3=5이므로 어림한 몫은 약 5 입니다.	→ • 15.3÷3=0.51 (×) • 15.3÷3=5.1 (○) • 15.3÷3=51 (×)

1 7÷2를 계산하는 방법을 알아보려고 합니다. 물음에 답하세요.

(1) 몫을 분수로 나타낸 다음 소수로 나타내어 보세요.

$$7 \div 2 = \frac{\boxed{}}{2} = \frac{\boxed{}}{10} = \boxed{}$$

(2) 세로로 계산해 보세요.

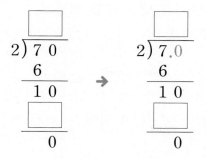

2 자연수의 나눗셈을 이용하여 □ 안에 알맞은 수를 써넣으세요.

$$900 \div 4 = \boxed{} \quad \rightarrow \quad 9 \div 4 = \boxed{}$$

교과서 공통 **3** 27.8÷4를 어림하여 계산하면 28÷4＝7입니다. 어림셈을 이용하여 올바른 식에 ○표 하세요.

$$27.8 \div 4 = 695 \qquad 27.8 \div 4 = 6.95 \qquad 27.8 \div 4 = 69.5$$

4 계산해 보세요.

(1)
$$5\overline{)6}$$

(2)
$$4\overline{)2\,5}$$

(3)
$$20\overline{)3\,4}$$

065쪽 에서 개념을 한 번 더 다집니다.

4 소수점 아래 0을 내려 계산하는 (소수)÷(자연수)

01 자연수의 나눗셈을 이용하여 3.3÷6을 계산하려고 합니다. □ 안에 알맞은 수를 써넣고, 알맞은 말에 ○표 하세요.

$$330÷6=55 \quad → \quad 3.3÷6=\boxed{}$$

나누어지는 수가 $\dfrac{1}{100}$배가 되면

몫도 ($\dfrac{1}{10}$, $\dfrac{1}{100}$)배가 됩니다.

02 보기와 같은 방법으로 계산해 보세요.

보기
$$9.4÷5=\dfrac{94}{10}÷5=\dfrac{940}{100}÷5$$
$$=\dfrac{188}{100}=1.88$$

6.3÷5

_____

03 나누어떨어지도록 계산해 보세요.

(1)
```
    0.4
4) 1.8
   1 6
      2
```

(2)
```
    1.9
2) 3.9
   2
   1 9
   1 8
      1
```

5 몫의 소수 첫째 자리에 0이 있는 (소수)÷(자연수)

04 4.36÷4를 자연수의 나눗셈을 이용하여 계산해 보세요.

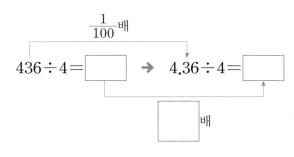

05 □ 안에 알맞은 수를 써넣으세요.

(1)
```
      ┌──────
   3) 3.1 8
      ┌─┐
      1 8
      ┌──┐
         0
```

(2)
```
      ┌──────
   2) 4.1 0
      ┌─┐
      1 0
      ┌──┐
         0
```

06 계산해 보세요.

(1)
```
5) 5.4
```

(2)
```
7) 7.2 8
```

6 (자연수)÷(자연수)의 몫을 소수로 나타내기

07 4÷5를 자연수의 나눗셈을 이용하여 계산해 보세요.

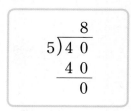 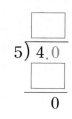

08 □ 안에 알맞은 수를 써넣으세요.

(1) $600 \div 8 =$ ☐ ➡ $6 \div 8 =$ ☐

(2) $50 \div 2 =$ ☐ ➡ $5 \div 2 =$ ☐

09 나눗셈의 몫을 소수로 나타내어 보세요.

(1) $9 \div 2$ (2) $11 \div 4$

10 □ 안에 알맞은 소수를 써넣으세요.

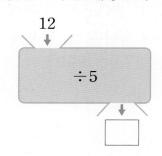

7 몫의 소수점 위치 확인하기

11 어림셈하여 몫의 소수점 위치를 찾아 소수점을 찍어 보세요.

$$17.7 \div 6$$

어림 ☐ $\div 6$ ➡ 약 ☐

몫 $2\,\square\,9\,\square\,5\,\square$

12 보기와 같이 소수를 반올림하여 일의 자리까지 나타내어 어림한 식으로 나타내어 보세요.

보기
$$15.6 \div 8 \rightarrow 16 \div 8$$

(1) $12.2 \div 4 \rightarrow$ ☐ $\div$ ☐

(2) $24.7 \div 5 \rightarrow$ ☐ $\div$ ☐

13 어림셈하여 몫의 소수점 위치가 올바른 식에 ○표 하세요.

(1)
$12.96 \div 4 = 324$
$12.96 \div 4 = 32.4$
$12.96 \div 4 = 3.24$

(2)
$6.79 \div 7 = 97$
$6.79 \div 7 = 9.7$
$6.79 \div 7 = 0.97$

01 □ 안에 알맞은 수를 써넣으세요.

050쪽 개념 ❶

$$426 \div 2 = \boxed{}$$

$$42.6 \div 2 = \boxed{}$$

$$4.26 \div 2 = \boxed{}$$

050쪽 개념 ❶

02 영호는 길이가 339 cm인 색 테이프를 3도막으로 똑같이 잘랐고, 주희는 길이가 3.39 m인 색 테이프를 3도막으로 똑같이 잘랐습니다. 주희가 자른 색 테이프 한 도막의 길이는 몇 m인가요?

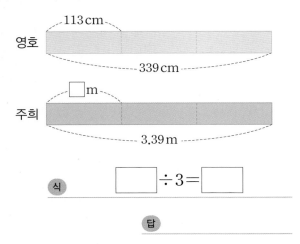

식 $\boxed{} \div 3 = \boxed{}$

답 _____

익힘책 공통

050쪽 개념 ❶

03 □ 안에 알맞은 수를 써넣으세요.

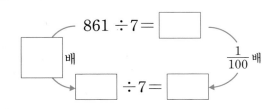

050쪽 개념 ❶

04 관계있는 것끼리 이어 보세요.

(1) $64.2 \div 2$ •

(2) $93.6 \div 3$ •

• 31.2

• 32.1

• 3.12

052쪽 개념 ❷

05 빈칸에 알맞은 소수를 써넣으세요.

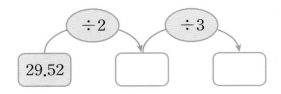

052쪽 개념 ❷

06 몫이 다른 하나를 찾아 색칠해 보세요.

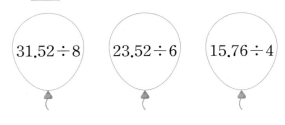

052쪽 개념 ❷

07 밀가루 17.28 kg을 4자루에 똑같이 나누어 담으려고 합니다. 한 자루에 담아야 하는 밀가루는 몇 kg인가요?

식 _____

답 _____

08 몫이 1보다 작은 나눗셈을 말한 사람의 이름을 쓰세요.

054쪽 개념 ❸

(   )

09 빈 곳에 알맞은 소수를 써넣으세요.

054쪽 개념 ❸

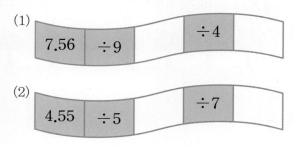

10 잘못 계산한 곳을 찾아 바르게 계산해 보세요.

054쪽 개념 ❸

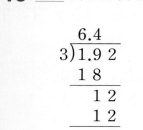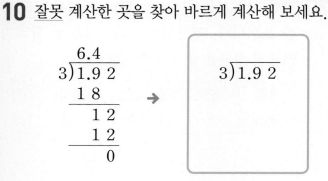

11 계산 결과를 비교하여 ◯ 안에 >, =, <를 알맞게 써넣으세요.

054쪽 개념 ❸

1.36÷4 ◯ 1.11÷3

12 무게가 똑같은 과일 통조림 2개의 무게는 1.66 kg입니다. 과일 통조림 한 개의 무게는 몇 kg인가요?

054쪽 개념 ❸

익힘책 공통

식 _____

답 _____

13 넓이가 $4.92 \, m^2$인 직사각형을 6칸으로 똑같이 나누었습니다. 색칠된 부분의 넓이는 몇 m^2인지 두 가지 방법으로 구하세요.

054쪽 개념 ❸

방법 1 분수의 나눗셈으로 바꾸어 계산하기

방법 2 세로로 계산하기

답 _____

14 수 카드 4장 중 3장을 골라 한 번씩만 사용하여 가장 작은 소수 두 자리 수를 만들었습니다. 만든 소수 두 자리 수를 남은 수 카드의 수로 나누었을 때의 몫을 구하세요.

054쪽 **개념 ❸**

| 3 | | 7 | | 8 | | 9 |

( )

15 빈칸에 알맞은 소수를 써넣으세요.

058쪽 **개념 ❹**

$$\div$$ →

2.6	5	
55.5	6	

16 가장 작은 수를 가장 큰 수로 나눈 몫을 구하세요.

익힘책 공통   058쪽 **개념 ❹**

| 8 | 3.6 | 5 |

( )

17 무게가 똑같은 배 5개가 들어 있는 바구니의 무게는 4.1 kg입니다. 빈 바구니의 무게가 0.7 kg일 때 배 한 개의 무게는 몇 kg인가요?

058쪽 **개념 ❹**

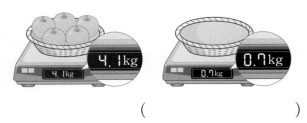

( )

18 □ 안에 알맞은 소수를 구하세요.

058쪽 **개념 ❹**

$$6.3 \div \square = 5$$

( )

19 26.7 m인 길에 나무 7그루를 그림과 같이 같은 간격으로 심었습니다. 나무 사이의 간격은 몇 m인지 구하세요. (단, 나무의 두께는 생각하지 않습니다.)

058쪽 **개념 ❹**

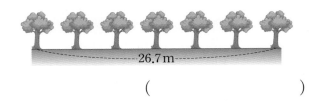
26.7 m

( )

20 경연이네 모둠의 50 m 달리기 기록을 정리한 표입니다. 경연이네 모둠의 50 m 달리기 기록의 평균은 몇 초인지 구하세요.

058쪽 **개념 ❹**

이름	경연	주원	민아	영지	시현
기록(초)	6.8	7.4	8.1	7.3	7.2

□ ÷ 5 = □ (초)

21 나눗셈의 몫이 더 큰 것에 ○표 하세요.

060쪽 개념 ❺

$9.15 \div 3$	$8.2 \div 4$
( )	( )

060쪽 개념 ❺

22 모든 모서리의 길이가 같은 사각뿔이 있습니다. 이 사각뿔의 모든 모서리의 길이의 합이 8.4 m일 때 물음에 답하세요.

(1) 사각뿔의 모서리는 모두 몇 개인가요?

( )

(2) 사각뿔의 한 모서리의 길이는 몇 m인가요?

( )

060쪽 개념 ❺

23 식초 7.42 L를 7개의 통에 똑같이 나누어 담으려고 합니다. 통 한 개에 식초를 몇 L 담아야 하는지 두 가지 방법으로 구하세요.

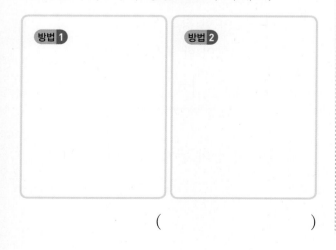

방법❶	방법❷

( )

060쪽 개념 ❺

24 가로가 4 m, 세로가 2 m인 직사각형 모양의 벽을 페인트 16.4 L를 사용하여 칠했습니다. 1 m^2의 벽을 칠하는 데 사용한 페인트는 몇 L인지 구하세요.

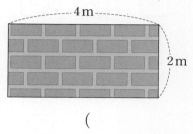

( )

062쪽 개념 ❻

25 계산을 하고, 나눗셈의 몫이 큰 것부터 차례로 ○ 안에 1, 2, 3을 써넣으세요.

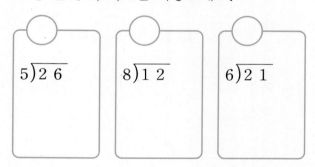

062쪽 개념 ❻

26 무게가 똑같은 귤이 한 봉지에 5개씩 4봉지가 있습니다. 귤 4봉지의 무게가 3 kg일 때 귤 한 개의 무게는 몇 kg인가요? (단, 봉지의 무게는 생각하지 않습니다.)

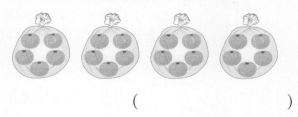

( )

062쪽 개념 ⑥

27 수 카드 4장 중 2장을 뽑아 나온 두 수로 몫이 가장 큰 나눗셈식을 만들려고 합니다. □ 안에 알맞은 수를 써넣고, 몫을 구하세요.

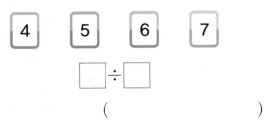

$$\boxed{} \div \boxed{}$$

(　　　　　)

062쪽 개념 ⑦

28 어림셈하여 몫의 소수점 위치를 찾아 소수점을 찍어 보세요.

(1)

$$46.4 \div 5 = 9\square 2\square 8$$

(2)

$$17.36 \div 8 = 2\square 1\square 7$$

062쪽 개념 ⑦

29 현주의 계산을 보고 현주가 어떤 실수를 했는지 쓰세요.

고구마 3.9 kg를 3명에게 똑같이 나누어 주려고 해.
$39 \div 3 = 13$이므로 한 사람에게 고구마를 $3.9 \div 3 = 0.13$ (kg)씩 나누어 주면 돼.

현주

□□□□□□ 의 위치가 잘못되었습니다.

익힘책 공통

062쪽 개념 ⑦

30 어림셈을 이용하여 몫이 1보다 큰 나눗셈을 **모두** 찾아 ○표 하세요.

$$3.44 \div 4 \qquad 6.1 \div 5$$
$$5.12 \div 4 \qquad 4.9 \div 5$$
$$4.32 \div 4 \qquad 5.65 \div 5$$

생각＋문제

31 종이 한 묶음은 50장입니다. 종이 한 묶음의 무게와 두께가 다음과 같을 때 **종이 한 장의 무게와 두께**를 구하세요.

문제강의

한 묶음의 무게(g)	235
한 묶음의 두께(mm)	8.5

(1) □ 안에 알맞은 수를 써넣으세요.

(종이 한 장의 무게)
＝(종이 한 묶음의 무게)÷□
＝□÷□

(2) 종이 한 장의 무게는 몇 g인가요?

(　　　　　)

(3) □ 안에 알맞은 수를 써넣으세요.

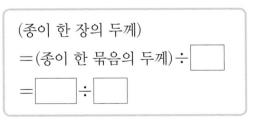

(종이 한 장의 두께)
＝(종이 한 묶음의 두께)÷□
＝□÷□

(4) 종이 한 장의 두께는 몇 mm인가요?

(　　　　　)

1 어떤 소수에 6을 곱했더니 12.9가 되었습니다. **어떤 소수는 얼마**인지 풀이 과정을 쓰고, 답을 구하세요.

해결
순서
❶ 어떤 수를 구하는 식 쓰기
❷ 어떤 수 구하기

풀이 ❶ 어떤 수를 라 하여 어떤 수를 구하는 식을 세우면 ■×6＝ □ 입니다.

❷ ■＝ □ ÷6＝ □ 이므로

어떤 수는 □ 입니다.

답

2 어떤 소수에 9를 곱했더니 14.85가 되었습니다. **어떤 소수는 얼마**인지 풀이 과정을 쓰고, 답을 구하세요.

해결
순서
❶ 어떤 수를 구하는 식 쓰기
❷ 어떤 수 구하기

풀이

답

3 ♥에 알맞은 자연수 중에서 **가장 작은 수**를 구하려고 합니다. 풀이 과정을 쓰고, 답을 구하세요.

$$84.28 \div 7 < ♥$$

해결
순서
❶ 84.28÷7 계산하기
❷ ♥에 알맞은 자연수 중에서 가장 작은 수 구하기

풀이 ❶ 84.28÷7＝ □

❷ □ ＜♥이므로 ♥에 알맞은 자연수

중에서 가장 작은 수는 □ 입니다.

답

4 ◆에 알맞은 자연수 중에서 **가장 큰 수**를 구하려고 합니다. 풀이 과정을 쓰고, 답을 구하세요.

$$◆ < 12.51 \div 3$$

해결
순서
❶ 12.51÷3 계산하기
❷ ◆에 알맞은 자연수 중에서 가장 큰 수 구하기

풀이

답

01 $284 \div 2 = 142$를 이용하여 □ 안에 알맞은 수를 써넣으세요

$$28.4 \div 2 = \boxed{}$$

02 $30.65 \div 5$를 분수의 나눗셈으로 바꾸어 계산해 보세요.

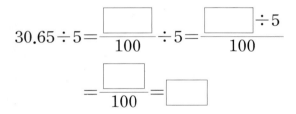

$$30.65 \div 5 = \frac{\boxed{}}{100} \div 5 = \frac{\boxed{} \div 5}{100}$$

$$= \frac{\boxed{}}{100} = \boxed{}$$

03 □ 안에 알맞은 수를 써넣으세요.

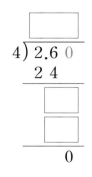

04 계산해 보세요.

$$3 \overline{)9.1\,2}$$

05 자연수의 나눗셈을 이용하여 □ 안에 알맞은 수를 써넣으세요.

$$468 \div 2 = 234$$
$$46.8 \div 2 = \boxed{}$$
$$4.68 \div 2 = \boxed{}$$

06 보기와 같이 소수를 반올림하여 일의 자리까지 나타내어 어림한 식으로 나타내어 보세요.

보기
$$4.7 \div 4$$
$$\rightarrow 5 \div 4$$

$$35.8 \div 5$$
$$\rightarrow$$

07 □ 안에 알맞은 소수를 써넣으세요.

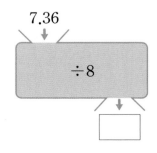

08 작은 수를 큰 수로 나눈 몫을 구하세요.

> 3   12

( )

09 몫을 어림해 보고 올바른 식을 찾아 기호를 쓰세요.

> ㉠ 20.88÷6＝34.8
> ㉡ 20.88÷6＝3.48
> ㉢ 20.88÷6＝348

( )

10 빈칸에 알맞은 소수를 써넣으세요.

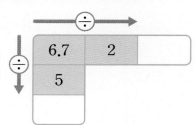

11 관계있는 것끼리 이어 보세요.

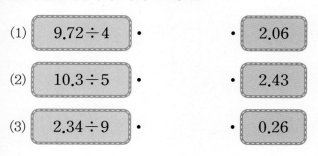

12 계산 결과를 비교하여 ○ 안에 ＞, ＝, ＜를 알맞게 써넣으세요.

> 5.49÷9   ○   4.69÷7

13 털실 9.33 m를 3명에게 똑같이 나누어 주려고 합니다. 한 사람이 가지게 되는 털실은 몇 m인가요?

식 _____

답 _____

14 넓이가 6.52 cm²인 정사각형을 4칸으로 똑같이 나누었습니다. 색칠된 부분의 넓이는 몇 cm²인가요?

( )

15 몫을 어림하여 몫이 1보다 작은 나눗셈을 모두 찾아 기호를 쓰세요.

> ㉠ 1.46÷2   ㉡ 5.25÷3
> ㉢ 2.74÷2   ㉣ 2.34÷3
> ㉤ 3.18÷2   ㉥ 4.47÷3

( )

16 보리쌀 13.6 kg과 현미 12.5 kg을 섞어 6봉지에 똑같이 나누어 담으려고 합니다. 한 봉지에 담아야 하는 보리쌀과 현미는 몇 kg인가요?

(   )

17 수 카드 4장 중에서 3장을 골라 한 번씩만 사용하여 가장 작은 소수 두 자리 수를 만들었습니다. 만든 소수 두 자리 수를 남은 수 카드의 수로 나누었을 때의 몫을 구하세요.

| 1 | 8 | 3 | 6 |

(   )

18 모든 모서리의 길이가 같은 삼각기둥이 있습니다. 모든 모서리의 길이의 합이 18.27 cm일 때 한 모서리의 길이는 몇 cm인가요?

(   )

서술형
19 어떤 소수에 7을 곱했더니 6.79가 되었습니다. 어떤 소수는 얼마인지 풀이 과정을 쓰고, 답을 구하세요.

풀이

답

서술형
20 □ 안에 들어갈 수 있는 자연수 중에서 가장 큰 수를 구하려고 합니다. 풀이 과정을 쓰고, 답을 구하세요.

$$□ < 93 \div 15$$

풀이

답

와~! 삼각형 안에 여러 숫자가 적혀 있어요!

삼각형 안의 각 숫자들은 일정한 규칙이 있다는데

물음표에 알맞은 숫자는 무엇일까요?

● 정답은 진도북 148쪽에서 확인하세요.

4 비와 비율

앗, 내가 갖고 싶었던 장난감이 할인 중이네!
원래는 4만 원이었는데 50 % 할인이면 얼마야~?

무료
스마트
러닝

동영상 강의와 함께 계획을 세워 공부합니다.
동영상 강의를 시청했으면 ◯에 ∨표 하세요.

공부한 날	동영상 확인	쪽수	학습 내용
월 일	▶ ◯	078~083쪽	**교과서 개념 잡기** ❶ 두 수 비교하기 ❷ 비 ❸ 비율 ❹ 비율이 사용되는 경우
월 일		084~085쪽	**개념 한 번 더 잡기**
월 일	▶ ◯	086~089쪽	**교과서 개념 잡기** ❺ 백분율 ❻ 백분율이 사용되는 경우
월 일		090~091쪽	**개념 한 번 더 잡기**
월 일	▶ ◯	092~094쪽	**수학 익힘 문제 잡기**
월 일	▶ ◯	095쪽	**서술형 잡기**
월 일		096~098쪽	**단원 마무리**

한눈에
핵심쏙

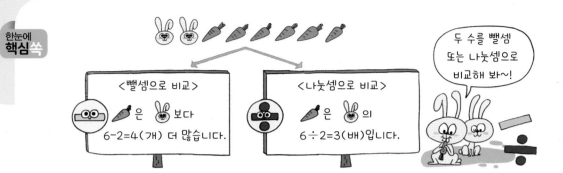

개념 강의

1 두 수 비교하기

(1) 두 양의 크기 비교하기

예

방법 1 뺄셈으로 비교하기

$9-3=6$ → 야구공은 축구공보다 **6**개 더 많습니다.
            축구공은 야구공보다 **6**개 더 적습니다.

방법 2 나눗셈으로 비교하기

$9÷3=3$ → 야구공 수는 축구공 수의 **3**배입니다.

$3÷9=\dfrac{1}{3}$ → 축구공 수는 야구공 수의 $\dfrac{1}{3}$배입니다.

(2) 변하는 두 양의 관계 비교하기

> 두 수의 관계는 비교 방법에 따라 변할 수도 있고 변하지 않을 수도 있습니다.

예 **바구니 수에 따른 사과 수와 배 수 비교하기**

바구니 수(개)	1	2	3	4	5	⋯
사과 수(개)	6	12	18	24	30	⋯
배 수(개)	3	6	9	12	15	⋯

방법 1 뺄셈으로 비교하기 → •(사과 수)−(배 수)

사과는 배보다 각각 **3**개, **6**개, **9**개, **12**개, **15**개, ⋯ 더 많습니다.

방법 2 나눗셈으로 비교하기 → •(사과 수)÷(배 수)

$6÷3=2$, $12÷6=2$, $18÷9=2$, $24÷12=2$, $30÷15=2$, ⋯
→ 사과 수는 항상 배 수의 **2**배입니다.

> • 뺄셈으로 비교하면 사과 수와 배 수의 관계가 변합니다.
> • 나눗셈으로 비교하면 사과 수와 배 수의 관계가 변하지 않습니다.

교과서 공통 1 복숭아 수와 참외 수를 비교하려고 합니다. □ 안에 알맞은 수를 써넣으세요.

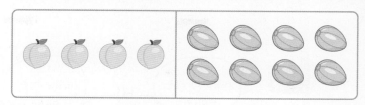

방법 1 뺄셈으로 비교하기

참외 수에서 복숭아 수를 빼면 8 - □ = □ 입니다.

→ 참외는 복숭아보다 □ 개 더 많습니다.

방법 2 나눗셈으로 비교하기

참외 수를 복숭아 수로 나누면 8 ÷ □ = □ 입니다.

→ 참외 수는 복숭아 수의 □ 배입니다.

2 색종이를 한 모둠에 8장씩 나누어 주려고 합니다. 한 모둠의 학생 수가 4명일 때 물음에 답하세요.

(1) 모둠 수에 따른 학생 수와 색종이 수에 맞게 표를 완성해 보세요.

모둠 수	1	2	3	4	5
학생 수(명)	4	8	12	16	
색종이 수(장)	8	16			

(2) 모둠 수에 따른 학생 수와 색종이 수를 뺄셈으로 비교해 보세요.

> 모둠 수에 따라 색종이 수는 학생 수보다 각각
> 4, 8, □ , □ , □ 더 큽니다.

→ 학생 수와 색종이 수의 관계가 (변합니다 , 변하지 않습니다).

(3) 모둠 수에 따른 학생 수와 색종이 수를 나눗셈으로 비교해 보세요.

> 색종이 수는 항상 학생 수의 □ 배입니다.

→ 학생 수와 색종이 수의 관계가 (변합니다 , 변하지 않습니다).

084쪽 에서 개념을 한 번 더 다집니다.

STEP 1

학교별 모든 개념을 담았습니다.

교과서 개념 잡기

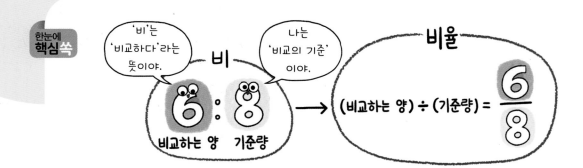

한눈에
핵심쏙

개념 강의

2 비

두 수를 나눗셈으로 비교하기 위해 기호 :을 사용하여 나타낸 것을 **비**라고 합니다.

예 **두 수 5와 3을 나눗셈으로 비교하기** ─→ 기준이 되는 수가 기호 :의 오른쪽에 옵니다.

① 두 수 5와 3을 비교할 때 **5 : 3**이라 쓰고 **5 대 3**이라고 읽습니다.
　　　　　　　　　　　　　　　　기준
② 5 : 3을 여러 가지 방법으로 읽을 수 있습니다.

5 : 3과 3 : 5는 기준이 3,
3 : 5는 기준이 5입니다.
→ 5 : 3과 3 : 5는 다릅니다.

$$5 : 3 \rightarrow \begin{cases} \text{5 대 3} \\ \text{5와 3의 비} \\ \underline{\text{3}}\text{에 대한 5의 비} \\ \text{5의 } \underline{\text{3}}\text{에 대한 비} \end{cases}$$

'~에 대한'은 기준이 되는 수 뒤에 붙습니다.

3 비율

예 **전체 사탕 수(20개)에 대한 포도 맛 사탕 수(12개)의 비율 구하기**

딸기 맛 ─
포도 맛 ─

① (포도 맛 사탕 수) : (전체 사탕 수)＝12 : 20

② 비 12 : 20에서 기호 :의 ┌ 오른쪽에 있는 20은 **기준량** ┐ 입니다.
　　　　　　　　　　　　　└ 왼쪽에 있는 12는 **비교하는 양** ┘

③ 기준량에 대한 비교하는 양의 크기를 **비율**이라고 합니다.

비 ●：■를 비율로 나타내면 ■분의●입니다. 비율은 분수 또는 소수로 나타낼 수 있습니다.

$$(\text{비율})＝(\text{비교하는 양}) \div (\text{기준량})＝\frac{(\text{비교하는 양})}{(\text{기준량})}$$

→ 비 12 : 20의 비율 → $12 \div 20 = \frac{12}{20}\left(=\frac{3}{5}\right)$ 또는 $12 \div 20 = 0.6$

---

1 매실 주스 1병은 물 3컵과 매실 원액 1컵을 넣어 만듭니다. 물의 양과 매실 원액의 양을 비교하려고 합니다. ☐ 안에 알맞은 수를 써넣으세요.

(1) 매실 원액의 양에 대한 물의 양의 비 → 3 : ☐

(2) 물의 양에 대한 매실 원액의 양의 비 → ☐ : ☐

2 ☐ 안에 알맞은 수를 써넣으세요.

(1) 6 대 5 → 6 : ☐

(2) 4와 7의 비 → ☐ : ☐

(3) 8에 대한 3의 비 → ☐ : ☐

(4) 9의 11에 대한 비 → ☐ : ☐

교과서 공통 3 직사각형 가와 나의 세로에 대한 가로의 비율을 비교하려고 합니다. 물음에 답하세요.

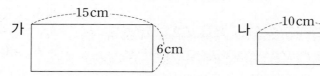

(1) 세로에 대한 가로의 비를 각각 구하세요.

가 → ☐ : 6   나 → ☐ : 4

(2) 세로에 대한 가로의 비율을 각각 분수로 나타내어 보세요.

가 → ☐/☐   나 → ☐/☐

(3) 두 직사각형의 세로에 대한 가로의 비율을 비교하여 알맞은 말에 ○표 하세요.

> 직사각형 **가**와 나의 세로에 대한 가로의 비율은
> (같습니다 , 다릅니다).

084쪽에서 개념을 **한 번 더** 다집니다.

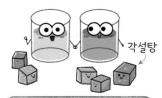

각설탕

〈자동차의 빠르기〉
걸린 시간에 대한
간 거리의 비율

〈인구 밀도〉
지역의 넓이에 대한
인구의 비율

〈용액의 진하기〉
용액의 양에 대한
각설탕의 양의 비율

개념 강의

4 비율이 사용되는 경우

(1) 시간에 대한 거리의 비율

예

간 거리 (km)	걸린 시간(시간)
140	2

(걸린 시간에 대한 간 거리의 비율)
$$=\frac{(간 \ 거리)}{(걸린 \ 시간)}=\frac{140}{2}\,(=70)$$

(2) 두 지역의 넓이에 대한 인구의 비율

예

지역	서울	부산
비교하는 양 • 인구(명)	9729107	3413841
기준량 • 넓이 (km²)	605	770

[출처: 행정안전부, 2020.]

① ●서울의 넓이에 대한 인구의 비율
$$\frac{(서울의 \ 인구)}{(서울의 \ 넓이)}=\frac{9729107}{605}$$ → 약 16081

② ●부산의 넓이에 대한 인구의 비율
$$\frac{(부산의 \ 인구)}{(부산의 \ 넓이)}=\frac{3413841}{770}$$ → 약 4434

인구가 더 밀집한 곳은
넓이에 대한 인구의 비율이
더 높은 서울입니다.

비율이 사용되는 경우

• 타율: 전체 타수에 대한
  안타 수의 비율
  → $\frac{(안타 \ 수)}{(전체 \ 타수)}$

• 축척: 실제 거리에 대한
  지도에서의 거리의 비율
  → $\frac{(지도에서의 \ 거리)}{(실제 \ 거리)}$

(3) 흰색 물감 양에 대한 빨간색 물감 양의 비율

예

비커	㉮	㉯
비교하는 양 • 빨간색 물감	5 mL	15 mL
기준량 • 흰색 물감	200 mL	300 mL

① ㉮: $\frac{(빨간색 \ 물감 \ 양)}{(흰색 \ 물감 \ 양)}=\frac{5}{200}=\frac{1}{40}=0.025$

② ㉯: $\frac{(빨간색 \ 물감 \ 양)}{(흰색 \ 물감 \ 양)}=\frac{15}{300}=\frac{1}{20}=0.05$

0.025<0.05이므로
비율이 더 높은 ㉯가
더 진합니다.

1 버스를 타고 4시간 동안 서울에서 대구까지 280 km를 갔습니다. 버스가 서울에서 대구까지 가는 데 걸린 시간에 대한 간 거리의 비율을 구하려고 합니다. 알맞은 것에 ○표 하고, ☐ 안에 알맞은 수를 써넣으세요.

(1) 기준량은 (4시간 , 280 km)이고, 비교하는 양은 (4시간 , 280 km)입니다.

(2) 버스가 가는 데 걸린 시간에 대한 간 거리의 비율은 $\dfrac{\boxed{}}{\boxed{}} = \boxed{}$ 입니다.

4 단원

2 두 지역의 넓이에 대한 인구의 비율을 비교하려고 합니다. ☐ 안에 알맞은 수나 말을 써넣으세요.

지역	가	나
인구(명)	65000	50000
넓이(km²)	500	400

(1) 가 지역의 넓이에 대한 인구의 비율은 ☐ 입니다.

(2) 나 지역의 넓이에 대한 인구의 비율은 ☐ 입니다.

(3) 가와 나 지역 중 인구가 더 밀집한 곳은 넓이에 대한 인구의 비율이 더 높은 ☐ 지역입니다.

교과서 공통 3 인우와 효주는 우유에 초콜릿 시럽을 섞어 초콜릿 맛 우유를 만들었습니다. 두 사람의 대화를 보고 물음에 답하세요.

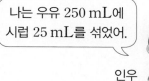
나는 우유 250 mL에 시럽 25 mL를 섞었어.

인우   효주

나는 우유 300 mL에 시럽 27 mL를 섞었어.

(1) 두 사람이 만든 초콜릿 맛 우유에서 우유 양에 대한 시럽 양의 비율을 각각 소수로 나타내어 보세요.

인우 (   ), 효주 (   )

(2) 누가 만든 초콜릿 맛 우유가 더 진한가요?

(   )

085쪽에서 개념을 한 번 더 다집니다.

1 두 수 비교하기

[01~02] 미술 시간에 만들기를 하는 데 한 모둠에 찰흙을 6개씩 나누어 주려고 합니다. 한 모둠의 학생 수가 3명씩일 때 물음에 답하세요.

01 모둠 수에 따른 학생 수와 찰흙 수에 맞게 표를 완성해 보세요.

모둠 수	1	2	3	4	5
학생 수(명)	3	6	9	12	15
찰흙 수(개)	6	12			

02 모둠 수에 따른 학생 수와 찰흙 수를 뺄셈으로 비교해 보세요.

모둠 수에 따라 ☐ 수는 학생 수보다

각각 ☐, ☐, ☐, ☐, ☐ 더 큽니다.

03 은수네 학교에서 현장학습을 간 학생은 63명이고 선생님은 7명입니다. 학생 수와 선생님 수를 나눗셈으로 비교해 보세요.

63÷☐=☐이므로 학생 수는 선생님

수의 ☐배입니다.

2 비

04 비를 여러 가지 방법으로 읽은 것입니다. ☐ 안에 알맞은 수를 써넣으세요.

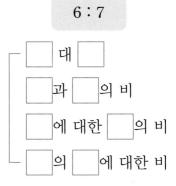

6 : 7

☐ 대 ☐

☐ 과 ☐ 의 비

☐ 에 대한 ☐ 의 비

☐ 의 ☐ 에 대한 비

05 쌀 4컵과 콩 1컵을 넣어 밥을 지으려고 합니다. 쌀의 양과 콩의 양의 비를 쓰세요.

( )

06 전체에 대한 색칠한 부분의 비가 3 : 10이 되도록 색칠해 보세요.

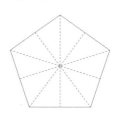

3 비율

07 □ 안에 알맞은 말을 써넣으세요.

비 3 : 4에서 3은 [   ]이고, 4는

[   ]입니다. 기준량에 대한 비교하는

양의 크기를 [   ]이라고 합니다.

08 비교하는 양과 기준량을 찾아 쓰고 비율을 구하세요.

비	12와 30의 비	75의 25에 대한 비
비교하는 양		
기준량		
비율		

[09~10] 직사각형 가와 나를 보고 물음에 답하세요.

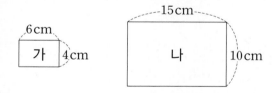

09 직사각형 가와 나의 가로에 대한 세로의 비를 각각 쓰세요.

가 (   )

나 (   )

10 직사각형 가와 나의 가로에 대한 세로의 비율을 각각 분수로 나타내어 보세요.

가 (   )

나 (   )

4 비율이 사용되는 경우

11 은빛 마을과 달빛 마을의 인구와 넓이는 각각 다음과 같습니다. 두 마을의 넓이에 대한 인구의 비율을 구하세요.

마을	인구(명)	넓이(km^2)
은빛	5400	25
달빛	3520	16

은빛 마을(   )

달빛 마을(   )

[12~13] 노란 버스는 192 km를 가는 데 2시간이 걸렸고, 빨간 버스는 270 km를 가는 데 3시간이 걸렸습니다. 물음에 답하세요.

12 노란 버스와 빨간 버스의 걸린 시간에 대한 달린 거리의 비율을 각각 구하세요.

노란 버스 (   )

빨간 버스 (   )

13 노란 버스와 빨간 버스 중 어느 버스가 더 빠른가요?

(   )

한눈에
방법쏙

백분율은 기준량을 100으로 볼 때 비교하는 양이야.

비율에 100을 곱하고 기호 %를 붙여.

개념 강의

5 백분율

(1) 백분율 알아보기

> 기준량을 **100**으로 할 때의 비율을 **백분율**이라고 합니다.
> 백분율은 기호 **%**를 사용하여 나타냅니다.

%는 백분율의 단위가 아니라 백분율을 나타내는 기호입니다.

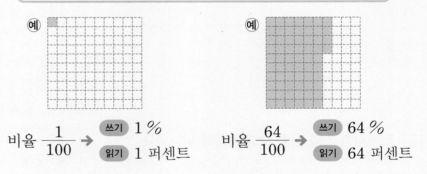

(예) 비율 $\dfrac{1}{100}$ → 쓰기 1% 읽기 1 퍼센트

(예) 비율 $\dfrac{64}{100}$ → 쓰기 64% 읽기 64 퍼센트

(2) 비율을 백분율로 나타내기

(예) 비율 $\dfrac{5}{25}$ 를 백분율로 나타내기 ← 비율을 분모가 100인 분수로 나타내기

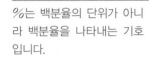 기준량이 100인 비율로 나타낸 후 백분율로 나타내기

전체 칸 수에 대한 색칠한 칸 수의 비율: $\dfrac{5}{25} = \dfrac{5 \times 4}{25 \times 4} = \dfrac{20}{100} = 20\%$

기준량을 100으로 나타내기

방법2 비율에 100을 곱해서 나온 값에 기호 % 붙이기

(백분율)=(비율)×100 → $\dfrac{5}{25} \times 100 = 20\ (\%)$

교과서 공통 1 어느 아이스크림 가게에서 아이스크림 50개 중 30개가 판매되었습니다. 물음에 답하세요.

(1) 만약 아이스크림이 100개 있었다면 몇 개가 판매된 것인지 □ 안에 알맞은 수를 써넣으세요.

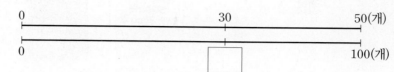

(2) 전체 아이스크림 수에 대한 판매된 아이스크림 수의 비율을 백분율로 나타내어 보세요.

(　　　　　　　　　　)

2 백분율을 읽거나 백분율로 나타내어 보세요.

(1)　　　　20 %　　　　　　　　(2)　　　　56 퍼센트

　　(　　　　　　　)　　　(　　　　　　　)

3 그림을 보고 전체에 대한 색칠한 부분의 비율을 백분율로 나타내어 보세요.

(1)　　　　　　　　　　　□ %　　　(2)　　　　　　　　　　　□ %

4 비율을 백분율로 나타내려고 합니다. □ 안에 알맞은 수를 써넣으세요.

(1)　$\dfrac{3}{4}$　→　$\dfrac{3}{4} \times \boxed{} = \boxed{}$ (%)

(2)　$\dfrac{9}{25}$　→　$\dfrac{9}{25} \times \boxed{} = \boxed{}$ (%)

090쪽 에서 개념을 한 번 더 다집니다.

한눈에
핵심쏙

<할인율>
$$\frac{(할인\ 금액)}{(원래\ 가격)} \times 100$$

<득표율>
$$\frac{(후보의\ 득표수)}{(전체\ 투표수)} \times 100$$

<소금물의 진하기>
$$\frac{(소금\ 양)}{(소금물\ 양)} \times 100$$

개념 강의

6 백분율이 사용되는 경우

(1) 물건의 할인율 → 원래 가격에 대한 할인 금액의 비율

할인율이 ■ %이면 할인된 판매 가격은 원래 가격의 (100−■) %입니다.

(예)

원래 가격(원)	할인된 판매 가격(원)
1000	800

(할인 금액)=1000−800=**200**(원)

```
0  할인 금액 200                                    1000(원)
└────┴──────────────────────────────────────────┘
0  할인율  20                                      100(%)
```

→ (할인율)= $\dfrac{(할인\ 금액)}{(원래\ 가격)} = \dfrac{\mathbf{200}}{1000} \times 100 = 20\,(\%)$

(2) 가와 나 후보의 득표율 → 전체 투표수에 대한 후보별 득표수의 비율

(예)

후보	가	나	합계
득표수(표)	300	200	500

① (가 후보의 득표율)= $\dfrac{(가\ 후보의\ 득표수)}{(전체\ 투표수)} = \dfrac{300}{500} \times 100 = 60\,(\%)$

② (나 후보의 득표율)= $\dfrac{(나\ 후보의\ 득표수)}{(전체\ 투표수)} = \dfrac{200}{500} \times 100 = 40\,(\%)$

③ 60 %>40 %이므로 가 후보의 득표율이 나 후보의 득표율보다 더 높습니다.

(3) 소금물의 진하기 → 소금물 양에 대한 소금 양의 비율

소금물 양에 대한 소금 양의 비율이 높을수록 소금물이 더 진합니다.

(예)

소금 양 (g)	소금물 양 (g)
40	200

(소금물의 진하기)= $\dfrac{(소금\ 양)}{(소금물\ 양)} = \dfrac{40}{200} \times 100 = 20\,(\%)$

1 어느 마트에서 12000원짜리 멜론을 할인하여 9000원에 판매하고 있습니다. 멜론의 할인율을 구하려고 합니다. 물음에 답하세요.

(1) 멜론의 할인 금액을 구하세요.

$$(\text{할인 금액}) = 12000 - \boxed{} = \boxed{} (\text{원})$$

(2) 멜론의 할인율은 몇 %인지 □ 안에 알맞은 수를 써넣으세요.

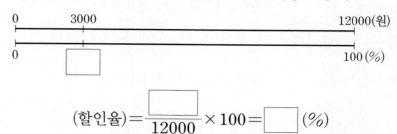

$$(\text{할인율}) = \frac{\boxed{}}{12000} \times 100 = \boxed{} (\%)$$

교과서 공통 2 다음을 보고 □ 안에 알맞은 수를 써넣으세요.

> 전교 어린이 회장 선거에 200명이 투표에 참여했습니다.
> 하영이는 110표, 현수는 84표를 얻었고 무효표는 6표였습니다.

(1) $(\text{하영이의 득표율}) = \dfrac{\boxed{}}{200} \times 100 = \boxed{} (\%)$

(2) $(\text{현수의 득표율}) = \dfrac{\boxed{}}{200} \times 100 = \boxed{} (\%)$

(3) $(\text{무효표의 비율}) = \dfrac{\boxed{}}{200} \times 100 = \boxed{} (\%)$

3 은영이는 소금 60 g을 녹여 소금물 500 g을 만들었습니다. 소금물 양에 대한 소금 양의 비율은 몇 %인지 구하려고 합니다. □ 안에 알맞은 수를 써넣으세요.

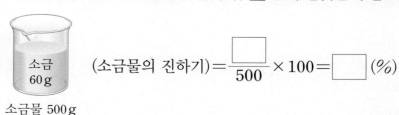

$$(\text{소금물의 진하기}) = \frac{\boxed{}}{500} \times 100 = \boxed{} (\%)$$

소금물 500 g

091쪽 에서 개념을 한 번 더 다집니다.

5 백분율

01 □ 안에 알맞게 써넣으세요.

(1) 기준량을 [   ]으로 할 때의 비율을 백분율이라고 합니다.

(2) 백분율은 기호 [   ]를 사용하여 나타냅니다.

02 그림을 보고 전체에 대한 색칠한 부분의 비율을 백분율로 나타내어 보세요.

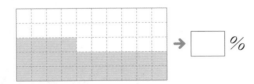 → [   ]%

03 비율 $\frac{31}{50}$ 을 두 가지 방법으로 백분율로 나타내려고 합니다. □ 안에 알맞은 수를 써넣으세요.

방법❶ $\frac{31}{50} = \frac{\Box}{100} = \Box$ %

방법❷ $\frac{31}{50} \rightarrow \frac{31}{50} \times 100 = \Box$ (%)

04 비율을 백분율로 나타내어 보세요.

(1) $\frac{7}{20}$ → (   )

(2) 0.65 → (   )

05 빈칸에 알맞은 수를 써넣으세요.

분수	소수	백분율(%)
$\frac{7}{100}$		7
	0.39	
$\frac{13}{20}$		

06 백분율을 바르게 구한 사람은 누구인지 이름을 쓰세요.

민규: $0.34 \rightarrow 34$ %

슬기: $\frac{2}{5} \rightarrow 20$ %

(   )

07 화단의 넓이는 $16\,\mathrm{m}^2$ 이고, 텃밭의 넓이는 $25\,\mathrm{m}^2$ 입니다. 화단 넓이는 텃밭 넓이의 몇 %인가요?

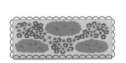

화단 $16\,\mathrm{m}^2$

텃밭 $25\,\mathrm{m}^2$

(   )

6 백분율이 사용되는 경우

08 어느 공장에서 청소기 1000개를 만들 때 불량품이 30개 나온다고 합니다. 전체 청소기 수에 대한 불량품 수의 비율을 백분율로 나타내어 보세요.

$$\frac{\boxed{}}{1000} \times 100 = \boxed{} \ (\%)$$

09 태희가 박물관에 갔습니다. 박물관 입장료는 5000원인데 태희는 할인권을 이용하여 입장료로 4000원을 냈습니다. 몇 %를 할인 받은 것인가요?

(   )

10 다음과 같이 설탕물을 만들었습니다. 설탕물 양에 대한 설탕 양의 비율은 몇 %인가요?

설탕 30g + 물 = 설탕물 200g

(   )

[11~12] 대호와 민경이가 축구 연습을 했습니다. 두 사람의 대화를 보고 물음에 답하세요.

난 공을 20번 차서 골대에 15번 공을 넣었어.
대호

난 공을 25번 차서 골대에 19번 공을 넣었어.
민경

11 대호와 민경이의 골 성공률은 각각 몇 %인지 구하세요.

대호 (   )

민경 (   )

12 두 사람 중 골 성공률이 더 높은 사람은 누구인가요?

(   )

[13~14] 어느 장난감 가게에서 8000원짜리 로봇은 1200원을 할인하여 판매하고, 6000원짜리 인형은 720원을 할인하여 판매하고 있습니다. 물음에 답하세요.

13 로봇과 인형의 할인율은 각각 몇 %인지 구하세요.

로봇 (   )

인형 (   )

14 로봇과 인형 중 할인율이 더 높은 것은 어느 것인가요?

(   )

078쪽 개념 ❶

01 노란 색종이가 15장, 파란 색종이가 3장 있습니다. 노란 색종이 수와 파란 색종이 수를 뺄셈과 나눗셈으로 비교해 보세요.

> 뺄셈으로 비교하기

> 나눗셈으로 비교하기

078쪽 개념 ❶

02 올해 시우는 13살, 시우의 동생은 10살입니다. 시우와 동생의 나이를 예상하여 표를 완성하고, 시우 나이와 동생 나이 사이의 관계를 비교해 보세요.

	올해	1년 후	2년 후	3년 후
시우 나이(살)	13	14	15	16
동생 나이(살)	10			

비교

080쪽 개념 ❷

03 집에서부터 학교까지의 거리와 학교에서부터 도서관까지의 거리의 비를 쓰세요.

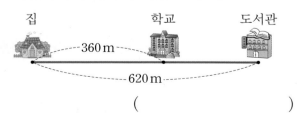

( )

080쪽 개념 ❷

04 비에 대해 잘못 말한 사람을 찾아 이름을 쓰세요.

> 5 : 6과
> 6 : 5는 같아.

나영

> 17 : 13의 비율을 분수로
> 나타내면 $\frac{17}{13}$이야.

성태

( )

익힘책 공통   080쪽 개념 ❸

05 비율이 같은 것끼리 이어 보세요.

(1) 11과 20의 비 • • 0.55

(2) 4에 대한 3의 비 • • 0.24

(3) 6의 25에 대한 비 • • 0.75

080쪽 개념 ❸

06 주영이가 만든 자음 글자 'ㅁ'에서 바깥쪽 직사각형의 가로에 대한 세로의 비율을 구하세요.

문제 강의

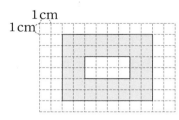

가로 (cm)	세로 (cm)	가로에 대한 세로의 비율
8		

07 표를 보고 동전을 던진 횟수에 대한 그림 면이 나온 횟수의 비율을 분수와 소수로 각각 나타내어 보세요.

익힘책 공통　080쪽 개념 ❸

회차	1회	2회	3회	4회	5회
나온 면	그림 면		숫자 면	100	
회차	6회	7회	8회	9회	10회
나온 면	100		100		

분수 (　　　　　　　)

소수 (　　　　　　　)

082쪽 개념 ❹

08 농구공을 던져 골대에 넣은 것입니다. 골 성공률이 더 높은 것을 찾아 기호를 쓰세요.

> ㉠ 공을 40번 던져서 28번을 넣었습니다.
> ㉡ 공을 25번 던져서 15번을 넣었습니다.

(　　　　　　　)

082쪽 개념 ❹

09 가 병에는 물에 레몬 원액 130 mL를 넣어 만든 레몬 주스 260 mL가 들어 있고, 나 병에는 물에 레몬 원액 270 mL를 넣어 만든 레몬 주스 450 mL가 들어 있습니다. 어느 병의 레몬 주스가 더 진한가요?

문제 강의

(　　　　　　　)

082쪽 개념 ❹

10 같은 시각에 정호와 수연이의 그림자 길이를 재었습니다. 두 사람의 키에 대한 그림자 길이의 비율을 각각 구하고, 비율을 비교하여 알맞은 말에 ○표 하세요.

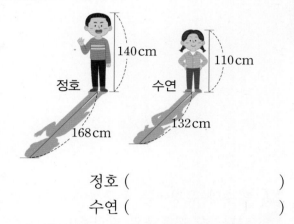

정호 (　　　　　　　)

수연 (　　　　　　　)

→ 같은 시각에 두 사람의 키에 대한 그림자 길이의 비율은 (같습니다 , 다릅니다).

086쪽 개념 ❺

11 다음 비의 비율을 분수, 소수, 백분율로 각각 나타내어 보세요.

21의 50에 대한 비

분수	소수	백분율

086쪽 개념 ❺

12 넓이가 500 m²인 학교 강당에 넓이가 90 m²인 무대를 만들려고 합니다. 강당 넓이에 대한 무대 넓이의 비율을 백분율로 나타내고, 강당이 다음과 같을 때 무대의 넓이만큼 색칠해 보세요.

[　　] % →

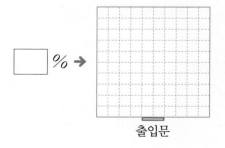

출입문

086쪽 **개념 ⑤**

13 비율이 높은 것부터 차례로 기호를 쓰세요.

> ㉠ $\dfrac{7}{10}$ ㉡ 120 %   ㉢ 0.93

(   )

088쪽 **개념 ⑥**

14 민수와 유정이는 문구점에서 학용품을 샀습니다. 산 학용품의 할인율이 더 높은 사람은 누구인지 구하세요.

3000원짜리 필통을 2100원에 샀어.
민수

나는 1200원짜리 연습장을 780원에 샀어.
유정

(   )

익힘책 공통   088쪽 **개념 ⑥**

15 마라톤에 참가하여 완주한 학생 수를 조사했습니다. 세 반 중 완주율이 가장 높은 반은 몇 반인지 구하세요.

•목표한 지점까지 다 달림.

	참가한 학생 수(명)	완주한 학생 수(명)
1반	28	14
2반	25	13
3반	20	12

(   )

088쪽 **개념 ⑥**

16 두 친구의 대화를 읽고 어느 영화가 좌석 수에 대한 관객 수의 비율이 더 높은지 구하세요.

> 진원: 가 영화는 최근 일주일 동안 영화관에서 좌석 수에 대한 관객 수의 비율이 37 %래.
>
> 다희: 같은 기간에 나 영화는 좌석 300석당 120명이 봤대.

(   )

생각 ＋ 문제

17 연비는 연료의 양에 대한 달린 거리의 비율입니다. ㉮와 ㉯ 자동차의 달린 거리와 연료의 양은 다음과 같습니다. ㉮와 ㉯ 자동차 중에서 **연비가 더 높은 자동차는 어느 것인지** 구하세요.

	달린 거리(km)	연료의 양(L)
㉮ 자동차	210	12
㉯ 자동차	162	9

(1) ㉮와 ㉯ 자동차의 연비를 각각 구하세요.

㉮ 자동차 (   )

㉯ 자동차 (   )

(2) ㉮와 ㉯ 자동차 중에서 연비가 더 높은 자동차는 어느 것인가요?

(   )

서술형 잡기

서술형 강의

1 체험 학습에 참가한 학생 21명 중에서 여학생은 9명입니다. **전체 참가한 학생 수에 대한 남학생 수의 비를** 구하려고 합니다. 풀이 과정을 쓰고, 답을 구하세요.

해결
순서
❶ 남학생 수 구하기
❷ 전체 참가한 학생 수에 대한 남학생 수의 비 구하기

풀이 ❶ 체험 학습에 참가한 학생 21명 중 남학생은 21 − ☐ = ☐ (명)입니다.
❷ 전체 참가한 학생 수에 대한 남학생 수의 비는 ☐ : ☐ 입니다.

답 _____

2 상자 안에 귤과 복숭아가 모두 54개 있습니다. 이 중에서 귤이 35개일 때 **전체 과일 수에 대한 복숭아 수의 비를** 구하려고 합니다. 풀이 과정을 쓰고, 답을 구하세요.

해결
순서
❶ 복숭아 수 구하기
❷ 전체 과일 수에 대한 복숭아 수의 비 구하기

풀이 _____

답 _____

3 서하가 어느 은행에 30000원을 예금하였더니 1년 후에 이자를 합하여 31500원이 되었습니다. 서하가 1년 동안 **예금한 돈에 대한 이자의 비율은 몇** %인지 풀이 과정을 쓰고, 답을 구하세요.

해결
순서
❶ 이자 구하기
❷ 예금한 돈에 대한 이자의 비율 구하기

풀이 ❶ 1년 동안 예금한 돈에 대한 이자는 ☐ − 30000 = ☐ (원)입니다.

❷ $\dfrac{\boxed{}}{30000} \times 100 = \boxed{}$ (%)이므로

1년 동안 예금한 돈에 대한 이자의 비율은 ☐ %입니다.

답 _____

4 영호가 어느 은행에 40000원을 예금하였더니 1년 후에 이자를 합하여 41600원이 되었습니다. 영호가 1년 동안 **예금한 돈에 대한 이자의 비율은 몇** %인지 풀이 과정을 쓰고, 답을 구하세요.

해결
순서
❶ 이자 구하기
❷ 예금한 돈에 대한 이자의 비율 구하기

풀이 _____

답 _____

4
단원

01 ☐ 안에 알맞은 수를 써넣으세요.

14 대 11 → ☐ : ☐

02 그림을 보고 ☐ 안에 알맞은 수를 써넣으세요.

(1) 야구공 수와 야구 장갑 수의 비

→ ☐ : ☐

(2) 야구 장갑 수에 대한 야구공 수의 비

→ ☐ : ☐

03 한 모둠에 남학생은 6명이고, 여학생은 2명입니다. 남학생 수와 여학생 수를 나눗셈으로 비교하여 ☐ 안에 알맞은 수를 써넣으세요.

6 ÷ ☐ = ☐ 이므로 남학생 수는 여학생 수의 ☐ 배입니다.

04 다음 비의 비율을 분수로 나타내어 보세요.

9 : 20

(　　　　　　　)

05 그림을 보고 전체에 대한 색칠한 부분의 비율을 백분율로 나타내어 보세요.

(　　　　　　　)

06 직사각형의 세로에 대한 가로의 비율을 소수로 나타내어 보세요.

20 cm

8 cm

(　　　　　　　)

07 기준량이 나머지 넷과 다른 것은 어느 것인가요? (　　　　)

① 9 : 8 　　　　② 5의 8에 대한 비
③ 3 대 8 　　　　④ 8과 11의 비
⑤ 8에 대한 7의 비

08 전체에 대한 색칠한 부분의 비율이 $\frac{5}{6}$ 가 되도록 색칠해 보세요.

09 비율이 같은 것끼리 이어 보세요.

(1) 3과 4의 비 • • 0.58

(2) 25에 대한 9의 비 • • 0.36

(3) 29 대 50 • • 0.75

4
단원

10 어느 공장에서 색연필 500자루를 만들 때 불량품이 20자루 나온다고 합니다. 전체 색연필 수에 대한 불량품 수의 비율을 백분율로 나타내어 보세요.

$$\frac{\boxed{}}{500} \times \boxed{} = \boxed{} \, (\%)$$

11 민호는 50 m를 달리는 데 7초가 걸렸습니다. 민호가 50 m를 달리는 데 걸린 시간에 대한 달린 거리의 비율을 분수로 나타내어 보세요.

(   )

12 어느 가게에서 파는 축구공의 원래 가격과 할인된 판매 가격입니다. 축구공의 할인율은 몇 %인지 구하세요.

원래 가격	할인된 판매 가격
30000원	27000원

(   )

13 다음 중 잘못 설명한 것을 찾아 기호를 쓰세요.

㉠ 비율 $\frac{1}{4}$을 백분율로 나타내면 $\frac{1}{4}$에 100을 곱하면 되므로 25 %입니다.

㉡ 비율 $\frac{1}{2}$을 소수로 나타내면 0.5이므로 이것을 백분율로 나타내면 5 %입니다.

(   )

14 같은 시각에 두 가로등의 그림자 길이를 재었습니다. 두 가로등의 높이에 대한 그림자 길이의 비율을 소수로 각각 구하고, 비율을 비교하여 알맞은 말에 ○표 하세요.

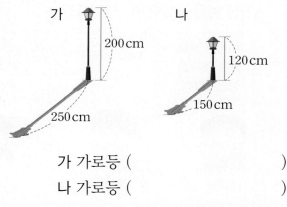

가 가로등 (   )

나 가로등 (   )

→ 같은 시각에 두 가로등의 높이에 대한 그림자 길이의 비율은 (같습니다 , 다릅니다).

15 주하와 성희는 야구 대회에 나갔습니다. 주하는 20타수 중 안타를 13개 쳤고, 성희는 15타수 중 안타를 9개 쳤습니다. 누구의 타율이 더 높은가요?

(   )

정답 24쪽

16 가 도시와 나 도시의 넓이에 대한 인구의 비율을 각각 쓰고, 두 도시 중 인구가 더 밀집한 곳은 어디인지 구하세요.

도시	가	나
인구(명)	21000000	13000000
넓이 (km²)	16800	2500
넓이에 대한 인구의 비율		

( )

17 성민, 준규, 재경이가 각각 1분 동안 농구공을 던져 골대에 넣었습니다. 세 명 중 골 성공률이 가장 높은 사람은 누구인가요?

30개의 공을 던져 18개를 성공시켰어.

나의 성공률은 65 %야.

15개의 공을 던져 6개를 넣었어.

성민   준규   재경

( )

18 가 비커에는 소금 46 g을 녹여 소금물 230 g을 만들었고, 나 비커에는 소금 80 g을 녹여 소금물 320 g을 만들었습니다. 더 진한 소금물이 담긴 비커는 어느 것인지 구하세요.

( )

서술형
19 어느 미술관에 입장한 관람객 100명 중 남자가 57명입니다. 전체 관람객 수에 대한 여자 관람객 수의 비를 구하려고 합니다. 풀이 과정을 쓰고, 답을 구하세요.

풀이

답

서술형
20 정우가 어느 은행에 50000원을 예금하였더니 1년 후에 이자를 합하여 51000원이 되었습니다. 정우가 1년 동안 예금한 돈에 대한 이자의 비율은 몇 %인지 풀이 과정을 쓰고, 답을 구하세요.

풀이

답

승주는 숫자를 이용하여 가장 좋아하는 영어 단어를 숨겨 놓았어요.

같은 숫자를 유심히 살펴보면 승주가 좋아하는 단어가 무엇인지 알 수 있어요.

힌트는 1−2−3−4−5−6−7 !

자, 그럼 시작 !

1	1	1	9	4	4	4	7	7	7	9	3	9
8	1	9	4	8	8	9	7	8	9	3	8	3
9	1	8	4	9	4	4	7	7	7	3	3	3
8	1	9	4	8	9	4	7	9	9	3	8	3
1	1	1	4	4	4	4	7	7	7	3	9	3
6	9	9	8	6	5	5	5	2	9	9	8	2
6	6	8	8	6	8	5	9	2	2	8	2	2
6	8	6	9	6	9	5	9	2	8	2	9	2
6	9	9	6	6	8	5	8	2	8	9	8	2
6	9	8	8	6	5	5	5	2	9	9	8	2

• 정답은 진도북 148쪽에서 확인하세요.

5 여러 가지 그래프

우리 반 학생들의 고민거리를 조사하여 원그래프로 나타냈더니
가장 많은 학생들의 고민거리는 공부였어.
내 고민거리는 기타 항목으로 넣어야 해~!

무료
스마트
러닝

동영상 강의와 함께 계획을 세워 공부합니다.
동영상 강의를 시청했으면 ◯에 ∨표 하세요.

공부한 날	동영상 확인	쪽수	학습 내용
월 일	▶ ◯	102~105쪽	**교과서 개념 잡기** ❶ 그림그래프로 나타내기 ❷ 띠그래프 ❸ 띠그래프로 나타내기
월 일		106~107쪽	**개념 한 번 더 잡기**
월 일	▶ ◯	108~113쪽	**교과서 개념 잡기** ❹ 원그래프 ❺ 원그래프로 나타내기 ❻ 그래프 해석하기 ❼ 여러 가지 그래프 비교
월 일		114~115쪽	**개념 한 번 더 잡기**
월 일	▶ ◯	116~120쪽	**수학 익힘 문제 잡기**
월 일	▶ ◯	121쪽	**서술형 잡기**
월 일		122~124쪽	**단원 마무리**

한눈에
핵심쏙

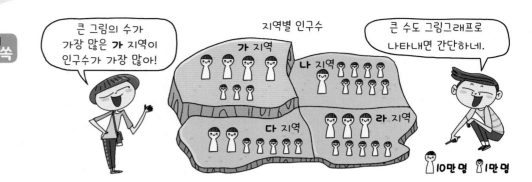

개념 강의

그림그래프로 나타내기 위해 조사한 수를 올림, 버림, 반올림 중 한 가지 방법으로 나타냅니다.

1 그림그래프로 나타내기

예) 권역별 초등학교 수

권역	초등학교 수(개)
서울·인천·경기	2158
대전·세종·충청	865
광주·전라	1005
강원	347
대구·부산·울산·경상	1632
제주	113

[출처: 국가 통계 포털, 2020.]

• 초등학교 수를 반올림하여 백의 자리까지 나타내기

어림값
2158 → 2200
865 → 900
1005 → 1000
347 → 300
1632 → 1600
113 → 100

① 🏫은 1000개, 🏫은 100개를 나타냅니다.

② 권역별 초등학교 수에 맞게 그림을 그립니다.

서울·인천·경기(2200개)
→ 🏫: 2개, 🏫: 2개

③ 초등학교 수가 가장 많은 권역은 큰 그림의 수가 가장 많은 서울·인천·경기 권역입니다.

④ 초등학교 수가 가장 적은 권역은 큰 그림이 없고, 작은 그림의 수가 가장 적은 제주 권역입니다.

⑤ 강원 권역과 대전·세종·충청 권역의 초등학교 수를 더하면 약 1200개입니다.
300개   900개

그림그래프로 항목별 수량 비교하기

큰 그림 → 작은 그림의 순서로 그림의 수를 비교하여 많고 적음을 쉽게 알 수 있습니다.

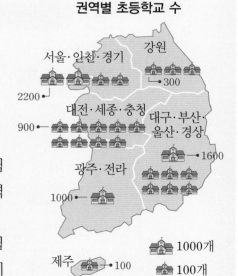

권역별 초등학교 수

교과서 공통 1 2020년 우리나라의 권역별 쌀 생산량을 조사하여 나타낸 그림그래프입니다. 물음에 답하세요.

권역별 쌀 생산량

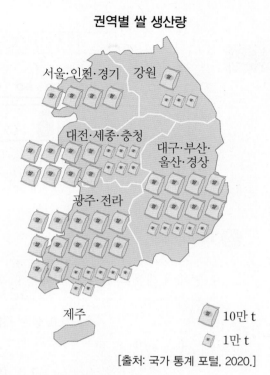

[출처: 국가 통계 포털, 2020.]

(1) 🌾과 🌾은 각각 몇 t을 나타내나요?

🌾 (   ), 🌾 (   )

(2) 대구·부산·울산·경상 권역의 쌀 생산량은 몇 t인가요?

(   )

(3) 쌀 생산량이 가장 많은 권역은 어디인가요?

(   )

2 어느 해 국가별 이산화 탄소 배출량을 조사하여 나타낸 표입니다. 표를 보고 그림그래프를 완성해 보세요.

국가별 이산화 탄소 배출량

국가	배출량(억 t)
대한민국	6
중국	101
미국	52
인도	26

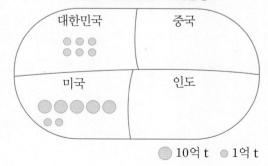

국가별 이산화 탄소 배출량

⬤ 10억 t   ● 1억 t

106쪽에서 개념을 한 번 더 다집니다.

한눈에
핵심쏙

가고 싶은 지역별 학생 수

띠그래프를 보면 전체에 대한 각 부분의 비율을 한눈에 알아볼 수 있어.

```
0   10  20  30  40  50  60  70  80  90  100(%)
```

| 경주 (40 %) | 제주 (30 %) | 속초(20 %) | 기타 (10 %) |

비율이 높을수록 띠에서 차지하는 부분의 길이가 길어.

개념 강의

2 띠그래프

전체에 대한 각 부분의 비율을 띠 모양에 나타낸 그래프를 **띠그래프**라고 합니다.

띠그래프의 특징

① 전체에 대한 각 부분의 비율을 한눈에 알아보기 쉽습니다.
② 각 항목끼리의 비율을 쉽게 비교할 수 있습니다.

예 가고 싶은 체험 학습 장소별 학생 수

→ 작은 눈금 한 칸: 5 %
```
0   10  20  30  40  50  60  70  80  90  100(%)
```

| 놀이공원 (35 %) | 천문대 (25 %) | 목장 (20 %) | 박물관 (10 %) | 기타 (10 %) |

① 천문대를 가고 싶은 학생은 전체의 25 %입니다.
② 가장 많은 학생들이 가고 싶은 체험 학습 장소는 놀이공원입니다.

3 띠그래프로 나타내기

예 점심시간에 하는 활동별 학생 수

활동	축구	줄넘기	독서	기타	합계
학생 수(명)	120	90	45	45	300

항목별 백분율 구하기

$\dfrac{(\text{항목별 수량})}{(\text{전체 수량})} \times 100$

① 자료를 보고 각 항목의 백분율을 구합니다.

- 축구: 40 %
$\frac{120}{300} \times 100 = 40\,(\%)$
- 줄넘기: 30 %
$\frac{90}{300} \times 100 = 30\,(\%)$
- 독서: 15 %
$\frac{45}{300} \times 100 = 15\,(\%)$
- 기타: 15 %
$\frac{45}{300} \times 100 = 15\,(\%)$

② 각 항목의 백분율의 합계가 100 %가 되는지 확인합니다.

$$40 + 30 + 15 + 15 = 100\,(\%)$$

③ 각 항목이 차지하는 백분율의 크기만큼 선을 그어 띠를 나눕니다.
④ 나눈 부분에 각 항목의 내용과 백분율을 쓰고, 띠그래프의 제목을 씁니다.

점심시간에 하는 활동별 학생 수

```
0   10  20  30  40  50  60  70  80  90  100(%)
```

| 축구 (40 %) | 줄넘기 (30 %) | 독서 (15 %) | 기타 (15 %) |

1 전체에 대한 각 부분의 비율을 띠 모양에 나타낸 그래프를 무엇이라고 하나요?

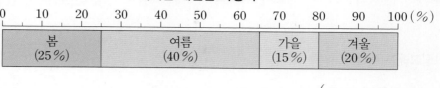

태어난 계절별 학생 수

( )

교과서 공통 **2** 지훈이네 반 학생들이 좋아하는 우유를 조사하여 나타낸 띠그래프입니다. ☐ 안에 알맞은 수나 말을 써넣으세요.

좋아하는 우유 종류별 학생 수

0 10 20 30 40 50 60 70 80 90 100 (%)
초코 (32%)	바나나 (28%)	딸기 (20%)	커피 (12%)	기타 (8%)

(1) 작은 눈금 한 칸은 ☐ %를 나타냅니다.

(2) 커피우유를 좋아하는 학생 수는 전체의 ☐ %입니다.

(3) 가장 많은 학생들이 좋아하는 우유는 ☐ 우유입니다.

3 어느 공원에 있는 나무의 종류를 조사하여 나타낸 표입니다. 물음에 답하세요.

공원에 있는 종류별 나무 수

종류	소나무	느티나무	은행나무	기타	합계
나무 수(그루)	140	120	80	60	400

(1) 전체 나무 수에 대한 종류별 나무 수의 백분율을 구하세요.

- 소나무: $\dfrac{140}{400} \times 100 = 35$ (%)   • 느티나무: $\dfrac{120}{400} \times 100 =$ ☐ (%)

- 은행나무: $\dfrac{80}{400} \times 100 =$ ☐ (%)   • 기타: $\dfrac{60}{400} \times 100 =$ ☐ (%)

(2) 위 (1)에서 구한 백분율을 이용하여 띠그래프를 완성해 보세요.

공원에 있는 종류별 나무 수

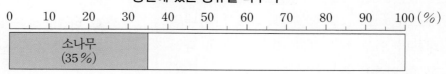

107쪽에서 개념을 한 번 더 다집니다.

1 그림그래프로 나타내기

[01~03] 대륙별 인구수를 조사하여 나타낸 표를 보고 그림그래프로 나타내려고 합니다. 물음에 답하세요.

대륙별 인구수

대륙	아메리카	아시아	아프리카	유럽
인구수(억 명)	10	45	13	7

[출처: 국가 통계 포털, 2020.]

01 인구수에 따라 10억 명은 ☺, 1억 명은 ☻으로 나타내려고 합니다. □ 안에 알맞은 수를 써넣으세요.

> 아시아의 인구는 45억 명이므로
> ☺ □ 개와 ☻ □ 개로 나타냅니다.

02 대륙별 인구수를 그림그래프로 나타내어 보세요.

대륙별 인구수

대륙	인구수
아메리카	
아시아	
아프리카	
유럽	

☺ 10억 명 ☻ 1억 명

03 알맞은 말에 ○표 하세요.

> 자료를 (표 , 그림그래프)로 나타내면 대륙별 인구수의 많고 적음을 쉽게 파악할 수 있습니다.

[04~06] 우리나라의 권역별 공공 도서관 수를 조사하여 나타낸 표입니다. 물음에 답하세요.

권역별 공공 도서관 수

권역	도서관 수(개)
서울·인천·경기	510
대전·세종·충청	240
광주·전라	60
강원	150
대구·부산·울산·경상	150
제주	20

[출처: 국가도서관통계시스템, 2019.]

04 표를 보고 그림그래프를 완성해 보세요.

권역별 공공 도서관 수

☐ 100개
☐ 10개

05 위 **04**의 그림그래프를 보고 공공 도서관 수가 가장 많은 권역은 어디인지 쓰세요.

(   )

06 위 **04**의 그림그래프를 보고 공공 도서관 수가 가장 적은 권역은 어디인지 쓰세요.

(   )

2 띠그래프

[07~09] 영지네 반 학생들이 좋아하는 과목을 조사하여 나타낸 표입니다. 물음에 답하세요.

좋아하는 과목별 학생 수

과목	체육	미술	음악	기타	합계
학생 수(명)	7	5	4	4	

07 조사한 학생은 모두 몇 명인가요?

( )

08 □ 안에 알맞은 수를 써넣으세요.

- 체육: $\frac{7}{20} \times 100 = 35$ (%)

- 미술: $\frac{5}{20} \times 100 = \boxed{}$ (%)

- 음악: $\frac{4}{20} \times 100 = \boxed{}$ (%)

- 기타: $\frac{4}{20} \times 100 = \boxed{}$ (%)

좋아하는 과목별 학생 수

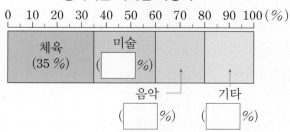

09 가장 많은 학생들이 좋아하는 과목은 무엇인가요?

( )

3 띠그래프로 나타내기

[10~11] 어느 도시에 있는 종류별 의료 시설을 조사하여 나타낸 표입니다. 물음에 답하세요.

종류별 의료 시설 수

종류	병원	약국	한의원	기타	합계
시설 수(개)	24	15	12	9	60
백분율(%)	40				

10 이 도시에 있는 전체 의료 시설 수에 대한 종류별 의료 시설 수의 백분율을 구하여 위의 표를 완성해 보세요.

11 표를 보고 띠그래프를 완성해 보세요.

종류별 의료 시설 수

```
0  10  20  30  40  50  60  70  80  90  100(%)
```
병원
(40 %)

12 민수가 가지고 있는 구슬을 색깔별로 분류하여 나타낸 표입니다. 표를 완성하고, 띠그래프로 나타내어 보세요.

색깔별 구슬 수

색깔	파란색	노란색	초록색	분홍색	합계
구슬 수(개)	16	14	6	4	40
백분율(%)					100

색깔별 구슬 수

```
0  10  20  30  40  50  60  70  80  90  100(%)
```

한눈에
핵심쏙

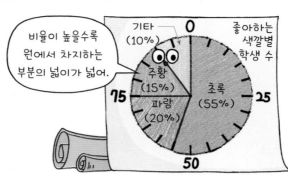

비율이 높을수록 원에서 차지하는 부분의 넓이가 넓어.

좋아하는 색깔별 학생 수

기타 (10 %)

주황 (15 %)

파랑 (20 %)

초록 (55 %)

전체에 대한 각 부분의 비율을 원 모양에 나타냈어.

개념 강의

띄그래프와 원그래프의 공통점과 차이점

[공통점] 비율그래프입니다.
[차이점] 띠그래프는 가로를 100등분하여 띠 모양으로 그린 것이고, 원그래프는 원의 중심을 100등분하여 원 모양으로 그린 것입니다.

4 원그래프

전체에 대한 각 부분의 비율을 원 모양에 나타낸 그래프를 **원그래프**라고 합니다.

예) **좋아하는 음식별 학생 수**

기타 (5 %)

떡볶이 (25 %)

햄버거 (40 %)

피자 (30 %)

① 떡볶이를 좋아하는 학생은 전체의 25 %입니다.
② 차지하는 비율이 30 %인 음식은 피자입니다.
③ 가장 많은 학생들이 좋아하는 음식은 햄버거입니다.

5 원그래프로 나타내기

예) **배우는 악기별 학생 수**

악기	피아노	바이올린	플루트	기타	합계
학생 수(명)	20	15	10	5	50

① 자료를 보고 각 항목의 백분율을 구합니다.

- **피아노: 40 %**
  $\frac{20}{50} \times 100 = 40 (\%)$
- **바이올린: 30 %**
  $\frac{15}{50} \times 100 = 30 (\%)$
- **플루트: 20 %**
  $\frac{10}{50} \times 100 = 20 (\%)$
- **기타: 10 %**
  $\frac{5}{50} \times 100 = 10 (\%)$

② 각 항목의 백분율의 합계가 100 %가 되는지 확인합니다.

$$40 + 30 + 20 + 10 = 100 (\%)$$

원그래프는 원의 중심에서 원의 둘레에 표시된 눈금까지 선으로 이어서 그립니다.

③ 각 항목이 차지하는 백분율의 크기만큼 원을 나눕니다.
④ 나눈 부분에 각 항목의 내용과 백분율을 쓰고, 원그래프의 제목을 씁니다.

배우는 악기별 학생 수

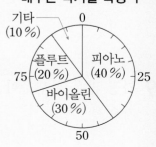

기타 (10 %)

플루트 (20 %)

피아노 (40 %)

바이올린 (30 %)

1 오른쪽과 같이 전체에 대한 각 부분의 비율을 원 모양에 나타낸 그래프를 무엇이라고 하나요?

(   )

좋아하는 책별 학생 수

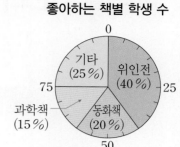

5단원

교과서 공통 **2** 윤진이네 논과 밭의 곡식별 수확량을 조사하여 나타낸 원그래프입니다. □ 안에 알맞은 수나 말을 써넣으세요.

곡식별 수확량

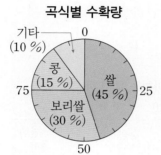

(1) 눈금 한 칸은 □ %를 나타냅니다.

(2) 보리쌀의 수확량은 전체의 □ %입니다.

(3) 가장 수확량이 많은 곡식은 □ 입니다.

3 현경이네 학교 6학년 학생들의 혈액형을 조사하여 나타낸 표입니다. 물음에 답하세요.

혈액형별 학생 수

혈액형	A형	B형	O형	AB형	합계
학생 수(명)	50	70	50	30	200

(1) 전체 학생 수에 대한 혈액형별 학생 수의 백분율을 구하세요.

- A형: $\dfrac{50}{200} \times 100 = 25$ (%)
- B형: $\dfrac{70}{200} \times 100 =$ □ (%)
- O형: $\dfrac{50}{200} \times 100 =$ □ (%)
- AB형: $\dfrac{30}{200} \times 100 =$ □ (%)

(2) 위 (1)에서 구한 백분율을 이용하여 원그래프를 완성해 보세요.

혈액형별 학생 수

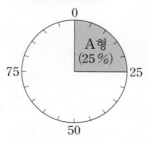

114쪽 에서 개념을 한 번 더 다집니다.

한눈에
핵심쏙

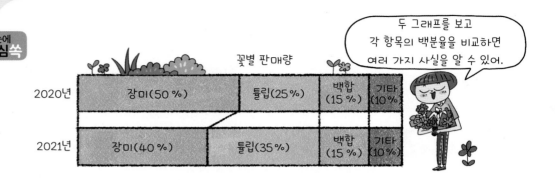

두 그래프를 보고
각 항목의 백분율을 비교하면
여러 가지 사실을 알 수 있어.

꽃별 판매량

| 2020년 | 장미(50 %) | 튤립(25 %) | 백합(15 %) | 기타(10 %) |
| 2021년 | 장미(40 %) | 튤립(35 %) | 백합(15 %) | 기타(10 %) |

개념 강의

6 그래프 해석하기

(1) 띠그래프 해석하기

예 좋아하는 채소별 학생 수

| 0 | 10 | 20 | 30 | 40 | 50 | 60 | 70 | 80 | 90 | 100 (%) |

| 가지 (35 %) | 당근 (25 %) | 호박 (25 %) | 오이 (15 %) |

① 좋아하는 채소 중 비율이 20 % 이하인 것은 오이(15 %)입니다.

② 당근 또는 호박을 좋아하는 학생 수는 전체의 25+25=50 (%)입니다.

(2) 원그래프 해석하기

예 항목별 용돈 지출 금액

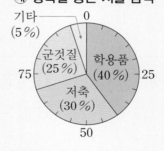

① 지출 금액의 비율이 30 % 이상인 항목은 학용품(40 %), 저축(30 %)입니다.

② 군것질로 지출한 금액은 기타로 지출한 금액의 25÷5=5(배)입니다.

(3) 두 그래프를 보고 해석하기

예 어느 도시의 연령별 인구수

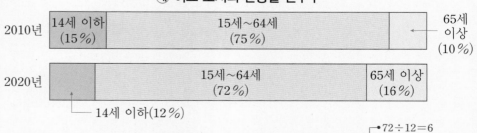

| 2010년 | 14세 이하 (15 %) | 15세~64세 (75 %) | 65세 이상 (10 %) |
| 2020년 | 14세 이하(12 %) | 15세~64세 (72 %) | 65세 이상 (16 %) |

① 2020년의 15세~64세 인구수는 14세 이하 인구수의 6배입니다. ┌72÷12=6

② 2020년에는 2010년에 비해 65세 이상 인구수의 비율이 늘어났습니다.

여러 개의 띠그래프가 있을 때에는 같은 항목끼리 비교하여 변화하는 모양을 알 수 있습니다.

교과서 공통 1 윤민이네 학교 6학년 학생들이 좋아하는 과일을 조사하여 나타낸 원그래프입니다. □ 안에 알맞은 수나 말을 써넣으세요.

좋아하는 과일별 학생 수

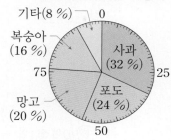

(1) 가장 많은 학생들이 좋아하는 과일은 □입니다.

(2) 망고를 좋아하는 학생 수는 전체의 □ %입니다.

(3) 사과를 좋아하는 학생 수는 복숭아를 좋아하는 학생 수의

$32 ÷ □ = □$ (배)입니다.

2 어느 회사의 2020년과 2021년 제품별 판매량을 조사하여 각각 띠그래프로 나타낸 것입니다. 물음에 답하세요.

제품별 판매량

| 2020년 | 에어컨 (40 %) | 세탁기 (35 %) | 건조기 (10 %) | 냉장고 (15 %) |

| 2021년 | 에어컨 (28 %) | 세탁기 (28 %) | 건조기 (30 %) | 냉장고 (14 %) |

(1) 2021년의 세탁기 판매량은 냉장고 판매량의 몇 배인가요?

( )

(2) 2021년의 건조기 판매량은 2020년의 건조기 판매량의 몇 배인가요?

( )

(3) 알맞은 말에 ○표 하세요.

> 2021년에는 2020년에 비해 에어컨 판매량의 비율이
> (늘어났습니다 , 줄어들었습니다).

115쪽에서 개념을 한 번 더 다집니다.

한눈에
용어쏙

그림그래프

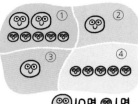

 10명 💮 1명

띠그래프

원그래프

막대그래프

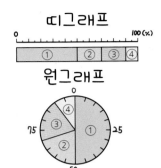

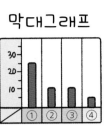

7 여러 가지 그래프 비교

개념 강의

(1) 막대그래프와 띠그래프 비교하기

(예)

어느 지역의 쓰레기 종류별 배출량

(막대그래프: 종이 13, 플라스틱 9, 음식물 11, 고철 10, 기타 7, 단위 (t))

배출량 / 종류 : 종이, 플라스틱, 음식물, 고철, 기타

어느 지역의 쓰레기 종류별 배출량

0 10 20 30 40 50 60 70 80 90 100 (%)

종이 (26 %)	플라스틱 (18 %)	음식물 (22 %)	고철 (20 %)	기타 (14 %)

● (합계)=13+9+11+10+7=50 (t)

(종이의 비율)=$\frac{13}{50}×100=26$ (%)

① 막대그래프를 보면 종이의 쓰레기 배출량이 13 t으로 가장 많습니다.

② 띠그래프를 보면 전체 쓰레기 배출량의 20 % 이상을 차지하는 쓰레기 종류는 종이(26 %), 음식물(22 %), 고철(20 %)입니다.

> 막대그래프는 항목별 많고 적음을 비교하여 가장 많은 항목을 찾기 쉽고,
> 띠그래프는 항목별 비율을 한눈에 알아보기 쉽습니다.

꺾은선그래프

수량을 점으로 표시하고, 그 점들을 선분으로 이어 그린 그래프

(예) **낮 최고 기온**

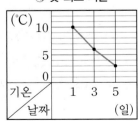

(2) 그래프의 종류와 특징

종류	특징
막대그래프	수량의 많고 적음을 한눈에 비교하기 쉽습니다.
꺾은선그래프	수량의 변화하는 모습과 정도를 쉽게 알 수 있습니다. 시간에 따라 연속적으로 변하는 양을 나타내는 데 편리합니다.
그림그래프	그림의 크기로 수량의 많고 적음을 쉽게 알 수 있습니다. 자료에 따라 상징적인 그림으로 나타낼 수 있습니다.
띠그래프 또는 원그래프	전체에 대한 각 부분의 비율을 한눈에 알아보기 쉽습니다. 각 항목끼리의 비율을 쉽게 비교할 수 있습니다.

정답 28쪽

교과서 공통 **1** 지민이네 학교의 전교 학생 회장 후보자별 득표수를 조사하여 나타낸 표입니다. 표를 보고 그래프를 완성하고, 알맞은 것에 ○표 하세요.

전교 학생 회장 후보자별 득표수

후보자	지민	선우	윤서	주하	정현	합계
득표수(표)	150	120	100	70	60	500
백분율(%)	30	24	20	14	12	100

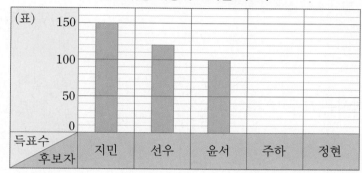

전교 학생 회장 후보자별 득표수

(1) 후보자별 득표수의 많고 적음을 한눈에 비교하기 쉬운 그래프는 (막대그래프 , 띠그래프)입니다.

(2) 전체 투표수에 대한 후보자별 득표수의 비율을 한눈에 알아보기 쉬운 그래프는 (막대그래프 , 띠그래프)입니다.

2 자료를 그래프로 나타낼 때 어떤 그래프가 좋을지 보기 에서 찾아 □ 안에 써넣으세요.

보기
그림그래프   꺾은선그래프   원그래프

(1) 교실 온도의 변화를 나타낼 때에는 [   ]가 가장 알맞습니다.

(2) 수빈이네 반 학생들이 좋아하는 운동별 학생 수의 비율을 나타낼 때에는 [   ]가 가장 알맞습니다.

115쪽에서 개념을 **한 번 더** 다집니다.

5. 여러 가지 그래프 **113**

STEP 2 개념 한번더 잡기

 4 원그래프

[01~03] 진우네 반 학생들이 받고 싶은 선물을 조사하여 나타낸 표입니다. 물음에 답하세요.

받고 싶은 선물별 학생 수

선물	휴대전화	옷	장난감	기타	합계
학생 수(명)	10	8	5	2	

01 조사한 학생은 모두 몇 명인가요?

( )

02 □ 안에 알맞은 수를 써넣으세요.

• 휴대 전화: $\dfrac{10}{25} \times 100 = 40\,(\%)$

• 옷: $\dfrac{8}{25} \times 100 = \boxed{}\,(\%)$

• 장난감: $\dfrac{5}{25} \times 100 = \boxed{}\,(\%)$

• 기타: $\dfrac{2}{25} \times 100 = \boxed{}\,(\%)$

받고 싶은 선물별 학생 수

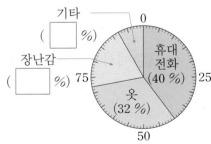

03 가장 많은 학생들이 받고 싶은 선물은 무엇인가요?

( )

5 원그래프로 나타내기

[04~06] 어느 박물관의 세계문화관에 있는 지역별 문화재 수를 조사하여 나타낸 표입니다. 물음에 답하세요.

세계문화관에 있는 지역별 문화재 수

지역	중국	일본	이집트	중앙아시아	합계
문화재 수(점)	70	60	40	30	200
백분율(%)	35				

04 전체 문화재 수에 대한 지역별 문화재 수의 백분율을 구하여 위의 표를 완성해 보세요.

05 표를 보고 원그래프로 나타내어 보세요.

세계문화관에 있는 지역별 문화재 수

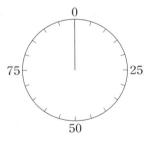

06 원그래프에 대해 설명한 것입니다. 옳은 것에 ○표, 틀린 것에 ×표 하세요.

(1) 비율이 높을수록 문화재 수도 많습니다.

( )

(2) 지역별 문화재 수의 백분율의 합계는 100 %입니다.

( )

6 그래프 해석하기

[07~08] 지혜네 학교 6학년 학생들의 취미를 조사하여 나타낸 띠그래프입니다. 물음에 답하세요.

취미별 학생 수

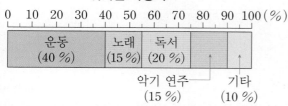

07 취미가 운동인 학생 수는 취미가 독서인 학생 수의 몇 배인가요?

( )

08 전체에 대한 학생 수의 비율이 같은 취미는 무엇과 무엇인가요?

( ), ( )

[09~10] 시현이네 반 학생들을 대상으로 장래 희망을 조사하여 나타낸 원그래프입니다. 물음에 답하세요.

장래 희망별 학생 수

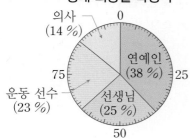

09 연예인 또는 선생님이 되고 싶은 학생 수는 전체의 몇 %인가요?

( )

10 장래 희망별 학생 수의 비율이 30 % 이상인 것은 무엇인가요?

( )

7 여러 가지 그래프 비교

[11~13] 어느 동물원의 월별 입장객 수를 여러 가지 그래프로 나타낸 것입니다. 물음에 답하세요.

㉮ 월별 입장객 수

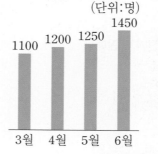

㉯ 월별 입장객 수

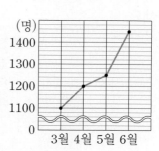

㉰ 월별 입장객 수

3월 (22 %)	4월 (24 %)	5월 (25 %)	6월 (29 %)

11 월별 입장객 수를 나타낸 그래프의 종류를 각각 쓰세요.

㉮ ( )

㉯ ( )

㉰ ( )

12 월별 입장객 수의 비율을 비교하려고 할 때 어느 그래프로 나타내면 좋을지 기호를 쓰세요.

( )

13 월별 입장객 수의 변화를 알아보려고 할 때 어느 그래프로 나타내면 좋을지 기호를 쓰세요.

( )

문제 강의

[01~02] 어느 자동차 회사의 권역별 전기차 판매량을 조사하여 나타낸 그림그래프입니다. 물음에 답하세요.

권역별 전기차 판매량

서울·인천·경기 강원
대전·세종·충청 대구·부산·울산·경상
광주·전라
제주

🚗 10만 대
🚗 1만 대

102쪽 개념 ❶

01 권역별 전기차 판매량을 그림그래프로 나타내었을 때 좋은 점을 바르게 말한 사람의 이름을 쓰세요.

> 동욱: 권역별 전기차 판매량이 많은지 적은지 쉽게 알 수 있어.
> 재은: 전체 전기차 판매량에 대한 권역별 전기차 판매량의 비율을 쉽게 알 수 있어.

(   )

102쪽 개념 ❶

02 서울·인천·경기 권역의 전기차 판매량과 대구·부산·울산·경상 권역의 판매량의 차는 몇 대인가요?

(   )

[03~05] 동현이네 학교 학생들이 바자회에 내놓은 물건을 조사하여 나타낸 띠그래프입니다. 물음에 답하세요.

바자회에 내놓은 종류별 물건 수

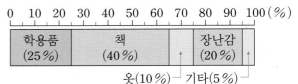

0 10 20 30 40 50 60 70 80 90 100(%)

| 학용품 (25%) | 책 (40%) | | 장난감 (20%) |

옷(10%) ─ 기타(5%)

104쪽 개념 ❷

03 띠그래프를 보고 표의 빈칸에 알맞은 수를 써넣으세요.

바자회에 내놓은 종류별 물건 수

종류	학용품	책	옷	장난감	기타	합계
백분율 (%)						

104쪽 개념 ❷

04 바자회에 내놓은 물건 수가 가장 많은 물건은 어느 것인가요?

문제 강의

(   )

익힘책 공통   104쪽 개념 ❷

05 바자회에 내놓은 물건 중에서 비율이 옷의 비율의 2배인 물건은 어느 것인가요?

(   )

[06~08] 글을 읽고 물음에 답하세요.

수미네 학교 학생 250명을 대상으로 학생들이 세운 새해 계획에 대해 조사하였습니다. 운동은 100명, 외국어 공부는 □명, 악기 배우기는 75명, 기타는 25명이었습니다.

104쪽 개념 ❸

06 표를 완성해 보세요.

새해 계획별 학생 수

계획	운동	외국어 공부	악기 배우기	기타	합계
학생 수(명)	100		75	25	250
백분율 (%)	40		30		100

104쪽 개념 ❸

07 위 **06**의 표를 보고 띠그래프로 나타내어 보세요.

새해 계획별 학생 수

```
0  10  20  30  40  50  60  70  80  90  100(%)
```

익힘책 공통 104쪽 개념 ❸

08 가장 많은 학생들이 세운 새해 계획은 무엇이고, 전체의 몇 %인지 차례로 쓰세요.

(   ), (   )

[09~11] 태영이네 집의 한 달 관리비를 조사하여 나타낸 원그래프입니다. 물음에 답하세요.

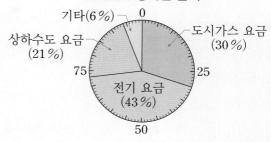

관리비의 항목별 금액

기타(6%) — 0
상하수도 요금 (21%)
도시가스 요금 (30%)
75
25
전기 요금 (43%)
50

108쪽 개념 ❹

09 관리비에서 차지하는 비율이 두 번째로 높은 항목은 무엇인가요?

(   )

108쪽 개념 ❹

10 전기 요금은 상하수도 요금의 약 몇 배인지 반올림하여 자연수로 나타내어 보세요.

(   )

108쪽 개념 ❹

11 기타 요금이 12000원이라면 도시가스 요금은 얼마인지 구하세요.

문제 강의

(   )

[12~14] 지훈이네 학교 6학년 학생들에게 희망하는 수학여행 일정과 장소를 조사한 결과입니다. 물음에 답하세요.

● 수학여행 일정
당일 여행 15 %, 1박 2일 60 %, 2박 3일 25 %로 희망하였습니다.
● 수학여행 장소
설악산 5 %, 제주도 20 %, 해운대 65 %, 속초 10 %로 희망하였습니다.

108쪽 개념 ❺

12 수학여행 일정별 희망 학생 수의 백분율을 표로 나타내어 보세요.

일정별 희망 학생 수

일정	당일	1박 2일	2박 3일	합계
백분율 (%)				

108쪽 개념 ❺

13 수학여행 장소별 희망 학생 수의 백분율을 표로 나타내어 보세요.

장소별 희망 학생 수

장소	설악산	제주도	해운대	속초	합계
백분율 (%)					

익힘책 공통   108쪽 개념 ❺

14 수학여행 일정과 장소별 희망 학생 수의 백분율을 각각 원그래프로 나타내어 보세요.

문제 강의

일정별 희망 학생 수

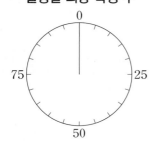

장소별 희망 학생 수

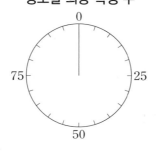

[15~17] 어느 운동용품 판매점에서 한 달 동안 판매한 물건 수를 조사하여 나타낸 원그래프입니다. 물음에 답하세요.

종류별 판매량

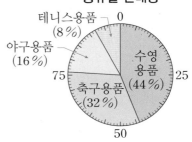

110쪽 개념 ❻

15 원그래프를 보고 알 수 있는 내용을 바르게 설명한 것을 **모두** 찾아 기호를 쓰세요.

㉠ 수영용품 판매량은 전체의 44 %입니다.
㉡ 테니스용품 판매량은 야구용품 판매량의 2배입니다.
㉢ 판매량이 높은 종류부터 차례로 쓰면 테니스용품, 야구용품, 축구용품, 수영용품입니다.
㉣ 축구용품 또는 야구용품 판매량은 전체의 48 %입니다.

( )

110쪽 개념 ❻

16 야구용품 판매량은 축구용품 판매량의 몇 배인가요?

( )

110쪽 개념 ❻

17 테니스용품 판매량이 200개라면 축구용품 판매량은 몇 개인지 구하세요.

( )

[18~19] 하영이네 농장의 2019년과 2021년 가축 수를 조사하여 각각 띠그래프로 나타낸 것입니다. 물음에 답하세요.

하영이네 농장의 가축 수

2019년	소 (15%)	돼지 (46%)	닭 (39%)

2021년	소 (30%)	돼지 (42%)	닭 (28%)

110쪽 개념 ❻

18 2021년의 돼지 또는 닭의 수는 전체의 몇 % 인가요?

(   )

110쪽 개념 ❻

19 2021년 소의 수의 비율은 2019년 소의 수의 비율의 몇 배가 되었나요?

(   )

110쪽 개념 ❻

20 영진이네 학교 학생들이 좋아하는 동물을 조사하여 나타낸 원그래프입니다. □ 안에 알맞은 수를 써넣고, 띠그래프로 나타내어 보세요.

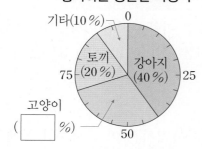

좋아하는 동물별 학생 수

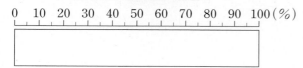

좋아하는 동물별 학생 수

[21~23] 마을별 감자 생산량을 조사하여 나타낸 그림그래프입니다. 물음에 답하세요.

마을별 감자 생산량

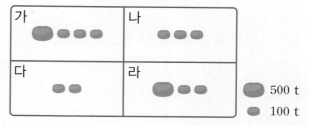

500 t
100 t

112쪽 개념 ❼

21 그림그래프를 보고 표를 완성해 보세요.

마을별 감자 생산량

마을	가	나	다	라	합계
생산량 (t)					
백분율 (%)					

112쪽 개념 ❼

22 위 **21**의 표를 보고 막대그래프로 나타내어 보세요.

마을별 감자 생산량

112쪽 개념 ❼

23 위 **21**의 표를 보고 원그래프로 나타내어 보세요.

마을별 감자 생산량

112쪽 개념 ⑦

[24~26] 민서네 학교 6학년 학생 200명을 대상으로 등교 방법을 조사하여 나타낸 기사문입니다. 물음에 답하세요.

> **우리 학교 학생들의 등교 방법은?**
>
> 지난 10월 1일부터 5일까지 6학년 학생 200명을 대상으로 등교 방법을 조사했습니다.
>
> 그 결과 도보 80명(40 %), 버스 70명(35 %), 자전거 40명(20 %), 기타 ⬜명(⬜ %)로 조사되었습니다.

112쪽 개념 ⑦

24 조사한 내용을 보고 표를 완성해 보세요.

등교 방법별 학생 수

등교 방법	도보			합계
학생 수(명)		40		
백분율 (%)				

익힘책 공통

112쪽 개념 ⑦

25 위 **24**의 표를 보고 띠그래프로 나타내어 보세요.

등교 방법별 학생 수

0 10 20 30 40 50 60 70 80 90 100(%)

112쪽 개념 ⑦

26 위 **24**의 표를 보고 원그래프로 나타내어 보세요.

등교 방법별 학생 수

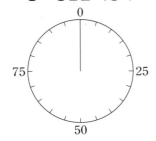

27 그래프의 특징으로 알맞은 것을 각각 찾아 기호를 써넣으세요.

112쪽 개념 ⑦

> ㉠ 그림의 크기로 수량의 많고 적음을 쉽게 알 수 있습니다.
> ㉡ 전체에 대한 각 부분의 비율을 한눈에 알아보기 쉽습니다.
> ㉢ 수량의 변화하는 모습과 정도를 쉽게 알 수 있습니다.

그림그래프	꺾은선그래프	원그래프

생각 ➕ 문제

28 윤재네 반 학생들이 어제 하루 동안 휴대 전화를 사용한 시간을 조사하여 나타낸 띠그래프입니다. **휴대 전화를 2시간 이상 사용한 학생은 전체의 몇 %**인지 구하세요.

문제 강의

휴대 전화 사용 시간별 학생 수

0 10 20 30 40 50 60 70 80 90 100(%)

1시간 이상 2시간 미만 (20 %)	2시간 이상 3시간 미만 (40 %)	3시간 이상 (30 %)

└ 1시간 미만(10 %)

(1) 휴대 전화를 2시간 이상 사용한 학생 수의 항목을 **모두** 찾아 ○표 하세요.

> 1시간 미만, 1시간 이상 2시간 미만,
> 2시간 이상 3시간 미만, 3시간 이상

(2) 휴대 전화를 2시간 이상 사용한 학생은 전체의 몇 %인가요?

(   )

서술형 잡기

서술형강의

1 어느 지역의 승용차 색깔을 조사하여 나타낸 띠그래프입니다. 은색 승용차가 210대라면 **검은색 승용차는 몇 대**인지 풀이 과정을 쓰고, 답을 구하세요.

색깔별 승용차 수

```
0  10  20  30  40  50  60  70  80  90  100(%)
```
| 검은색 (45%) | 흰색 (30%) | 은색 (15%) | |

기타(10%)

해결 순서 ❶ 검은색 승용차 수는 은색 승용차 수의 몇 배인지 구하기
❷ 검은색 승용차는 몇 대인지 구하기

풀이 ❶ 검은색은 전체의 ☐ %이고, 은색은 전체의 ☐ %이므로 검은색 승용차 수는 은색 승용차 수의 ☐ 배입니다.
❷ 검은색 승용차는 210 × ☐ = ☐ (대)입니다.

답

2 어느 지역의 화재 발생 원인을 조사하여 나타낸 띠그래프입니다. 기타로 인한 화재가 30건이라면 **부주의로 인한 화재는 몇 건**인지 풀이 과정을 쓰고, 답을 구하세요.

화재 발생 원인

```
0  10  20  30  40  50  60  70  80  90  100(%)
```
| 부주의 (48%) | 전기 (26%) | 기계 (14%) | |

기타(12%)

해결 순서 ❶ 부주의로 인한 화재 수는 기타로 인한 화재 수의 몇 배인지 구하기
❷ 부주의로 인한 화재는 몇 건인지 구하기

풀이

답

3 위 **1**의 띠그래프를 보고 알 수 있는 내용을 2가지 쓰세요.

해결 순서 ❶ 알 수 있는 내용 쓰기
❷ 알 수 있는 내용 한 가지 더 쓰기

내용 ❶ 가장 많은 승용차의 색깔은 ☐ 입니다.
❷ 흰색 또는 은색 승용차 수는 전체의 ☐ %입니다.

4 위 **2**의 띠그래프를 보고 알 수 있는 내용을 2가지 쓰세요.

해결 순서 ❶ 알 수 있는 내용 쓰기
❷ 알 수 있는 내용 한 가지 더 쓰기

내용

01 전체에 대한 각 부분의 비율을 원 모양에 나타 낸 그래프를 무엇이라고 하나요?

좋아하는 음료수별 학생 수

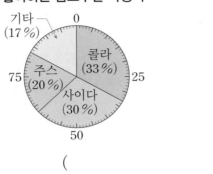

(　　　　　　)

[02~03] 어느 어촌의 마을별 어획량을 조사하여 나타낸 표를 보고 그림그래프로 나타내려고 합니다. 물음에 답하세요.

마을별 어획량

마을	가	나	다	라	합계
어획량(만 t)	24	51	42	33	150

02 10만 톤은 🐟, 1만 톤은 🐟으로 나타내려고 합니다. 다 마을의 어획량은 🐟과 🐟 몇 개로 각각 나타내어야 하나요?

🐟 (　　　　　　)

🐟 (　　　　　　)

03 표를 보고 그림그래프를 완성해 보세요.

마을별 어획량

마을	어획량
가	🐟🐟🐟🐟🐟
나	
다	
라	

🐟10만 t
🐟 1만 t

[04~06] 윤호네 반 학생들이 한 달 동안 읽은 책 수를 조사하여 나타낸 띠그래프입니다. 물음에 답하세요.

읽은 책 수별 학생 수

| 5권 미만 (20 %) | 5권 이상 10권 미만 (35 %) | | 15권 이상 (30 %) |

10권 이상 15권 미만(15 %)

04 작은 눈금 한 칸은 몇 %를 나타내나요?

(　　　　　　)

05 읽은 책 수가 10권 이상 15권 미만인 학생 수는 전체의 몇 %인가요?

(　　　　　　)

06 각 항목의 백분율을 모두 더하면 몇 %인가요?

(　　　　　　)

07 안전사고가 자주 발생하는 장소별 사고 발생 건수의 비율을 그래프로 나타내려고 합니다. 가장 알맞은 것에 ◯표 하세요.

그림그래프　　원그래프　　꺾은선그래프

[08~11] 상희네 반 학생들이 좋아하는 채소를 조사하여 나타낸 표입니다. 물음에 답하세요.

좋아하는 채소별 학생 수

채소	감자	고구마	당근	기타	합계
학생 수(명)	7	6	4	3	20
백분율(%)	35			15	100

08 전체 학생 수에 대한 고구마와 당근을 좋아하는 학생 수의 백분율을 각각 구하세요.

• 고구마: $\dfrac{\boxed{}}{20} \times 100 = \boxed{}$ (%)

• 당근: $\dfrac{\boxed{}}{20} \times 100 = \boxed{}$ (%)

09 띠그래프를 완성해 보세요.

좋아하는 채소별 학생 수

```
0  10  20  30  40  50  60  70  80  90  100(%)
┌──────┬──────────────────────────────┐
│ 감자 │                              │
│(35%) │                              │
└──────┴──────────────────────────────┘
```

10 감자 또는 당근을 좋아하는 학생 수는 전체의 몇 %인가요?

(   )

11 가장 많은 학생들이 좋아하는 채소는 무엇인가요?

(   )

[12~15] 어느 모임의 학생들이 가고 싶은 축제를 조사하여 나타낸 표입니다. 물음에 답하세요.

가고 싶은 축제별 학생 수

축제	얼음 축제	불꽃 축제	벚꽃 축제	기타	합계
학생 수(명)	18	10	10	2	40
백분율(%)					100

12 표를 완성해 보세요.

13 표를 보고 원그래프로 나타내어 보세요.

가고 싶은 축제별 학생 수

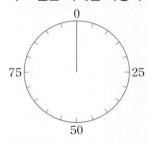

14 불꽃 축제에 가고 싶은 학생 수의 비율과 같은 비율인 축제는 무엇인가요?

(   )

15 가고 싶은 학생 수의 비율이 30 % 이상인 축제는 무엇인가요?

(   )

[16~18] 수린이가 한 달 동안 사용한 용돈의 쓰임새를 조사하여 나타낸 원그래프입니다. 물음에 답하세요.

용돈의 쓰임새별 금액

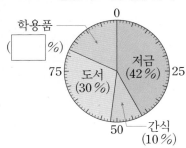

16 원그래프의 ☐ 안에 알맞은 수를 써넣으세요.

17 원그래프를 보고 띠그래프로 나타내어 보세요.

용돈의 쓰임새별 금액

```
0  10  20  30  40  50  60  70  80  90  100(%)
```

18 저금한 금액은 학용품에 사용한 금액의 약 몇 배인지 반올림하여 자연수로 나타내어 보세요.

( )

19 찬영이네 학교 6학년 학생들이 여행 가고 싶은 나라를 조사하여 나타낸 띠그래프입니다. 기타 지역으로 가고 싶은 학생이 24명이라면 유럽에 가고 싶은 학생은 몇 명인지 풀이 과정을 쓰고, 답을 구하세요.

가고 싶은 나라별 학생 수

```
0  10  20  30  40  50  60  70  80  90  100(%)
```

| 유럽 (30%) | 미국 (25%) | 중국 (20%) | 일본 (15%) | |

기타(10%)

풀이

답

20 원그래프를 보고 알 수 있는 내용을 2가지 쓰세요.

좋아하는 음식별 학생 수

기타(5%) 0
일식 (10%)
한식 (20%)
중식 (40%)
양식 (25%)
75
25
50

내용

앗, 선생님이 갑자기 퀴즈를 내셨어요.

규칙을 찾아 마지막 물음표에 알맞은 그림을 알아맞히면

오늘 숙제는 없다고 하셨어요!

단, 5분 내에 찾아내야 한다고 하니 어서 생각해 봐요~!

알았다!

삐~

부피가 1 cm³인 정육면체 모양의 초콜릿을
직육면체 모양 상자 두 개에 빈틈없이 각각 담았다고 하는데
초콜릿이 더 많이 담긴 상자는 어느 상자일까?

동영상 강의와 함께 계획을 세워 공부합니다.
동영상 강의를 시청했으면 ◯에 ∨표 하세요.

공부한 날		동영상 확인	쪽수	학습 내용
월	일	▶️ ◯	128~131쪽	**교과서 개념 잡기** ❶ 직육면체의 부피 비교 ❷ 직육면체의 부피 구하는 방법
월	일		132~133쪽	**개념 한 번 더 잡기**
월	일	▶️ ◯	134~137쪽	**교과서 개념 잡기** ❸ m^3 알아보기 ❹ 직육면체의 겉넓이 구하는 방법
월	일		138~139쪽	**개념 한 번 더 잡기**
월	일	▶️ ◯	140~142쪽	**수학 익힘 문제 잡기**
월	일	▶️ ◯	143쪽	**서술형 잡기**
월	일		144~146쪽	**단원 마무리**

한눈에 **핵심쏙**

누구의 부피가 더 클까?

쌓기나무 12개 < 쌓기나무 18개

12<18이니까 오른쪽 직육면체의 부피가 더 크네.

1 직육면체의 부피 비교 →어떤 물건이 공간에서 차지하는 크기

개념 강의

(1) 상자의 부피를 직접 비교하기

예) 가　　　　　나

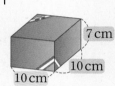　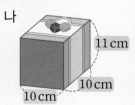

7 cm
10 cm
11 cm
10 cm

가로: 10 cm＝10 cm

세로: 10 cm＝10 cm

높이: 7 cm＜11 cm

① 두 상자의 가로와 세로가 같습니다. →두 직육면체의 밑면의 넓이가 같습니다.

② 가로와 세로가 같으므로 높이가 더 높은 나 상자의 부피가 더 큽니다.

> 직육면체의 부피를 면끼리 직접 맞대어 비교하려면 가로, 세로, 높이 중에서 두 종류 이상의 길이가 같아야 합니다.

임의 단위를 사용하여 부피를 비교할 때에는 임의 단위 물건의 모양과 크기가 같아야 합니다.

(2) 임의 단위로 비교하기

예) 를 이용하여 비교하기

가 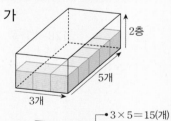　나

2층
5개
3개

3층
3개
3개

(쌓기나무의 개수)
＝(1층에 쌓인 쌓기나무의 개수)×(층수)

① 가 상자에는 를 15개씩 2층으로 담을 수 있습니다. $3 \times 5 = 15$(개)

→ $15 \times 2 = 30$(개)

② 나 상자에는 를 9개씩 3층으로 담을 수 있습니다. $3 \times 3 = 9$(개)

→ $9 \times 3 = 27$(개)

③ $30 > 27$이므로 사용한 의 수가 더 많은 가 상자의 부피가 더 큽니다.

1 면끼리 직접 맞대어 두 과자 상자의 부피를 비교하려고 합니다. ○ 안에 >, =, <를 알맞게 써넣으세요.

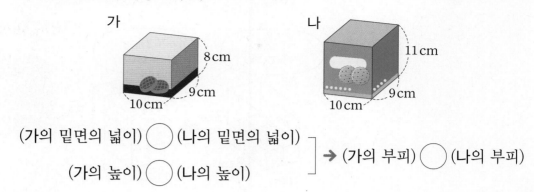

(가의 밑면의 넓이) ◯ (나의 밑면의 넓이)

(가의 높이) ◯ (나의 높이) → (가의 부피) ◯ (나의 부피)

교과서 공통 **2** 크기가 같은 쌓기나무를 사용하여 다음과 같이 두 직육면체를 만들었습니다. □ 안에 알맞은 수나 말을 써넣으세요.

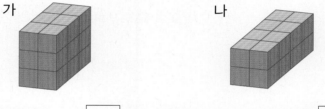

(1) 직육면체 가의 쌓기나무는 □개, 직육면체 나의 쌓기나무는 □개입니다.

(2) 가와 나 중에서 부피가 더 큰 직육면체는 □입니다.

3 직육면체 모양의 세 상자 안에 각각 떡을 담으려고 합니다. 각각의 상자에 담을 수 있는 떡의 수를 세어 □ 안에 알맞게 써넣고, 알맞은 말에 ◯표 하세요.

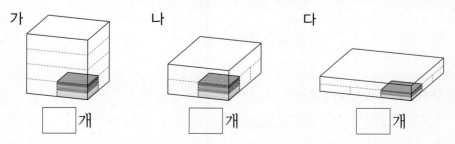

□개   □개   □개

(1) 세 상자 중 떡의 모양과 크기가 다른 (가 , 나 , 다) 상자의 부피는 비교하기 어렵습니다.

(2) 가와 나 상자 중 부피가 더 큰 상자는 (가 , 나) 상자입니다.

132쪽 에서 개념을 한 번 더 다집니다.

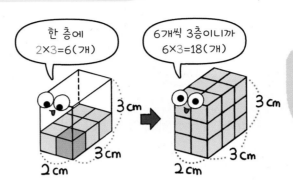

한 층에
2×3=6(개)

6개씩 3층이니까
6×3=18(개)

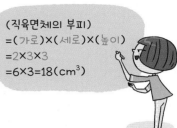

(직육면체의 부피)
=(가로)×(세로)×(높이)
=2×3×3
=6×3=18(cm³)

개념 강의

2 직육면체의 부피 구하는 방법

(1) 부피의 단위

① 부피를 나타낼 때 한 모서리의 길이가 1 cm인 정육면체의 부피를 단위로 사용할 수 있습니다.

② 이 정육면체의 부피를 1 cm^3라 쓰고, 1 세제곱센티미터라고 읽습니다.

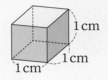

$$1 \text{ cm}^3$$

여러 가지 단위 알아보기

· 길이의 단위 ➜ 1 cm
· 넓이의 단위 ➜ 1 cm^2
· 부피의 단위 ➜ 1 cm^3

(2) 직육면체의 부피

(직육면체의 부피)＝(가로)×(세로)×(높이)＝(밑면의 넓이)×(높이)

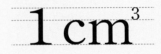

(예)

(직육면체의 부피)
$=8 \times 4 \times 6 = 192 \, (\text{cm}^3)$

(3) 정육면체의 부피

정육면체는 모든 모서리의 길이가 같습니다.
➜ 정육면체의 부피는 한 모서리의 길이를 알면 구할 수 있습니다.

(정육면체의 부피)
＝(한 모서리의 길이)×(한 모서리의 길이)×(한 모서리의 길이)

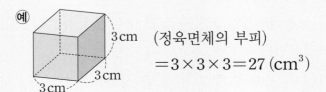

(예)

(정육면체의 부피)
$=3 \times 3 \times 3 = 27 \, (\text{cm}^3)$

1 □ 안에 알맞게 써넣으세요.

한 모서리의 길이가 1 cm인 정육면체의 부피를 [   ]라 쓰고,

[   ]라고 읽습니다.

2 부피가 1 cm³인 쌓기나무를 다음과 같이 쌓았습니다. 쌓기나무의 수를 곱셈식으로 나타내고, 직육면체의 부피를 구하세요.

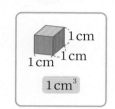
가

나

다

1 cm³

직육면체	가	나	다
쌓기나무의 수(개)	$2 \times \boxed{} \times 1$	$2 \times \boxed{} \times \boxed{}$	$2 \times \boxed{} \times \boxed{}$
부피 (cm³)			

교과서 공통 3 부피가 1 cm³인 쌓기나무를 사용하여 직육면체의 부피를 구하세요.

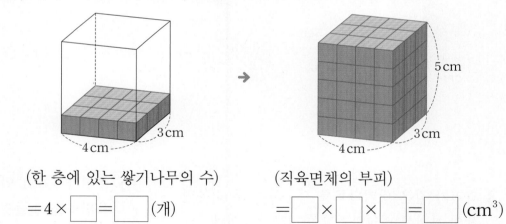

(한 층에 있는 쌓기나무의 수)   (직육면체의 부피)

$= 4 \times \boxed{} = \boxed{}$ (개) $= \boxed{} \times \boxed{} \times \boxed{} = \boxed{}$ (cm³)

4 정육면체의 부피를 구하세요.

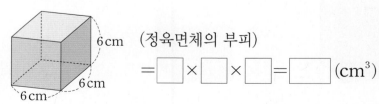

(정육면체의 부피)

$= \boxed{} \times \boxed{} \times \boxed{} = \boxed{}$ (cm³)

132쪽에서 개념을 한 번 더 다집니다.

6. 직육면체의 부피와 겉넓이 **131**

1 직육면체의 부피 비교

01 가와 나 상자의 부피를 비교하려고 합니다. 알맞은 말에 ○표 하세요.

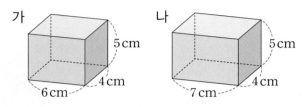

가와 나는 세로와 높이가 같습니다. 따라서 부피가 더 큰 것은 가로가 더 긴 (가 , 나)입니다.

02 부피가 가장 큰 직육면체의 기호를 쓰세요.

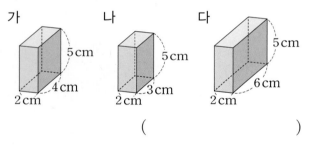

( )

03 크기가 같은 쌓기나무를 사용하여 두 직육면체의 부피를 비교하려고 합니다. ○ 안에 >, =, <를 알맞게 써넣으세요.

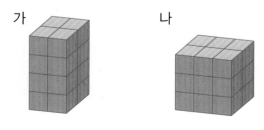

가의 부피 ○ 나의 부피

04 직육면체 모양의 두 상자 안에 크기가 같은 직육면체 모양의 초콜릿을 담아 두 상자의 부피를 비교하려고 합니다. 가와 나 상자 중 부피가 더 큰 상자는 어느 것인가요?

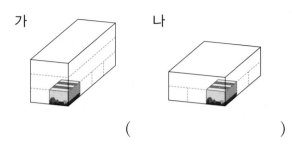

( )

2 직육면체의 부피 구하는 방법

05 정육면체의 부피를 쓰고 읽어 보세요.

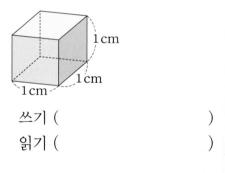

쓰기 ( )

읽기 ( )

06 부피가 $1\ cm^3$인 쌓기나무로 다음과 같이 직육면체를 만들었습니다. □ 안에 알맞은 수를 써넣으세요.

(쌓기나무의 수)$=4 \times$ □ $\times$ □ $=$ □ (개)

(직육면체의 부피)$=$ □ cm^3

07 직육면체의 부피를 구하려고 합니다. □ 안에 알맞은 수를 써넣으세요.

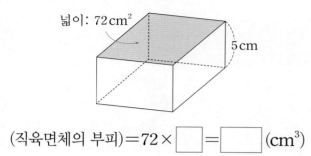

넓이: 72 cm²

5 cm

(직육면체의 부피)$= 72 \times \boxed{} = \boxed{}$ (cm³)

08 직육면체의 부피는 몇 cm³인가요?

(1)
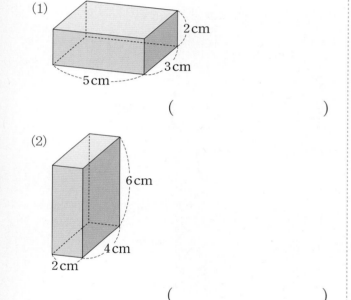

2 cm

3 cm

5 cm

(   )

(2)

6 cm

4 cm

2 cm

(   )

09 정육면체의 부피는 몇 cm³인가요?

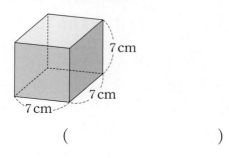

7 cm

7 cm

7 cm

(   )

10 부피를 구하는 방법에 대해 잘못 말한 사람을 찾아 이름을 쓰세요.

직육면체의 부피는 가로, 세로, 높이를 모두 곱해서 구해.

정하

직육면체의 부피는 한 밑면의 넓이와 높이를 곱해서 구할 수도 있어.

주원

정육면체의 부피는 한 모서리의 길이를 세 번 더해서 구하면 돼.

수경

(   )

11 부피가 1 cm³인 쌓기나무로 다음과 같이 직육면체를 만들었습니다. 나의 부피는 가의 부피보다 몇 cm³ 더 큰가요?

가   나

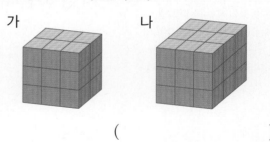

(   )

12 연우는 가로가 15 cm, 세로가 5 cm, 높이가 3 cm인 직육면체 모양의 필통을 샀습니다. 연우가 산 필통의 부피는 몇 cm³인가요?

식

답

6 단원

한눈에 **핵심쏙**

1 m와 1 cm의 관계를 이용하여 $1\,m^3$와 $1\,cm^3$의 관계를 알 수 있어.

개념 강의

여러 가지 단위 알아보기

• 길이의 단위 → 1 m
• 넓이의 단위 → $1\,m^2$
• 부피의 단위 → $1\,m^3$

큰 물건의 부피를 나타낼 때에는 cm^3보다 더 큰 부피의 단위인 m^3를 사용하면 간단한 수로 나타낼 수 있습니다.

3 m^3 알아보기

(1) **부피의 단위 $1\,m^3$**

① 부피를 나타낼 때 한 모서리의 길이가 $1\,m$인 정육면체의 부피를 단위로 사용할 수 있습니다.

② 이 정육면체의 부피를 $1\,m^3$라 쓰고, **1 세제곱미터**라고 읽습니다.

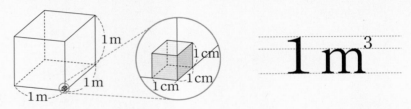

$$1\,m^3$$

(2) **$1\,m^3$와 $1\,cm^3$의 관계**

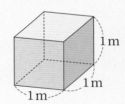

=

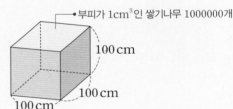

• 부피가 $1cm^3$인 쌓기나무 1000000개

부피: $1\,m^3$ 부피: $100 \times 100 \times 100 = 1000000\,(cm^3)$

(3) **직육면체의 부피를 m^3와 cm^3로 나타내기**

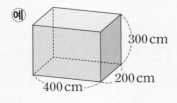

① $400\,cm = 4\,m$, $200\,cm = 2\,m$, $300\,cm = 3\,m$

② (부피) $= 400 \times 200 \times 300 = 24000000\,(cm^3)$

③ (부피) $= 4 \times 2 \times 3 = 24\,(m^3)$

→ $24000000\,cm^3 = 24\,m^3$
   0이 6개

$$1\,m^3 = 1000000\,cm^3$$
0이 6개

1 $1 \, m^3$와 $1 \, cm^3$의 관계를 알아보려고 합니다. ☐ 안에 알맞은 수를 써넣으세요.

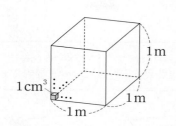

(1) 부피가 $1 \, m^3$인 정육면체를 만들려면 부피가 $1 \, cm^3$인 쌓기나무를 가로에 100개, 세로에 100개, 높이에 ☐ 층으로 쌓아야 합니다.

(2) $1 \, m^3 = $ ☐ cm^3

교과서 공통 2 직육면체의 부피를 구하려고 합니다. 물음에 답하세요.

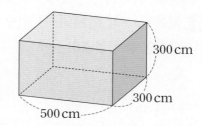

(1) 직육면체의 가로, 세로, 높이는 각각 몇 m인가요?

가로 (   ), 세로 (   ), 높이 (   )

(2) 직육면체의 부피는 몇 m^3인가요?

(   )

3 ☐ 안에 알맞은 수를 써넣으세요.

(1) $3 \, m^3 = $ ☐ cm^3 (2) $2.5 \, m^3 = $ ☐ cm^3

(3) $4000000 \, cm^3 = $ ☐ m^3 (4) $67000000 \, cm^3 = $ ☐ m^3

4 직육면체의 부피는 몇 m^3인지 구하세요.

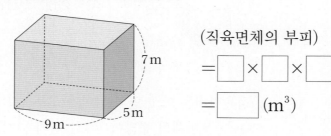

(직육면체의 부피)
= ☐ × ☐ × ☐
= ☐ (m^3)

138쪽 에서 개념을 **한 번 더** 다집니다.

6. 직육면체의 부피와 겉넓이 **135**

STEP 1

학교별 모든 개념을 담았습니다.

교과서 개념 잡기

한눈에 **공식쏙**

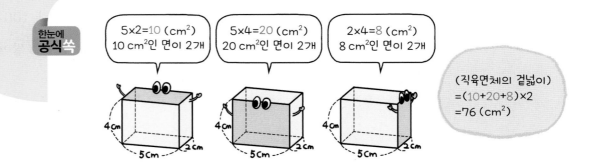

5×2=10 (cm²)
10 cm²인 면이 2개

5×4=20 (cm²)
20 cm²인 면이 2개

2×4=8 (cm²)
8 cm²인 면이 2개

(직육면체의 겉넓이)
=(10+20+8)×2
=76 (cm²)

개념 강의

④ 직육면체의 겉넓이 구하는 방법

(1) 직육면체의 겉넓이

예

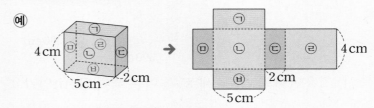

방법1 여섯 면의 넓이의 합으로 구하기

$$㉠+㉡+㉢+㉣+㉤+㉥$$
$$=5\times2+5\times4+2\times4+5\times4+2\times4+5\times2$$
$$=76\,(\text{cm}^2)$$

직육면체는 합동인 면이 3쌍입니다.

방법2 한 꼭짓점에서 만나는 세 면의 넓이의 합을 2배 하여 구하기

$$(㉠+㉡+㉢)\times2=(5\times2+5\times4+2\times4)\times2=76\,(\text{cm}^2)$$

방법3 전개도에서 두 밑면의 넓이와 옆면의 넓이의 합으로 구하기

$$㉠\times2+㉤+㉡+㉢+㉣$$
$$=\underline{5\times2\times2}+\underline{(2+5+2+5)\times4}=76\,(\text{cm}^2)$$
　　　　두 밑면의 넓이　　　옆면의 넓이

(2) 정육면체의 겉넓이

예

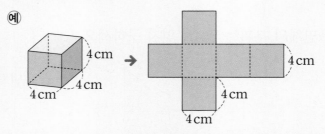

정육면체는 여섯 면의 넓이가 모두 같으므로 한 면의 넓이를 6배 합니다.

→ (정육면체의 겉넓이)=(한 면의 넓이)×6=4×4×6=96 (cm²)

교과서 공통 1 직육면체의 겉넓이를 여러 가지 방법으로 구하려고 합니다. ☐ 안에 알맞은 수를 써넣으세요.

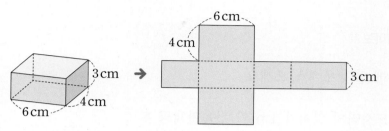

(1) (여섯 면의 넓이의 합)

$$= 24 + 18 + 12 + \boxed{} + \boxed{} + \boxed{}$$

$$= \boxed{} \,(\text{cm}^2)$$

(2) (한 꼭짓점에서 만나는 세 면의 넓이의 합) × 2

$$= (\boxed{} + \boxed{} + \boxed{}) \times 2$$

$$= \boxed{} \,(\text{cm}^2)$$

(3) (한 밑면의 넓이) × 2 + (옆면의 넓이)

$$= \boxed{} \times 2 + (\boxed{} + \boxed{} + \boxed{} + \boxed{}) \times 3$$

$$= \boxed{} \,(\text{cm}^2)$$

2 정육면체의 겉넓이를 구하려고 합니다. ☐ 안에 알맞은 수를 써넣으세요.

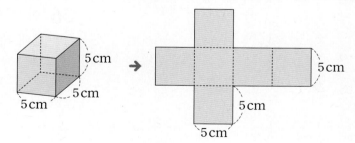

(1) (한 면의 넓이) $= \boxed{} \times \boxed{} = \boxed{} \,(\text{cm}^2)$

(2) (정육면체의 겉넓이) = (한 면의 넓이) × 6

$$= \boxed{} \times 6 = \boxed{} \,(\text{cm}^2)$$

138쪽에서 개념을 **한 번** 더 다집니다.

3 m³ 알아보기

01 □ 안에 알맞게 써넣으세요.

> 한 모서리의 길이가 1 m인 정육면체의 부피를 [   ]라 쓰고, [   ]라고 읽습니다.

02 부피를 m³로 나타내기에 알맞은 것에 ○표 하세요.

필통	컨테이너	동화책
( )	( )	( )

03 직육면체의 부피는 몇 m³인지 구하세요.

(1)
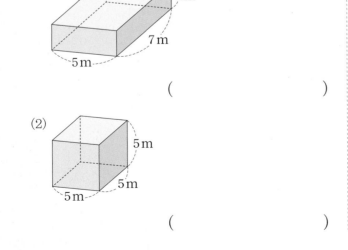
2 m
7 m
5 m

(   )

(2)
5 m
5 m
5 m

(   )

04 직육면체의 부피를 cm³와 m³로 각각 나타내어 보세요.

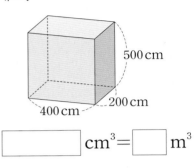
500 cm
200 cm
400 cm

[   ] cm³ = [   ] m³

05 □ 안에 알맞은 수를 써넣으세요.

(1) $4.2 \text{ m}^3 = $ [   ] cm^3

(2) $3100000 \text{ cm}^3 = $ [   ] m^3

4 직육면체의 겉넓이 구하는 방법

06 한 꼭짓점에서 만나는 세 면의 넓이의 합을 2배 하여 직육면체의 겉넓이를 구하세요.

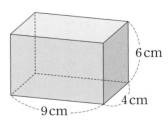
6 cm
9 cm
4 cm

(직육면체의 겉넓이)
= (36 + [   ] + [   ]) × 2
= [   ] (cm²)

07 직육면체의 겉넓이를 구하려고 합니다. □ 안에 알맞은 수를 써넣으세요.

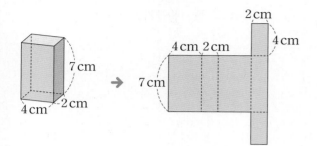

(1) (여섯 면의 넓이의 합)

=8+□+□+8+□+□

=□(cm²)

(2) (한 밑면의 넓이)×2+(옆면의 넓이)

=8×2+(4+2+□+□)×7

=□(cm²)

08 정육면체를 보고 물음에 답하세요.

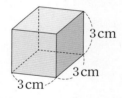

(1) 정육면체의 전개도를 모눈종이에 그려 보세요.

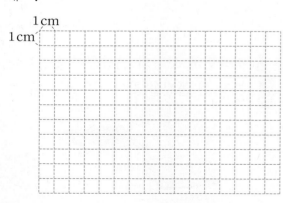

(2) 정육면체의 겉넓이는 몇 cm²인가요?

( )

09 직육면체의 겉넓이는 몇 cm²인가요?

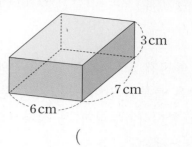

( )

10 한 모서리의 길이가 9 cm인 정육면체 모양의 상자가 있습니다. 이 상자의 겉넓이는 몇 cm²인가요?

( )

11 민주와 지후는 각각 직육면체 모양의 상자를 만들었습니다. 물음에 답하세요.

민주   지후

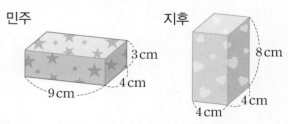

(1) 상자의 겉넓이는 각각 몇 cm²인가요?

민주 ( )

지후 ( )

(2) 누가 만든 상자의 겉넓이가 몇 cm² 더 큰가요?

( ), ( )

128쪽 개념 ❶

01 직육면체 모양의 세 상자 안에 각각 크기가 같은 블록을 담아 세 상자의 부피를 비교하려고 합니다. 부피가 큰 상자부터 차례로 기호를 쓰세요.

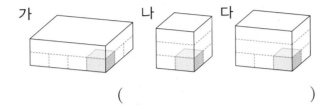

가   나   다

(   )

128쪽 개념 ❶

02 직접 맞대어 부피를 비교할 수 <u>없는</u> 상자끼리 짝 지은 것을 찾아 기호를 쓰세요.

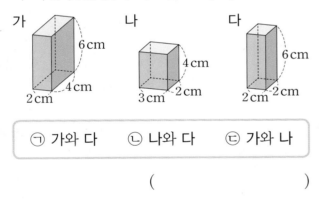

가   나   다

┌─────────────────────────────────┐
│ ㉠ 가와 다   ㉡ 나와 다   ㉢ 가와 나 │
└─────────────────────────────────┘

(   )

130쪽 개념 ❷

03 직육면체의 부피가 $270 \, cm^3$일 때 □ 안에 알맞은 수를 써넣으세요.

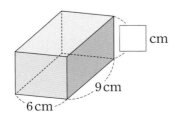

□ cm   9 cm   6 cm

130쪽 개념 ❷

04 한 모서리의 길이가 4 cm인 정육면체의 부피는 한 모서리의 길이가 2 cm인 정육면체의 부피의 몇 배인가요?

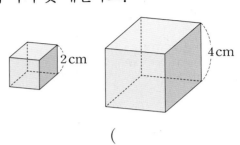

2 cm   4 cm

(   )

익힘책 공통   **130쪽 개념 ❷**

05 정육면체의 한 모서리의 길이는 몇 cm인지 구하세요.

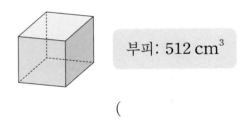

부피: $512 \, cm^3$

(   )

130쪽 개념 ❷

06 직육면체 모양의 물건들이 있습니다. 부피가 가장 큰 물건을 찾아 기호를 쓰세요.

문제 강의

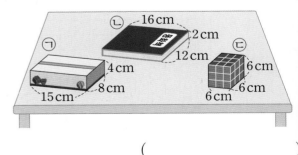

㉠   ㉡ 16 cm   2 cm   ㉢
4 cm   12 cm   6 cm
15 cm   8 cm   6 cm   6 cm

(   )

07 직육면체 모양의 두부를 잘라서 정육면체 모양으로 만들려고 합니다. 만들 수 있는 가장 큰 정육면체의 부피는 몇 cm^3인가요?

130쪽 개념 ❷

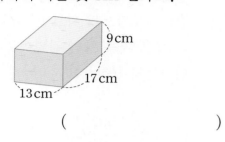

(   )

08 유준이의 방에 있는 직육면체 모양 서랍장의 가로는 70 cm, 세로는 90 cm, 높이는 2 m 입니다. 서랍장의 부피는 몇 m^3인가요?

134쪽 개념 ❸

(   )

09 부피가 더 큰 것을 말한 사람을 찾아 이름을 쓰세요.

134쪽 개념 ❸

$6 m^3$

$5400000 cm^3$

수현

효정

(   )

10 전개도를 접어서 직육면체 모양의 상자를 만들었습니다. 만든 상자의 부피는 몇 m^3인가요?

134쪽 개념 ❸

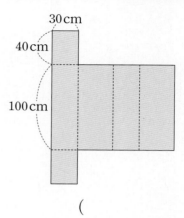

(   )

11 부피 단위 사이의 관계를 바르게 나타낸 것을 찾아 기호를 쓰세요.

익힘책 공통   134쪽 개념 ❸

> ㉠ $20 m^3 = 2000000 cm^3$
>
> ㉡ $4.8 m^3 = 480000000 cm^3$
>
> ㉢ $53000000 cm^3 = 53 m^3$

(   )

12 가로가 4 m, 세로가 2 m, 높이가 4 m인 직육면체 모양의 창고가 있습니다. 이 창고에 한 모서리의 길이가 20 cm인 정육면체 모양의 상자를 빈틈없이 쌓으려고 합니다. 정육면체 모양의 상자를 몇 개까지 쌓을 수 있나요? (단, 창고의 두께는 생각하지 않습니다.)

134쪽 개념 ❸

문제 강의

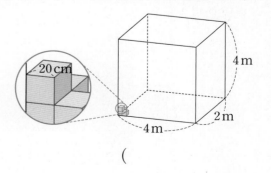

(   )

13 정육면체 가와 직육면체 나의 겉넓이의 차는 몇 cm²인지 구하세요.

136쪽 개념 ④

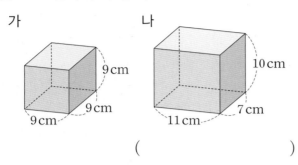

가   나

(   )

14 다음 전개도를 이용하여 만든 정육면체의 겉넓이는 몇 cm²인가요?

136쪽 개념 ④

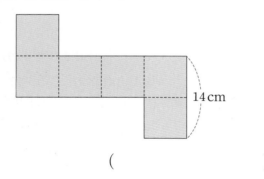

(   )

15 다음 전개도를 접어서 만든 직육면체의 겉넓이는 376 cm²입니다. ☐ 안에 알맞은 수를 써넣으세요.

136쪽 개념 ④

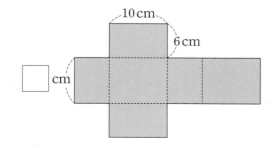

16 직육면체 모양의 빵을 똑같이 2조각으로 자르면 자른 2조각의 겉넓이의 합은 처음 빵의 겉넓이보다 60 cm² 늘어납니다. 이 빵을 똑같이 4조각으로 자르면 자른 4조각의 겉넓이의 합은 처음 빵의 겉넓이보다 몇 cm² 더 늘어나는지 구하세요.

136쪽 개념 ④

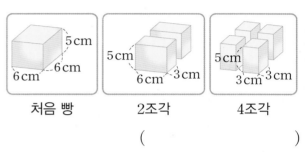

처음 빵   2조각   4조각

(   )

생각 + 문제

17 입체도형의 부피는 몇 cm³인지 구하세요.

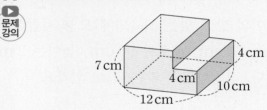

(1) 큰 직육면체의 부피와 잘라낸 작은 직육면체의 부피는 각각 몇 cm³인지 구하세요.

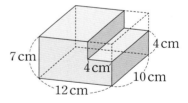

• 큰 직육면체의 부피:

$12 \times \boxed{} \times 7 = \boxed{}$ (cm³)

• 작은 직육면체의 부피:

$4 \times 10 \times \boxed{} = \boxed{}$ (cm³)

(2) 주어진 입체도형의 부피는 몇 cm³인가요?

(   )

서술형 잡기

1 다음 직육면체의 부피가 90 cm³일 때, ㉠은 몇 **cm**인지 풀이 과정을 쓰고, 답을 구하세요.

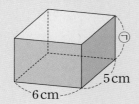

해결 순서 ❶ 문제에 알맞는 식 만들기
❷ ㉠은 몇 cm인지 구하기

풀이 ❶ 직육면체의 부피를 구하는 식을 이용하면 □×□×㉠=90입니다.

❷ □×㉠=90, ㉠은 □cm입니다.

답

2 다음 직육면체의 부피가 42 cm³일 때, ㉠은 몇 **cm**인지 풀이 과정을 쓰고, 답을 구하세요.

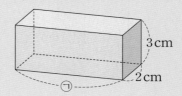

해결 순서 ❶ 문제에 알맞는 식 만들기
❷ ㉠은 몇 cm인지 구하기

풀이

답

3 직육면체 가와 정육면체 나의 겉넓이가 같을 때 **정육면체 나의 한 모서리의 길이는 몇 cm**인지 풀이 과정을 쓰고, 답을 구하세요.

가   나

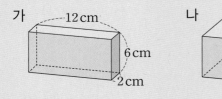

해결 순서 ❶ 직육면체 가의 겉넓이 구하기
❷ 정육면체 나의 한 모서리의 길이 구하기

풀이 ❶ 직육면체 가의 겉넓이는

(24+□+12)×2=□(cm²)입니다.

❷ (정육면체 나의 한 면의 넓이)

=□÷6=□(cm²)

(정육면체 나의 한 모서리의 길이)

=□cm

답

4 직육면체 가와 정육면체 나의 겉넓이가 같을 때 **정육면체 나의 한 모서리의 길이는 몇 cm**인지 풀이 과정을 쓰고, 답을 구하세요.

가   나

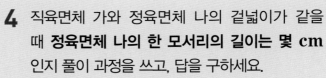
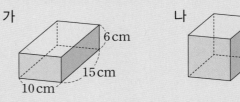

해결 순서 ❶ 직육면체 가의 겉넓이 구하기
❷ 정육면체 나의 한 모서리의 길이 구하기

풀이

답

01 정육면체의 부피는 몇 cm³인가요?

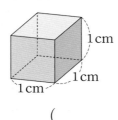

(   )

02 부피가 1 cm³인 쌓기나무를 다음과 같이 쌓아 만든 직육면체의 부피는 몇 cm³인가요?

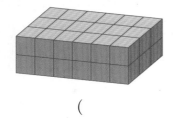

(   )

03 ☐ 안에 알맞은 수를 써넣으세요.

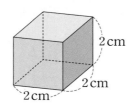

(정육면체의 겉넓이)

$= \boxed{} \times \boxed{} \times 6 = \boxed{}$ (cm²)

04 부피를 나타내는 데 cm³와 m³ 중 알맞은 단위를 정하여 빈칸에 기호를 써넣으세요.

> ㉠ 교실   ㉡ 공깃돌   ㉢ 필통   ㉣ 수영장

cm³	m³

05 직육면체의 부피는 몇 cm³인가요?

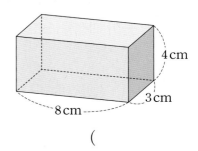

(   )

06 직육면체의 겉넓이는 몇 cm²인가요?

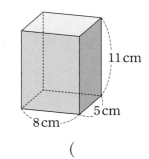

(   )

07 크기가 같은 쌓기나무를 사용하여 두 직육면체의 부피를 비교하려고 합니다. ○ 안에 >, =, <를 알맞게 써넣으세요.

가   나

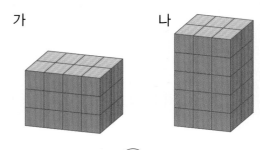

가의 부피 ◯ 나의 부피

08 □ 안에 알맞은 수를 써넣으세요.

$$5700000 \text{ cm}^3 = \boxed{} \text{ m}^3$$

09 다음 전개도를 이용하여 만든 정육면체의 겉넓이는 몇 cm²인가요?

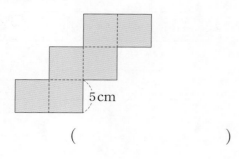

( )

10 가로가 8 cm, 세로가 7 cm, 높이가 10 cm인 직육면체의 겉넓이는 몇 cm²인가요?

식

답

11 직육면체 모양의 두 상자 안에 크기가 각각 같은 블록을 빈틈없이 쌓으려고 합니다. 블록을 더 많이 쌓을 수 있는 상자는 어느 것인가요?

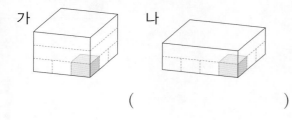

( )

12 직육면체의 부피는 몇 m³인가요?

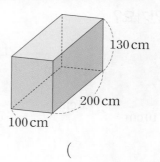

( )

13 한 면의 넓이가 64 cm²인 정육면체의 부피는 몇 cm³인가요?

( )

14 직육면체 모양의 카스텔라를 잘라서 정육면체 모양으로 만들려고 합니다. 만들 수 있는 가장 큰 정육면체의 부피는 몇 cm³인가요?

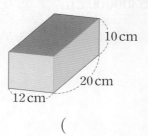

( )

15 전개도를 접어서 직육면체 모양의 상자를 만들었습니다. 만든 상자의 부피는 몇 m³인가요?

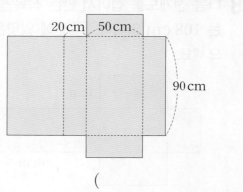

( )

16 직육면체 모양의 두 물건의 부피의 차는 몇 cm³인가요?

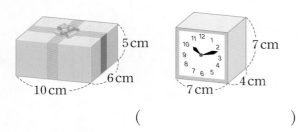

( )

17 부피가 가장 큰 것의 기호를 쓰세요.

> ㉠ 5 m³   ㉡ 40000000 cm³
> ㉢ 5300000 cm³   ㉣ 0.6 m³

( )

18 다음 전개도를 접어서 만든 직육면체의 겉넓이는 108 cm²입니다. □ 안에 알맞은 수를 써넣으세요.

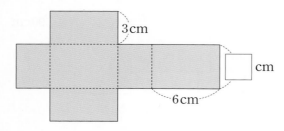

서술형
19 다음 직육면체의 부피가 36 cm³일 때 ㉠은 몇 cm인지 풀이 과정을 쓰고, 답을 구하세요.

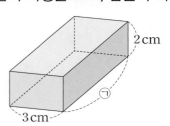

풀이

답

서술형
20 정육면체 가와 직육면체 나의 겉넓이가 같을 때 정육면체 가의 한 모서리의 길이는 몇 cm인지 풀이 과정을 쓰고, 답을 구하세요.

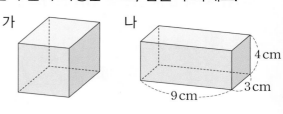

풀이

답

4명의 친구들이 주어진 전개도를 보고 각각 주사위를 만들었어요.
어라, 그런데 한 친구의 주사위는 주어진 전개도를 보고 만든 것이 아니네요!
아래 전개도로 만들 수 없는 주사위를 들고 있는 사람을 찾아보세요.

023쪽

4R	1L	2D	1L	2D
2R	1U	1L	1U	2D
3R	2D	1D	2L	1U
1U	2R	2L	1D	3L
3U	1R	2L	1R	열림

1U: 한 칸 위로
1D: 한 칸 아래로
1R: 한 칸 오른쪽으로
1L: 한 칸 왼쪽으로

047쪽

14마리

075쪽

099쪽

I-M-A-G-I-N-E
1 2 3 4 5 6 7

125쪽

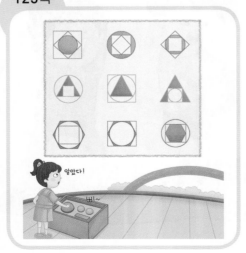

147쪽

학업 성취도 평가

1. 분수의 나눗셈 ~
6. 직육면체의 부피와 겉넓이

맞힌
개수

01 그림을 보고 □ 안에 알맞은 수를 써넣으세요.
1단원 | 개념❶

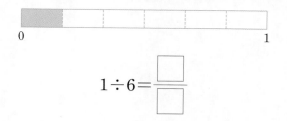

$$1 \div 6 = \dfrac{\square}{\square}$$

02 □ 안에 알맞은 수를 써넣으세요.
1단원 | 개념❷

$$\dfrac{6}{7} \div 5 = \dfrac{\square}{35} \div 5 = \dfrac{\square \div 5}{35} = \dfrac{\square}{35}$$

03 □ 안에 알맞은 기약분수를 써넣으세요.
1단원 | 개념❸❹

$$2\dfrac{5}{8} \;\rightarrow\; \boxed{\div 3} \;\rightarrow\; \square$$

04 나눗셈의 몫의 크기를 비교하여 ○ 안에 >, =, <를 알맞게 써넣으세요.
1단원 | 개념❷

$$\dfrac{4}{9} \div 2 \;\bigcirc\; \dfrac{7}{10} \div 3$$

05 주스 $\dfrac{9}{10}$ L를 3명이 똑같이 나누어 마셨습니다. 한 사람이 마신 주스는 몇 L인지 분수로 나타내어 보세요.
1단원 | 개념❷❸

(   )

06 각기둥을 모두 찾아 기호를 쓰세요.
2단원 | 개념❶

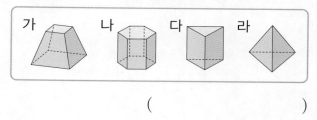
가   나   다   라

(   )

07 각뿔의 이름을 쓰세요.
2단원 | 개념❻

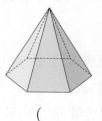

(   )

08 각기둥을 보고 표를 완성해 보세요.
2단원 | 개념❷

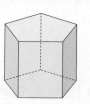

꼭짓점의 수(개)	면의 수(개)	모서리의 수(개)

09 전개도를 접어서 만든 각기둥에 대한 조건을 보고 밑면의 한 변의 길이는 몇 cm인지 구하세요.

> 조건
> • 각기둥의 옆면은 모두 합동입니다.
> • 각기둥의 모든 모서리의 길이의 합은 66 cm입니다.
> • 각기둥의 높이는 10 cm입니다.

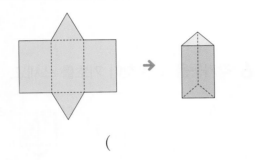

(   )

10 각뿔에 대해 바르게 설명한 사람을 찾아 이름을 쓰세요.

> 민영: 각뿔의 모든 옆면은 한 점에서 만납니다.
> 현식: 옆면의 모양이 모두 직사각형입니다.
> 원태: 각뿔의 밑면은 2개입니다.

(   )

11 자연수의 나눗셈을 이용하여 ☐ 안에 알맞은 수를 써넣으세요.

$$684 \div 2 = \boxed{} \rightarrow 68.4 \div 2 = \boxed{}$$

12 계산해 보세요.

$$7 \overline{)2.4\,5}$$

13 빈칸에 알맞은 수를 써넣으세요.

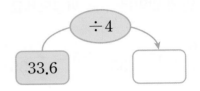

14 계산 결과가 가장 큰 것을 찾아 기호를 쓰세요.

> ㉠ $7.3 \div 5$
> ㉡ $6.12 \div 2$
> ㉢ $14.63 \div 7$

(   )

15 무게가 같은 감자가 한 봉지에 4개씩 들어 있습니다. 감자 5봉지의 무게가 4 kg일 때 감자 한 개의 무게는 몇 kg인가요? (단, 봉지의 무게는 생각하지 않습니다.)

(   )

16 _{4단원 | 개념②} 6 : 7을 잘못 읽은 것을 찾아 기호를 쓰세요.

┌────────────────────────────────────┐
│ ㉠ 6 대 7   ㉡ 6과 7의 비   │
│ ㉢ 6에 대한 7의 비   ㉣ 6의 7에 대한 비│
└────────────────────────────────────┘

( )

17 _{4단원 | 개념⑤} 그림을 보고 전체에 대한 색칠한 부분의 비율을 백분율로 나타내어 보세요.

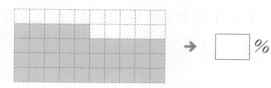 → ☐ %

18 _{4단원 | 개념④} 버스가 252 km를 가는 데 3시간이 걸렸습니다. 버스가 252 km를 가는 데 걸린 시간에 대한 간 거리의 비율을 구하세요.

( )

19 _{4단원 | 개념③} 관계있는 것끼리 이어 보세요.

20 _{4단원 | 개념⑥} 혜준이는 소금 40 g을 녹여 소금물 200 g을 만들었고, 승현이는 소금 65 g을 녹여 소금물 500 g을 만들었습니다. 누가 만든 소금물이 더 진한지 구하세요.

( )

[21~23] 정호네 과수원의 과일별 생산량을 조사하여 나타낸 표입니다. 물음에 답하세요.

과일별 생산량

과일	사과	포도	복숭아	기타	합계
생산량 (kg)	50	80	40	30	200

21 _{5단원 | 개념②③} 정호네 과수원의 전체 과일 생산량에 대한 과일별 생산량의 백분율을 구하여 표를 완성해 보세요.

과일	사과	포도	복숭아	기타	합계
백분율 (%)					

22 _{5단원 | 개념②③} 띠그래프를 완성해 보세요.

과일별 생산량

```
0  10  20  30  40  50  60  70  80  90  100 (%)
┌──────────┬────────────────────────────────┐
│  사과    │                                │
│ (25%)    │                                │
└──────────┴────────────────────────────────┘
```

23 _{5단원 | 개념②③} 생산량이 가장 많은 과일은 무엇인가요?

( )

[24~25] 민우네 학교 6학년 학생들의 혈액형을 조사하여 나타낸 원그래프입니다. 물음에 답하세요.

혈액형별 학생 수

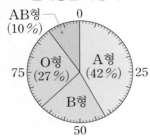

5단원 | 개념④⑤

24 B형인 학생 수는 전체의 몇 %인가요?

( )

5단원 | 개념④⑤

25 A형 또는 AB형인 학생 수는 전체의 몇 %인지 구하세요.

( )

6단원 | 개념①

26 크기가 같은 쌓기나무를 사용하여 두 직육면체의 부피를 비교하려고 합니다. ○ 안에 >, =, <를 알맞게 써넣으세요.

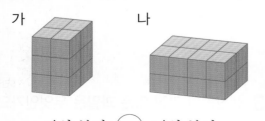

가의 부피 ( ) 나의 부피

6단원 | 개념②③

27 직육면체의 부피는 몇 m³인지 구하세요.

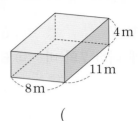

( )

6단원 | 개념②

28 아인이는 가로가 9 cm, 세로가 9 cm, 높이가 5 cm인 직육면체 모양의 상자를 샀습니다. 아인이가 산 상자의 부피는 몇 cm³인가요?

( )

6단원 | 개념④

29 다음 전개도를 이용하여 만든 정육면체의 겉넓이는 몇 cm²인가요?

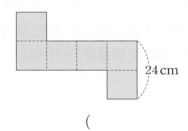

( )

6단원 | 개념④

30 직육면체 가와 정육면체 나의 겉넓이의 차는 몇 cm²인지 구하세요.

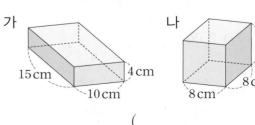

( )

동아출판 초등 무료 스마트러닝

동아출판 초등 **무료 스마트러닝**으로 쉽고 재미있게!

무료 스마트 러닝

과목별·영역별 특화 강의

수학 개념 강의

국어 독해 지문 분석 강의

구구단 송

그림으로 이해하는 비주얼씽킹 강의

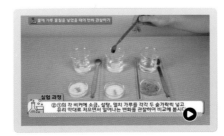

과학 실험 동영상 강의

과목별 문제 풀이 강의

서비스 제공 교재   큐브 | 백점 과학 | 빠작 초등 국어 | 초능력 | 초고필 | 하이탑 초등 과학

큐브수학 개념 매칭북

6·1

동아출판

매칭북

차례

6·1

기초력 학습지	단원명	미리 보는 수학 익힘
01~04쪽	1. 분수의 나눗셈	30~34쪽
05~09쪽	2. 각기둥과 각뿔	35~40쪽
10~16쪽	3. 소수의 나눗셈	41~47쪽
17~21쪽	4. 비와 비율	48~53쪽
22~24쪽	5. 여러 가지 그래프	54~60쪽
25~29쪽	6. 직육면체의 부피와 겉넓이	61~64쪽

기초력 학습지 01 (자연수)÷(자연수)의 몫을 분수로 나타내기

진도북 009쪽

●정답 39쪽

[1~18] 나눗셈의 몫을 분수로 나타내어 보세요.

1 $1 \div 4$

2 $1 \div 6$

3 $2 \div 9$

4 $5 \div 8$

5 $4 \div 5$

6 $3 \div 7$

7 $5 \div 12$

8 $7 \div 15$

9 $11 \div 16$

10 $3 \div 2$

11 $9 \div 5$

12 $8 \div 3$

13 $11 \div 4$

14 $13 \div 6$

15 $20 \div 7$

16 $16 \div 9$

17 $33 \div 8$

18 $15 \div 11$

기초력 학습지 02 (분수)÷(자연수)

● 정답 39쪽

[1~9] 분자가 자연수의 배수인 (진분수)÷(자연수)를 계산해 기약분수로 나타내어 보세요.

1 $\dfrac{2}{5} \div 2$

2 $\dfrac{8}{9} \div 8$

3 $\dfrac{6}{7} \div 3$

4 $\dfrac{10}{13} \div 5$

5 $\dfrac{12}{17} \div 4$

6 $\dfrac{14}{25} \div 7$

7 $\dfrac{18}{23} \div 6$

8 $\dfrac{20}{21} \div 5$

9 $\dfrac{27}{50} \div 9$

[10~18] 분자가 자연수의 배수가 아닌 (진분수)÷(자연수)를 계산해 보세요.

10 $\dfrac{1}{3} \div 4$

11 $\dfrac{3}{4} \div 2$

12 $\dfrac{2}{9} \div 3$

13 $\dfrac{5}{8} \div 7$

14 $\dfrac{3}{8} \div 5$

15 $\dfrac{5}{7} \div 4$

16 $\dfrac{4}{5} \div 9$

17 $\dfrac{7}{8} \div 6$

18 $\dfrac{9}{11} \div 8$

기초력 학습지 03   (분수)÷(자연수)를 분수의 곱셈으로 나타내기   진도북 011쪽

● 정답 39쪽

[1~6] □ 안에 알맞은 수를 써넣으세요.

1 $\dfrac{1}{4} \div 3 = \dfrac{1}{4} \times \dfrac{1}{\square} = \dfrac{\square}{\square}$

2 $\dfrac{2}{3} \div 5 = \dfrac{2}{3} \times \dfrac{1}{\square} = \dfrac{\square}{\square}$

3 $\dfrac{5}{7} \div 2 = \dfrac{5}{7} \times \dfrac{1}{\square} = \dfrac{\square}{\square}$

4 $\dfrac{3}{8} \div 4 = \dfrac{3}{8} \times \dfrac{1}{\square} = \dfrac{\square}{\square}$

5 $\dfrac{11}{6} \div 7 = \dfrac{11}{6} \times \dfrac{1}{\square} = \dfrac{\square}{\square}$

6 $\dfrac{21}{10} \div 5 = \dfrac{21}{10} \times \dfrac{1}{\square} = \dfrac{\square}{\square}$

[7~15] 보기와 같이 분수의 곱셈으로 나타내어 계산해 보세요.

보기
$$\dfrac{5}{8} \div 7 = \dfrac{5}{8} \times \dfrac{1}{7} = \dfrac{5}{56}$$

7 $\dfrac{3}{5} \div 2$

8 $\dfrac{2}{9} \div 4$

9 $\dfrac{3}{7} \div 9$

10 $\dfrac{5}{14} \div 8$

11 $\dfrac{37}{30} \div 5$

12 $\dfrac{6}{5} \div 12$

13 $\dfrac{21}{13} \div 9$

14 $\dfrac{20}{11} \div 15$

15 $\dfrac{63}{50} \div 18$

기초력 학습지 04   (대분수)÷(자연수)

● 정답 39쪽

[1~6] □ 안에 알맞은 수를 써넣으세요.

1 $6\dfrac{3}{4} \div 9 = \dfrac{\boxed{} \div \boxed{}}{4} = \dfrac{\boxed{}}{\boxed{}}$

2 $3\dfrac{1}{8} \div 5 = \dfrac{\boxed{} \div \boxed{}}{8} = \dfrac{\boxed{}}{\boxed{}}$

3 $5\dfrac{4}{9} \div 7 = \dfrac{\boxed{} \div \boxed{}}{9} = \dfrac{\boxed{}}{\boxed{}}$

4 $3\dfrac{3}{7} \div 6 = \dfrac{\boxed{} \div \boxed{}}{7} = \dfrac{\boxed{}}{\boxed{}}$

5 $1\dfrac{5}{9} \div 5 = \dfrac{\boxed{}}{9} \times \dfrac{\boxed{}}{\boxed{}} = \dfrac{\boxed{}}{\boxed{}}$

6 $4\dfrac{3}{4} \div 7 = \dfrac{\boxed{}}{4} \times \dfrac{\boxed{}}{\boxed{}} = \dfrac{\boxed{}}{\boxed{}}$

[7~15] 나눗셈의 몫을 분수로 나타내어 보세요.

7 $1\dfrac{1}{3} \div 3$

8 $2\dfrac{5}{6} \div 7$

9 $1\dfrac{6}{7} \div 4$

10 $2\dfrac{3}{4} \div 5$

11 $1\dfrac{7}{8} \div 4$

12 $3\dfrac{1}{5} \div 8$

13 $2\dfrac{7}{9} \div 10$

14 $1\dfrac{4}{11} \div 6$

15 $1\dfrac{5}{13} \div 27$

기초력 학습지 05　　각기둥(1)

진도북 027쪽

● 정답 40쪽

[1~6] 각기둥에서 밑면을 모두 찾아 색칠해 보세요.

1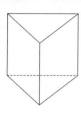

2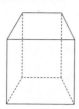

3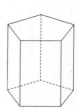

4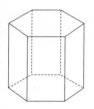

5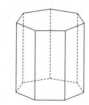

6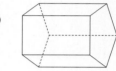

[7~12] 각기둥의 옆면은 몇 개인지 구하세요.

7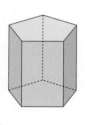

(　　　　　　)

8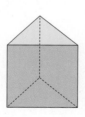

(　　　　　　)

9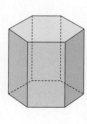

(　　　　　　)

10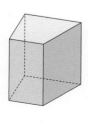

(　　　　　　)

11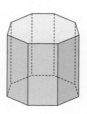

(　　　　　　)

12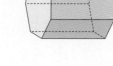

(　　　　　　)

학습지

2 단원

기초력 학습지 06 　각기둥(2)

● 정답 40쪽

[1~6] 각기둥의 이름을 쓰세요.

1
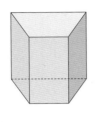

(　　　　　　　　)

2
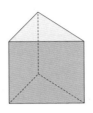

(　　　　　　　　)

3
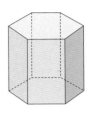

(　　　　　　　　)

4
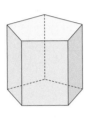

(　　　　　　　　)

5
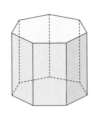

(　　　　　　　　)

6
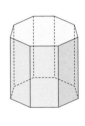

(　　　　　　　　)

[7~12] 각기둥을 보고 표를 완성해 보세요.

7
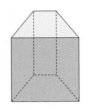

한 밑면의 변의 수(개)	
꼭짓점의 수(개)	
면의 수(개)	
모서리의 수(개)	

8

한 밑면의 변의 수(개)	
꼭짓점의 수(개)	
면의 수(개)	
모서리의 수(개)	

9

한 밑면의 변의 수(개)	
꼭짓점의 수(개)	
면의 수(개)	
모서리의 수(개)	

10
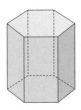

한 밑면의 변의 수(개)	
꼭짓점의 수(개)	
면의 수(개)	
모서리의 수(개)	

11

한 밑면의 변의 수(개)	
꼭짓점의 수(개)	
면의 수(개)	
모서리의 수(개)	

12
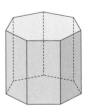

한 밑면의 변의 수(개)	
꼭짓점의 수(개)	
면의 수(개)	
모서리의 수(개)	

기초력 학습지 07 각기둥의 전개도

● 정답 40쪽

[1~4] 어떤 도형의 전개도인지 쓰세요.

1
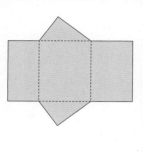

( )

2
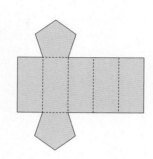

( )

3
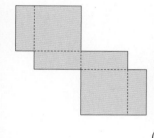

( )

4
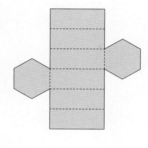

( )

학습지

2
단원

[5~8] 각기둥의 전개도를 그린 것입니다. ☐ 안에 알맞은 수를 써넣으세요.

5
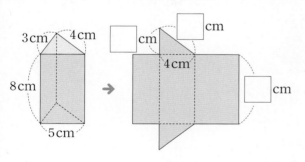

6
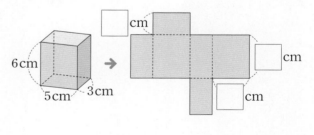

7
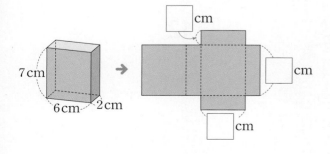

8
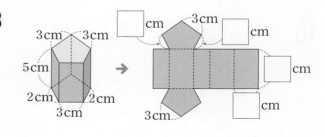

기초력 학습지 08　각뿔(1)

● 정답 40쪽

[1~6] 각뿔에서 밑면을 찾아 색칠해 보세요.

1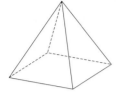

2

3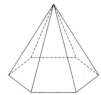

4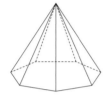

5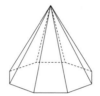

6

[7~12] 각뿔의 옆면은 몇 개인지 구하세요.

7

(　　　　　)

8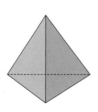

(　　　　　)

9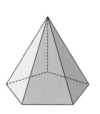

(　　　　　)

10

(　　　　　)

11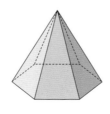

(　　　　　)

12

(　　　　　)

기초력 학습지 09 각뿔(2)

● 정답 40쪽

[1~6] 각뿔의 이름을 쓰세요.

1

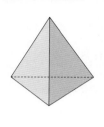

( )

2

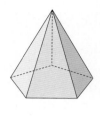

( )

3

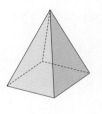

( )

4

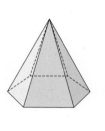

( )

5

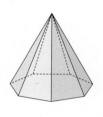

( )

6

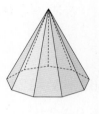

( )

[7~12] 각뿔을 보고 표를 완성해 보세요.

7

밑면의 변의 수(개)	
꼭짓점의 수(개)	
면의 수(개)	
모서리의 수(개)	

8

밑면의 변의 수(개)	
꼭짓점의 수(개)	
면의 수(개)	
모서리의 수(개)	

9

밑면의 변의 수(개)	
꼭짓점의 수(개)	
면의 수(개)	
모서리의 수(개)	

10

밑면의 변의 수(개)	
꼭짓점의 수(개)	
면의 수(개)	
모서리의 수(개)	

11

밑면의 변의 수(개)	
꼭짓점의 수(개)	
면의 수(개)	
모서리의 수(개)	

12

밑면의 변의 수(개)	
꼭짓점의 수(개)	
면의 수(개)	
모서리의 수(개)	

학습지

2단원

기초력 학습지 10 자연수의 나눗셈을 이용한 (소수)÷(자연수)

진도북 051쪽

● 정답 41쪽

[1~12] □ 안에 알맞은 수를 써넣으세요.

1 $484 \div 4 = 121$

$48.4 \div 4 = \boxed{}$

$4.84 \div 4 = \boxed{}$

2 $633 \div 3 = 211$

$63.3 \div 3 = \boxed{}$

$6.33 \div 3 = \boxed{}$

3 $268 \div 2 = 134$

$26.8 \div 2 = \boxed{}$

$2.68 \div 2 = \boxed{}$

4 $369 \div 3 = 123$

$36.9 \div 3 = \boxed{}$

$3.69 \div 3 = \boxed{}$

5 $524 \div 4 = 131$

$52.4 \div 4 = \boxed{}$

$5.24 \div 4 = \boxed{}$

6 $1055 \div 5 = 211$

$105.5 \div 5 = \boxed{}$

$10.55 \div 5 = \boxed{}$

7 $462 \div 2 = \boxed{}$

$46.2 \div 2 = \boxed{}$

$4.62 \div 2 = \boxed{}$

8 $939 \div 3 = \boxed{}$

$93.9 \div 3 = \boxed{}$

$9.39 \div 3 = \boxed{}$

9 $698 \div 2 = \boxed{}$

$69.8 \div 2 = \boxed{}$

$6.98 \div 2 = \boxed{}$

10 $884 \div 4 = \boxed{}$

$88.4 \div 4 = \boxed{}$

$8.84 \div 4 = \boxed{}$

11 $1226 \div 2 = \boxed{}$

$122.6 \div 2 = \boxed{}$

$12.26 \div 2 = \boxed{}$

12 $1296 \div 3 = \boxed{}$

$129.6 \div 3 = \boxed{}$

$12.96 \div 3 = \boxed{}$

기초력 학습지 ⑪

각 자리에서 나누어떨어지지 않는
(소수)÷(자연수)

진도북 053쪽

● 정답 41쪽

[1~4] □ 안에 알맞은 수를 써넣으세요.

1 $7.5 \div 3 = \dfrac{\boxed{}}{10} \div 3 = \dfrac{\boxed{} \div 3}{10}$

$\qquad = \dfrac{\boxed{}}{10} = \boxed{}$

2 $26.85 \div 5 = \dfrac{\boxed{}}{100} \div 5 = \dfrac{\boxed{} \div 5}{100}$

$\qquad = \dfrac{\boxed{}}{100} = \boxed{}$

3 $38.25 \div 9 = \dfrac{\boxed{}}{100} \div 9 = \dfrac{\boxed{} \div 9}{100}$

$\qquad = \dfrac{\boxed{}}{100} = \boxed{}$

4 $49.44 \div 4 = \dfrac{\boxed{}}{100} \div 4 = \dfrac{\boxed{} \div 4}{100}$

$\qquad = \dfrac{\boxed{}}{100} = \boxed{}$

[5~13] 계산해 보세요.

5 $5 \overline{)8.5}$

6 $9 \overline{)2\,0.7}$

7 $3 \overline{)4.8\,6}$

8 $7 \overline{)2\,9.6\,1}$

9 $4 \overline{)1\,0.7\,2}$

10 $6 \overline{)6\,8.5\,2}$

11 $8 \overline{)2\,5.3\,6}$

12 $4 \overline{)1\,8.4\,8}$

13 $5 \overline{)4\,1.8\,5}$

기초력 학습지 12 몫이 1보다 작은 소수인 (소수)÷(자연수)

진도북 055쪽

● 정답 41쪽

[1~4] □ 안에 알맞은 수를 써넣으세요.

1 $6.3 \div 7 = \dfrac{\boxed{}}{10} \div 7 = \dfrac{\boxed{} \div 7}{10}$

$= \dfrac{\boxed{}}{10} = \boxed{}$

2 $0.84 \div 6 = \dfrac{\boxed{}}{100} \div 6 = \dfrac{\boxed{} \div 6}{100}$

$= \dfrac{\boxed{}}{100} = \boxed{}$

3 $2.65 \div 5 = \dfrac{\boxed{}}{100} \div 5 = \dfrac{\boxed{} \div 5}{100}$

$= \dfrac{\boxed{}}{100} = \boxed{}$

4 $5.13 \div 9 = \dfrac{\boxed{}}{100} \div 9 = \dfrac{\boxed{} \div 9}{100}$

$= \dfrac{\boxed{}}{100} = \boxed{}$

[5~13] 계산해 보세요.

5 $8 \overline{)7.2}$

6 $3 \overline{)0.8\,1}$

7 $9 \overline{)2.6\,1}$

8 $5 \overline{)3.6\,5}$

9 $7 \overline{)1.8\,9}$

10 $4 \overline{)2.8\,8}$

11 $6 \overline{)4.9\,8}$

12 $9 \overline{)5.1\,3}$

13 $7 \overline{)1.1\,2}$

기초력 학습지 ⑬

소수점 아래 0을 내려 계산하는
(소수)÷(자연수)

진도북 059쪽

● 정답 41쪽

[1~4] □ 안에 알맞은 수를 써넣으세요.

1 $1.5 \div 6 = \dfrac{\boxed{}}{100} \div 6 = \dfrac{\boxed{} \div 6}{100}$

$= \dfrac{\boxed{}}{100} = \boxed{}$

2 $6.7 \div 5 = \dfrac{\boxed{}}{100} \div 5 = \dfrac{\boxed{} \div 5}{100}$

$= \dfrac{\boxed{}}{100} = \boxed{}$

3 $9.2 \div 8 = \dfrac{\boxed{}}{100} \div 8 = \dfrac{\boxed{} \div 8}{100}$

$= \dfrac{\boxed{}}{100} = \boxed{}$

4 $8.6 \div 4 = \dfrac{\boxed{}}{100} \div 4 = \dfrac{\boxed{} \div 4}{100}$

$= \dfrac{\boxed{}}{100} = \boxed{}$

[5~13] 계산해 보세요.

5 $5 \overline{)0.7}$

6 $4 \overline{)9.4}$

7 $6 \overline{)3.9}$

8 $8 \overline{)1\,0.8}$

9 $5 \overline{)3\,5.9}$

10 $6 \overline{)2\,2.5}$

11 $18 \overline{)7\,8.3}$

12 $4 \overline{)1\,6.6}$

13 $6 \overline{)2\,7.9}$

기초력 학습지 ⑭ 몫의 소수 첫째 자리에 0이 있는 (소수)÷(자연수)

진도북 061쪽

●정답 41쪽

[1~4] □ 안에 알맞은 수를 써넣으세요.

1 $8.24 \div 4 = \dfrac{\boxed{}}{100} \div 4 = \dfrac{\boxed{} \div 4}{100}$

$= \dfrac{\boxed{}}{100} = \boxed{}$

2 $6.42 \div 6 = \dfrac{\boxed{}}{100} \div 6 = \dfrac{\boxed{} \div 6}{100}$

$= \dfrac{\boxed{}}{100} = \boxed{}$

3 $5.3 \div 5 = \dfrac{\boxed{}}{100} \div 5 = \dfrac{\boxed{} \div 5}{100}$

$= \dfrac{\boxed{}}{100} = \boxed{}$

4 $6.24 \div 3 = \dfrac{\boxed{}}{100} \div 3 = \dfrac{\boxed{} \div 3}{100}$

$= \dfrac{\boxed{}}{100} = \boxed{}$

[5~13] 계산해 보세요.

5 $3 \overline{)9.1\,2}$

6 $6 \overline{)6.5\,4}$

7 $5 \overline{)5.2\,5}$

8 $4 \overline{)4.2}$

9 $3 \overline{)1\,5.1\,8}$

10 $2 \overline{)1\,8.1}$

11 $6 \overline{)5\,4.3}$

12 $12 \overline{)7\,2.6}$

13 $7 \overline{)1\,4.2\,8}$

기초력 학습지 ⑮   (자연수)÷(자연수)의 몫을 소수로 나타내기

진도북 063쪽

● 정답 41쪽

[1~6] □ 안에 알맞은 수를 써넣으세요.

1 $7 \div 2 = \dfrac{\square}{2} = \dfrac{\square}{10} = \square$

2 $3 \div 5 = \dfrac{\square}{5} = \dfrac{\square}{10} = \square$

3 $5 \div 4 = \dfrac{\square}{4} = \dfrac{\square}{100} = \square$

4 $8 \div 25 = \dfrac{\square}{25} = \dfrac{\square}{100} = \square$

5 $12 \div 8 = \dfrac{\square}{8} = \dfrac{\square}{2} = \dfrac{\square}{10} = \square$

6 $23 \div 4 = \dfrac{\square}{4} = \dfrac{\square}{100} = \square$

[7~15] 계산해 보세요.

7 $5 \overline{)6}$

8 $5 \overline{)4}$

9 $2 \overline{)9}$

10 $4 \overline{)14}$

11 $6 \overline{)27}$

12 $12 \overline{)3}$

13 $40 \overline{)58}$

14 $25 \overline{)36}$

15 $20 \overline{)17}$

학습지

3 단원

기초력 학습지 ⑯ 몫의 소수점 위치 확인하기

진도북 063쪽

●정답 41쪽

[1~8] 소수를 반올림하여 일의 자리까지 나타내어 어림한 식으로 나타내려고 합니다. □ 안에 알맞은 수를 써넣으세요.

1 $35.2 \div 5 = \boxed{} \div \boxed{}$

2 $7.84 \div 4 = \boxed{} \div \boxed{}$

3 $19.6 \div 8 = \boxed{} \div \boxed{}$

4 $6.18 \div 6 = \boxed{} \div \boxed{}$

5 $58.2 \div 3 = \boxed{} \div \boxed{}$

6 $42.84 \div 7 = \boxed{} \div \boxed{}$

7 $28.26 \div 9 = \boxed{} \div \boxed{}$

8 $37.2 \div 8 = \boxed{} \div \boxed{}$

[9~14] 몫을 어림해 보고 올바른 식을 찾아 ○표 하세요.

9
$12.48 \div 4 = 312$
$12.48 \div 4 = 31.2$
$12.48 \div 4 = 3.12$

10
$4.44 \div 6 = 74$
$4.44 \div 6 = 7.4$
$4.44 \div 6 = 0.74$

11
$32.1 \div 3 = 107$
$32.1 \div 3 = 10.7$
$32.1 \div 3 = 1.07$

12
$16.48 \div 8 = 20.6$
$16.48 \div 8 = 2.06$
$16.48 \div 8 = 0.206$

13
$4.06 \div 7 = 58$
$4.06 \div 7 = 5.8$
$4.06 \div 7 = 0.58$

14
$158.4 \div 4 = 396$
$158.4 \div 4 = 39.6$
$158.4 \div 4 = 3.96$

기초력 학습지 17 비

● 정답 42쪽

[1~6] 그림을 보고 전체에 대한 색칠한 부분의 비를 쓰세요.

1
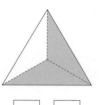
□ : □

2

□ : □

3
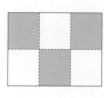
□ : □

학
습
지

4
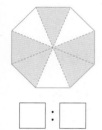
□ : □

5

□ : □

6
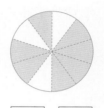
□ : □

4
단원

[7~18] 비로 나타내어 보세요.

7 3 대 4
➔ (   )

8 2 대 15
➔ (   )

9 11 대 24
➔ (   )

10 6과 13의 비
➔ (   )

11 50과 51의 비
➔ (   )

12 13과 21의 비
➔ (   )

13 12에 대한 7의 비
➔ (   )

14 32에 대한 17의 비
➔ (   )

15 5에 대한 42의 비
➔ (   )

16 30의 13에 대한 비
➔ (   )

17 40의 3에 대한 비
➔ (   )

18 24의 23에 대한 비
➔ (   )

기초력 학습지 18 비율

진도북 081쪽

● 정답 42쪽

[1~4] 비교하는 양과 기준량을 찾아 쓰고 비율을 분수로 나타내어 보세요.

1
┌─────────────────┐
│   4 대 5   │
└─────────────────┘

→ 비교하는 양: ☐, 기준량: ☐

→ 비율 (   )

2
┌─────────────────┐
│   1과 4의 비   │
└─────────────────┘

→ 비교하는 양: ☐, 기준량: ☐

→ 비율 (   )

3
┌─────────────────┐
│ 10에 대한 7의 비 │
└─────────────────┘

→ 비교하는 양: ☐, 기준량: ☐

→ 비율 (   )

4
┌─────────────────┐
│ 11의 25에 대한 비 │
└─────────────────┘

→ 비교하는 양: ☐, 기준량: ☐

→ 비율 (   )

[5~10] 비율을 분수와 소수로 각각 나타내어 보세요.

5
┌─────────────────┐
│   12 : 16   │
└─────────────────┘

분수 (   )

소수 (   )

6
┌─────────────────┐
│ 9의 20에 대한 비 │
└─────────────────┘

분수 (   )

소수 (   )

7
┌─────────────────┐
│   49와 50의 비   │
└─────────────────┘

분수 (   )

소수 (   )

8
┌─────────────────┐
│ 35에 대한 14의 비 │
└─────────────────┘

분수 (   )

소수 (   )

9
┌─────────────────┐
│   4 대 8   │
└─────────────────┘

분수 (   )

소수 (   )

10
┌─────────────────┐
│   37과 100의 비   │
└─────────────────┘

분수 (   )

소수 (   )

기초력 학습지 ⑲   비율이 사용되는 경우

● 정답 42쪽

[1~8] 비율을 구하세요.

1
- 달린 거리: 50 m
- 걸린 시간: 10초

걸린 시간에 대한 달린 거리의 비율
→ (   )

2
- 동전을 던진 횟수: 20번
- 숫자 면이 나온 횟수: 7번

동전을 던진 횟수에 대한 숫자 면이 나온 횟수의 비율
→ (   )

3
- 인구: 7800명
- 마을 넓이: 6 km²

마을 넓이에 대한 인구의 비율
→ (   )

4
- 수첩의 가로: 12 cm
- 수첩의 세로: 9 cm

수첩의 가로에 대한 세로의 비율
→ (   )

5
- 남학생 수: 150명
- 여학생 수: 450명

남학생 수에 대한 여학생 수의 비율
→ (   )

6
- 파란색 물감: 12 g
- 노란색 물감: 30 g

노란색 물감 양에 대한 파란색 물감 양의 비율
→ (   )

7
- 달린 거리: 210 km
- 걸린 시간: 3시간

걸린 시간에 대한 달린 거리의 비율
→ (   )

8
- 사과 원액: 180 mL
- 사과 주스: 300 mL

사과 주스 양에 대한 사과 원액 양의 비율
→ (   )

학습지
4 단원

기초력 학습지 ⑳ 　백분율

진도북 087쪽

●정답 42쪽

[1~4] 비율을 백분율로 나타내어 보세요.

1 $\dfrac{21}{100}$ → (　　　　　　　　　)

2 0.08 → (　　　　　　　　　)

3 0.43 → (　　　　　　　　　)

4 $\dfrac{4}{5}$ → (　　　　　　　　　)

[5~8] 백분율을 분수와 소수로 각각 나타내어 보세요.

5
| 7 % |

분수 (　　　　　　　　　)
소수 (　　　　　　　　　)

6
| 31 % |

분수 (　　　　　　　　　)
소수 (　　　　　　　　　)

7
| 59 % |

분수 (　　　　　　　　　)
소수 (　　　　　　　　　)

8
| 73 % |

분수 (　　　　　　　　　)
소수 (　　　　　　　　　)

[9~14] 그림을 보고 전체에 대한 색칠한 부분의 비율을 백분율로 나타내어 보세요.

9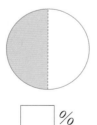

☐ %

10

☐ %

11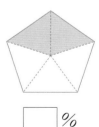

☐ %

12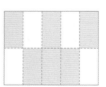

☐ %

13

☐ %

14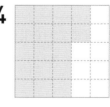

☐ %

기초력 학습지 21   백분율이 사용되는 경우

진도북 089쪽

●정답 42쪽

[1~8] 백분율을 구하세요.

1
- 전체 학생 수: 50명
- 수학 여행에 찬성하는 학생 수: 15명

찬성률 ➜ (   )

2
- 공을 찬 횟수: 25번
- 골대에 공을 넣은 횟수: 16번

골 성공률 ➜ (   )

3
- 예금한 돈: 70000원
- 이자: 3500원

이자율 ➜ (   )

4
- 설탕물 양: 300 g
- 설탕물에 녹아 있는 설탕 양: 60 g

설탕물의 진하기 ➜ (   )

5
- 전체 투표수: 40표
- 윤서의 득표수: 14표

윤서의 득표율 ➜ (   )

6
- 영화관 좌석 수: 250석
- 관객 수: 180명

좌석 점유율 ➜ (   )

7
- 수박의 정가: 15000원
- 수박의 판매 가격: 12000원

수박의 할인율 ➜ (   )

8
- 빈 병의 원래 보증금: 50원
- 빈 병의 오른 보증금: 130원

빈 병 보증금의 인상률
➜ (   )

기초력 학습지 22   그림그래프

진도북 103쪽

● 정답 43쪽

[1~4] 표를 보고 그림그래프로 나타내어 보세요.

1 지역별 쌀 생산량

지역	생산량(만 t)	지역	생산량(만 t)
가	32	다	41
나	26	라	9

지역별 쌀 생산량

지역	생산량
가	
나	
다	
라	

🌾 10만 t   🌾 1만 t

2 도별 기르는 소의 수

도	소의 수(마리)	도	소의 수(마리)
가	350000	다	120000
나	610000	라	430000

도별 기르는 소의 수

도	소의 수
가	
나	
다	
라	

🐮 10만 마리   🐮 1만 마리

3 국가별 자동차 수출량

국가	수출량(대)	국가	수출량(대)
가	3200000	다	1500000
나	2100000	라	1200000

국가별 자동차 수출량

국가	수출량
가	
나	
다	
라	

🚗 100만 대   🚗 10만 대

4 지역별 관광객 수

지역	관광객 수(명)	지역	관광객 수(명)
가	3230000	다	2510000
나	4120000	라	3070000

지역별 관광객 수

지역	관광객 수
가	
나	
다	
라	

🙂 100만 명   🙂 10만 명   🙂 1만 명

기초력 학습지 23 · 띠그래프

진도북 105쪽

●정답 43쪽

[1~4] 백분율을 구하여 표를 완성하고 띠그래프로 나타내어 보세요.

1 좋아하는 음식별 학생 수

음식	피자	햄버거	떡볶이	기타	합계
학생 수(명)	14	12	8	6	40
백분율 (%)					

좋아하는 음식별 학생 수

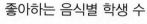
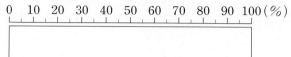

2 취미별 학생 수

취미	운동	독서	게임	기타	합계
학생 수(명)	90	50	40	20	200
백분율 (%)					

취미별 학생 수

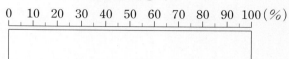

3 여행 가고 싶은 나라별 학생 수

나라	중국	일본	미국	프랑스	기타	합계
학생 수(명)	21	15	12	9	3	60
백분율 (%)						

여행 가고 싶은 나라별 학생 수

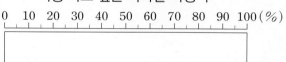

4 좋아하는 운동별 학생 수

운동	축구	야구	배구	기타	합계
학생 수(명)	15	10	15	10	50
백분율 (%)					

좋아하는 운동별 학생 수

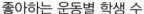
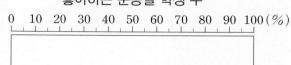

[5~8] 정우네 학교 6학년 학생들이 좋아하는 과목을 조사하여 나타낸 띠그래프입니다. 물음에 답하세요.

좋아하는 과목별 학생 수

국어 (30%)	수학 (25%)	체육 (15%)	음악 (10%)	기타 (20%)

5 수학을 좋아하는 학생의 비율은 전체 학생의 몇 %인가요? (   )

6 음악을 좋아하는 학생의 비율은 전체 학생의 몇 %인가요? (   )

7 가장 많은 학생들이 좋아하는 과목은 무엇인가요? (   )

8 국어를 좋아하는 학생 수는 체육을 좋아하는 학생 수의 몇 배인가요? (   )

기초력 학습지 24 원그래프

진도북 109쪽

● 정답 43쪽

[1~2] 백분율을 구하여 표를 완성하고 원그래프로 나타내어 보세요.

1

좋아하는 운동별 학생 수

운동	축구	야구	농구	기타	합계
학생 수(명)	32	28	12	8	80
백분율(%)					

좋아하는 운동별 학생 수

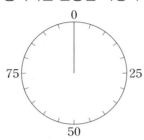

2

종류별 쓰레기 발생량

종류	음식물	헌 종이	플라스틱	기타	합계
발생량(t)	30	15	9	6	60
백분율(%)					

종류별 쓰레기 발생량

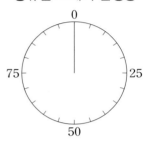

[3~6] 정수가 한 달 동안 쓴 용돈의 쓰임새를 조사하여 나타낸 원그래프입니다. 물음에 답하세요.

용돈의 쓰임새별 금액

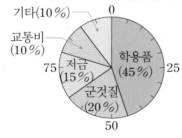

3 전체 용돈 중 저금이 차지하는 비율은 몇 %인가요? ( )

4 가장 높은 비율을 차지하는 항목은 무엇인가요? ( )

5 군것질에 사용한 용돈은 교통비에 사용한 용돈의 몇 배인가요? ( )

6 저금한 금액이 3000원이라면 학용품에 사용한 금액은 얼마인가요? ( )

기초력 학습지 25 직육면체의 부피 구하기

진도북 131쪽

● 정답 44쪽

[1~6] 부피가 1 cm^3인 쌓기나무를 쌓아서 만든 직육면체의 부피를 구하세요.

1

( )

2

( )

3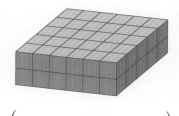

( )

4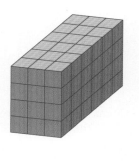

( )

5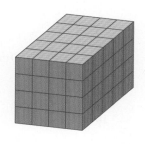

( )

6

( )

[7~12] 직육면체의 부피는 몇 cm^3인지 구하세요.

7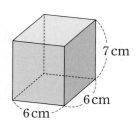

( )

8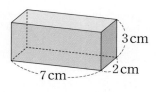

( )

9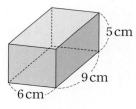

( )

10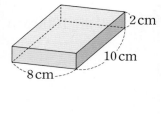

( )

11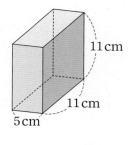

( )

12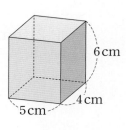

( )

기초력 학습지 26 · 정육면체의 부피 구하기

진도북 131쪽

● 정답 44쪽

[1~6] 정육면체의 부피는 몇 cm^3인지 구하세요.

1
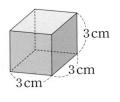
3 cm
3 cm
3 cm

( )

2
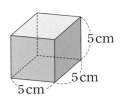
5 cm
5 cm
5 cm

( )

3
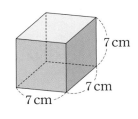
7 cm
7 cm
7 cm

( )

4
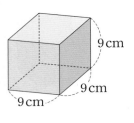
9 cm
9 cm
9 cm

( )

5
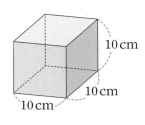
10 cm
10 cm
10 cm

( )

6
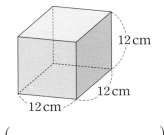
12 cm
12 cm
12 cm

( )

[7~12] 정육면체의 부피가 다음과 같을 때 □ 안에 알맞은 수를 써넣으세요.

7 부피: 8 cm^3
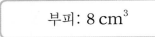
□ cm

8 부피: 27 cm^3

□ cm

9 부피: 64 cm^3
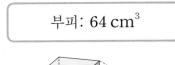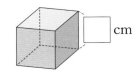
□ cm

10 부피: 216 cm^3
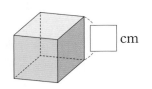
□ cm

11 부피: 512 cm^3
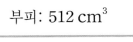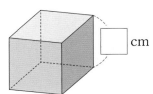
□ cm

12 부피: 1000 cm^3
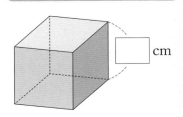
□ cm

기초력 학습지 27   1 m³와 1 cm³의 관계

● 정답 44쪽

[1~12] □ 안에 알맞은 수를 써넣으세요.

1 3 m³ = ☐ cm³

2 7 m³ = ☐ cm³

3 12 m³ = ☐ cm³

4 20 m³ = ☐ cm³

5 4.2 m³ = ☐ cm³

6 9.5 m³ = ☐ cm³

7 2000000 cm³ = ☐ m³

8 5000000 cm³ = ☐ m³

9 800000 cm³ = ☐ m³

10 3100000 cm³ = ☐ m³

11 77000000 cm³ = ☐ m³

12 150000000 cm³ = ☐ m³

[13~15] 직육면체의 부피는 몇 m³인지 구하세요.

13
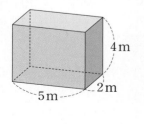
4 m
5 m
2 m

14
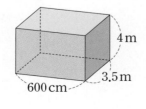
4 m
600 cm
3.5 m

15
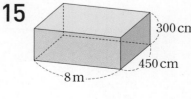
300 cm
450 cm
8 m

(   )   (   )   (   )

기초력 학습지 **28** 직육면체의 겉넓이 구하기(1)

●정답 44쪽

[1~8] 전개도를 이용하여 만든 직육면체의 겉넓이는 몇 cm^2인지 구하세요

1

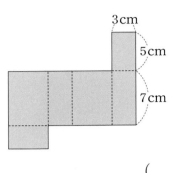

(   )

2

(   )

3

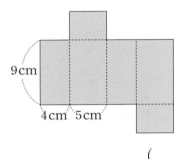

(   )

4

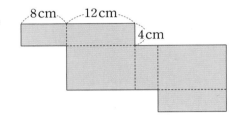

(   )

5

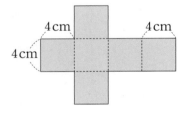

(   )

6

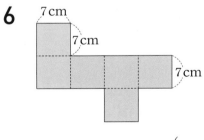

(   )

7

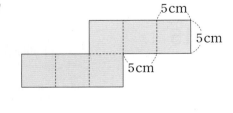

(   )

8

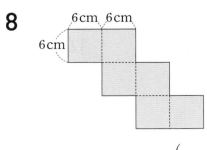

(   )

기초력 학습지 ㉙ 직육면체의 겉넓이 구하기(2)

●정답 44쪽

[1~12] 직육면체의 겉넓이는 몇 cm²인지 구하세요.

1
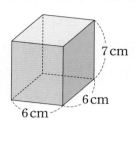
7 cm
6 cm
6 cm

( )

2
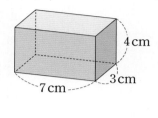
4 cm
3 cm
7 cm

( )

3
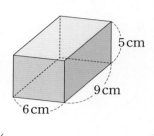
5 cm
9 cm
6 cm

( )

4
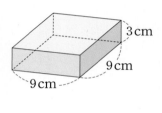
3 cm
9 cm
9 cm

( )

5
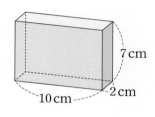
7 cm
2 cm
10 cm

( )

6
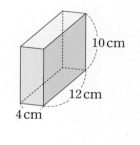
10 cm
12 cm
4 cm

( )

7
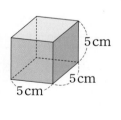
5 cm
5 cm
5 cm

( )

8
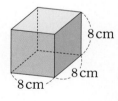
8 cm
8 cm
8 cm

( )

9
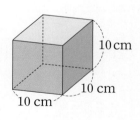
10 cm
10 cm
10 cm

( )

10
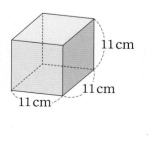
11 cm
11 cm
11 cm

( )

11
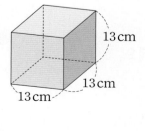
13 cm
13 cm
13 cm

( )

12
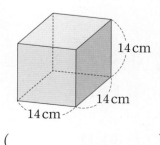
14 cm
14 cm
14 cm

( )

학습지

6 단원

미리 보는 수학 익힘

(자연수)÷(자연수)의 몫을 분수로 나타내기(1)

●정답 44쪽

1 1÷6을 그림으로 나타내고, 몫을 구하세요.

0   1

(   )

2 3÷8을 그림으로 나타내고, □ 안에 알맞은 수를 써넣으세요.

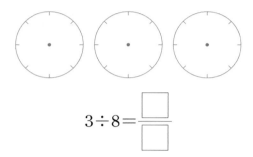

$$3 \div 8 = \dfrac{\square}{\square}$$

3 1÷5를 이용하여 2÷5를 구하려고 합니다. □ 안에 알맞은 수를 써넣으세요.

1÷5는 $\dfrac{\square}{\square}$ 입니다.

2÷5는 $\dfrac{1}{5}$이 □ 개입니다.

따라서 2÷5= $\dfrac{\square}{\square}$ 입니다.

4 나눗셈의 몫을 분수로 나타내어 보세요.

(1) 1÷7

(2) 5÷9

(3) 6÷11

(4) 9÷10

5 물 1 L와 물 2 L를 모양과 크기가 같은 병에 똑같이 나누어 담으려고 합니다. 물 1 L를 병 2개에, 물 2 L를 병 3개에 똑같이 나누어 담을 때, 병 가와 병 나에는 물을 각각 몇 분의 몇 L씩 담아야 하는지 구하세요.

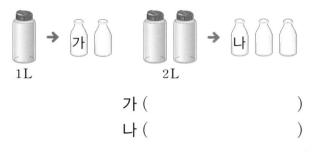

1L   2L

가 (   )

나 (   )

6 주어진 카드를 이용하여 보기와 같이 문제를 만들고, 식을 쓰고 답을 구하세요.

콜라 2 L	주스 4 L
남학생 13명	여학생 15명

보기

문제 콜라 2 L를 남학생 13명이 똑같이 나누어 마셨습니다. 남학생 한 명이 마신 콜라는 몇 L인지 분수로 나타내어 보세요.

식 $2 \div 13 = \dfrac{2}{13}$ **답** $\dfrac{2}{13}$ L

문제 _____

_____

_____

식   **답**

미리 보는 수학 익힘

(자연수)÷(자연수)의 몫을 분수로 나타내기(2)

진도북 016쪽

● 정답 44쪽

1 3÷2를 그림으로 나타내고, □ 안에 알맞은 수를 써넣으세요.

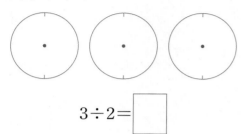

$$3 \div 2 = \boxed{}$$

2 □ 안에 알맞은 수를 써넣으세요.

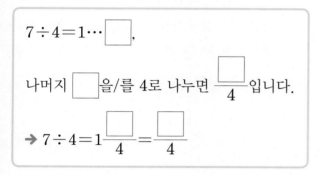

$$7 \div 4 = 1 \cdots \boxed{},$$

나머지 $\boxed{}$ 을/를 4로 나누면 $\dfrac{\boxed{}}{4}$ 입니다.

$$\rightarrow 7 \div 4 = 1\dfrac{\boxed{}}{4} = \dfrac{\boxed{}}{4}$$

3 나눗셈의 몫을 분수로 나타내어 보세요.

(1) 8÷5

(2) 18÷7

(3) 25÷8

4 빈 곳에 알맞은 분수를 써넣으세요.

14	÷3

5 한 병에 $\dfrac{5}{3}$ L씩 들어 있는 식혜가 3병 있습니다. 이 식혜를 4일 동안 똑같이 나누어 마시려면 하루에 마셔야 할 식혜는 몇 L인지 구하려고 합니다. □ 안에 알맞은 수를 써넣으세요.

(전체 식혜의 양) $= \dfrac{5}{3} \times \boxed{} = \boxed{}$ (L)

→ (하루에 마셔야 할 식혜의 양)

$$= \boxed{} \div 4 = \dfrac{\boxed{}}{\boxed{}} = \boxed{}\dfrac{\boxed{}}{4}$$ (L)

6 현재네 모둠과 다윤이네 모둠은 텃밭을 가꾸기로 했습니다. 상추를 심을 넓이가 더 넓은 모둠은 어느 모둠인가요?

> 현재: 우리 모둠의 텃밭은 15 m²야. 오이, 상추를 똑같은 넓이로 심기로 했어.
>
> 다윤: 우리 모둠의 텃밭은 17 m²야. 옥수수, 상추, 감자를 똑같은 넓이로 심기로 했어.

(   )

수학 익힘

1
단원

미리 보는 수학 익힘 (분수)÷(자연수)

● 정답 45쪽

1 수직선을 보고 □ 안에 알맞은 수를 써넣으세요.

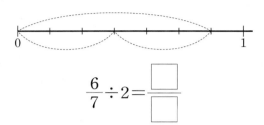

$$\frac{6}{7} \div 2 = \frac{\square}{\square}$$

2 $\frac{3}{4} \div 4$를 그림으로 나타내고, 몫을 구하세요.

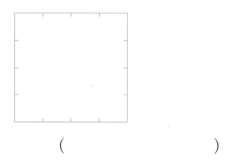

(   )

3 □ 안에 알맞은 수를 써넣으세요.

(1) $\dfrac{10}{11} \div 5 = \dfrac{\square \div 5}{11} = \dfrac{\square}{11}$

(2) $\dfrac{4}{5} \div 3 = \dfrac{\square}{15} \div 3 = \dfrac{\square \div 3}{15} = \dfrac{\square}{15}$

4 계산해 보세요.

(1) $\dfrac{6}{13} \div 3$

(2) $\dfrac{3}{7} \div 4$

(3) $\dfrac{8}{9} \div 5$

5 철사 $\dfrac{3}{10}$ m를 겹치지 않게 모두 사용하여 가장 큰 정삼각형 모양을 만들었습니다. 이 정삼각형의 한 변의 길이는 몇 m인가요?

식 _____

답 _____

6 두 사람의 대화를 읽고 □ 안에 알맞은 수나 말을 써넣으세요.

$$\frac{5}{8} \div 4 = \frac{5}{8 \div 4} = \frac{5}{2}$$이니까 답은 $2\frac{1}{2}$이지?

우재

아니야. 분모가 아니라 □ 를 4로 나누어야 해.

승아

$$\frac{5}{8} \div 4 = \frac{\square}{32} \div 4$$

$$= \frac{\square \div 4}{32} = \frac{\square}{32}$$이지.

미리 보는 수학 익힘

(분수)÷(자연수)를 분수의 곱셈으로 나타내기

진도북 017쪽

● 정답 45쪽

1 $\frac{4}{5} \div 3$의 몫을 구하려고 합니다. 그림을 보고 □ 안에 알맞은 수를 써넣으세요.

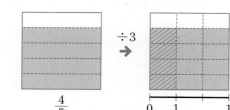

$$\frac{4}{5} \div 3 \text{의 몫은 } \frac{4}{5} \text{를 똑같이 3으로 나눈 것 중의 하나입니다.}$$

이것은 $\frac{4}{5}$의 $\dfrac{\square}{\square}$이므로 $\frac{4}{5} \times \dfrac{\square}{\square}$입니다.

따라서 $\frac{4}{5} \div 3 = \frac{4}{5} \times \dfrac{\square}{\square} = \dfrac{\square}{\square}$입니다.

2 관계있는 것끼리 이어 보세요.

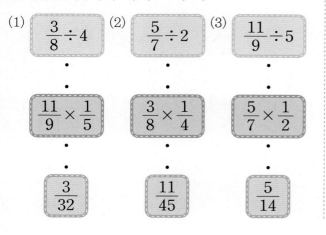

(1) $\dfrac{3}{8} \div 4$ (2) $\dfrac{5}{7} \div 2$ (3) $\dfrac{11}{9} \div 5$

$\dfrac{11}{9} \times \dfrac{1}{5}$ $\dfrac{3}{8} \times \dfrac{1}{4}$ $\dfrac{5}{7} \times \dfrac{1}{2}$

$\dfrac{3}{32}$ $\dfrac{11}{45}$ $\dfrac{5}{14}$

3 계산해 보세요.

(1) $\dfrac{3}{5} \div 6$

(2) $\dfrac{6}{7} \div 8$

(3) $\dfrac{17}{12} \div 3$

수학 익힘

1
단원

4 수 카드 3장을 모두 사용하여 계산 결과가 가장 작은 (진분수)÷(자연수)의 나눗셈식을 만들고 계산해 보세요.

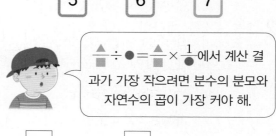

$\boxed{5}$ $\boxed{6}$ $\boxed{7}$

$\dfrac{\blacktriangle}{\blacksquare} \div \bullet = \dfrac{\blacktriangle}{\blacksquare} \times \dfrac{1}{\bullet}$ 에서 계산 결과가 가장 작으려면 분수의 분모와 자연수의 곱이 가장 커야 해.

→ $\dfrac{\square}{\square} \div \square = \dfrac{\square}{\square}$

5 철사 $\dfrac{7}{8}$ m를 겹치지 않게 모두 사용하여 가장 큰 정사각형 모양을 만들었습니다. 이 정사각형의 한 변의 길이는 몇 m인가요?

식 _____

답 _____

미리 보는 수학 익힘 (대분수)÷(자연수)

진도북 018쪽

● 정답 46쪽

1 $3\frac{1}{8} \div 5$를 두 가지 방법으로 계산하려고 합니다. □ 안에 알맞은 수를 써넣으세요.

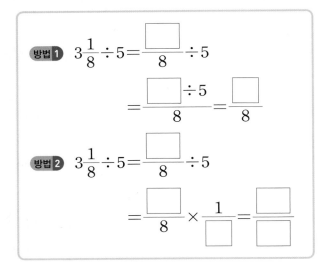

방법 1 $3\frac{1}{8} \div 5 = \frac{\boxed{}}{8} \div 5$

$= \frac{\boxed{} \div 5}{8} = \frac{\boxed{}}{8}$

방법 2 $3\frac{1}{8} \div 5 = \frac{\boxed{}}{8} \div 5$

$= \frac{\boxed{}}{8} \times \frac{1}{\boxed{}} = \frac{\boxed{}}{\boxed{}}$

2 $2\frac{2}{9} \div 7$을 계산하고 맞게 구했는지 확인하려고 합니다. □ 안에 알맞은 수를 써넣으세요.

계산 $2\frac{2}{9} \div 7 = \boxed{}$

확인 $\boxed{} \times \boxed{} = 2\frac{2}{9}$

3 잘못 계산한 곳을 찾아 바르게 계산해 보세요.

$2\frac{3}{7} \div 3 = 2\frac{3 \div 3}{7} = 2\frac{1}{7}$

4 계산하여 기약분수로 나타내어 보세요.

(1) $2\frac{2}{3} \div 4$

(2) $6\frac{3}{5} \div 6$

(3) $2\frac{5}{6} \div 9$

5 페인트 4통으로 벽면 $6\frac{1}{3}$ m²를 칠했습니다. 페인트 한 통으로 칠한 벽면의 넓이는 몇 m²인가요?

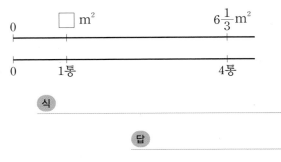

식 _____

답 _____

6 □ 안에 들어갈 수 있는 자연수를 모두 찾아 ○표 하세요.

$\frac{\square}{5} < 4\frac{4}{5} \div 8$

(1 , 2 , 3 , 4)

미리 보는 수학 익힘   각기둥(1)

● 정답 46쪽

1 도형을 보고 물음에 답하세요.

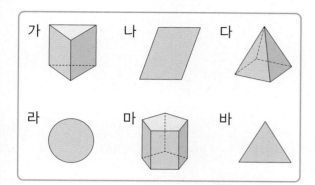

(1) 평면도형을 모두 찾아 기호를 쓰세요.

(　　　　　　　)

(2) 입체도형을 모두 찾아 기호를 쓰세요.

(　　　　　　　)

(3) 서로 평행하고 합동인 두 다각형이 있는 입체도형을 모두 찾아 기호를 쓰세요.

(　　　　　　　)

(4) (3)에서 찾은 것과 같은 도형을 무엇이라고 하나요?

(　　　　　　　)

2 각기둥을 보고 물음에 답하세요.

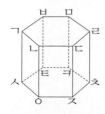

(1) 두 밑면을 찾아 색칠해 보세요.

(2) 밑면에 수직인 면은 몇 개인가요?

(　　　　　　　)

3 각기둥을 보고 옆면을 모두 찾아 쓰세요.

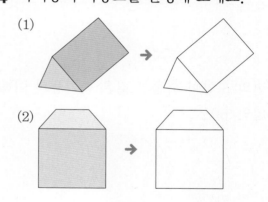

(　　　　　　　)

4 각기둥의 겨냥도를 완성해 보세요.

(1)

(2)

5 각기둥의 특징을 잘못 말한 친구를 찾아 이름을 쓰세요.

> 진호: 오각기둥의 밑면은 2개야.
> 수진: 각기둥의 옆면의 모양은 모두 직사각형이야.
> 경민: 밑면과 옆면은 서로 수직이야.
> 선아: 옆면의 수가 가장 적은 각기둥의 옆면은 4개야.

(　　　　　　　)

미리 보는 수학 익힘 　각기둥(2)

●정답 46쪽

1 각기둥을 보고 표를 완성해 보세요.

각기둥	밑면의 모양	각기둥의 이름

2 밑면의 모양이 다음과 같은 각기둥의 이름은 무엇인가요?

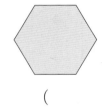

(　　　　)

3 보기 에서 알맞은 말을 골라 □ 안에 써넣으세요.

보기
높이, 꼭짓점, 모서리, 밑면, 옆면

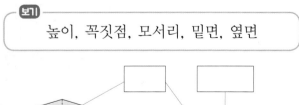
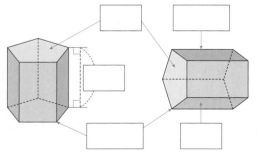

4 각기둥을 보고 표를 완성한 다음 규칙을 찾아 보세요.

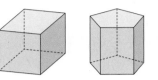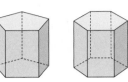

도형	한 밑면의 변의 수(개)	꼭짓점의 수(개)	면의 수(개)	모서리의 수(개)
사각기둥	4			
오각기둥	5			
육각기둥	6			

규칙
- (각기둥의 꼭짓점의 수)
  =(한 밑면의 변의 수)× □
- (각기둥의 면의 수)
  =(한 밑면의 변의 수)+ □
- (각기둥의 모서리의 수)
  =(한 밑면의 변의 수)× □

5 옳은 문장은 ○표, 틀린 문장은 ×표 하세요.
(1) 칠각기둥의 꼭짓점은 7개입니다.
(　　　)
(2) 옆면이 3개인 각기둥은 삼각기둥입니다.
(　　　)
(3) 각기둥의 꼭짓점, 면, 모서리 중 면의 수가 가장 적습니다. (　　　)
(4) 오각기둥의 모서리의 수는 사각기둥의 모서리의 수보다 1만큼 더 큽니다. (　　　)

미리 보는 수학 익힘   각기둥의 전개도

● 정답 47쪽

1 각기둥의 모서리를 잘라서 평면 위에 펼쳐 놓았더니 다음과 같이 되었습니다. 물음에 답하세요.

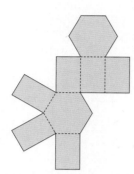

(1) 위와 같이 각기둥의 모서리를 잘라서 펼쳐 놓은 그림을 무엇이라고 하나요?

(   )

(2) 위의 그림을 접으면 어떤 도형이 되나요?

(   )

2 전개도를 보고 물음에 답하세요.

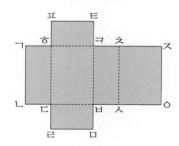

(1) 전개도를 접으면 어떤 도형이 되나요?

(   )

(2) 전개도를 접었을 때 선분 ㄱㄴ과 맞닿는 선분을 찾아 쓰세요.

(   )

(3) 전개도를 접었을 때 면 ㄷㄹㅁㅂ과 만나는 면을 모두 찾아 쓰세요.

(   )

3 전개도를 접어서 각기둥을 만들었습니다. □ 안에 알맞은 수를 써넣으세요.

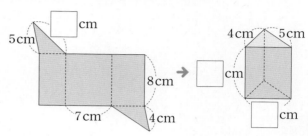

4 다음 조건 은 아래 전개도를 접었을 때 만들어지는 각기둥을 설명한 것입니다. 조건 을 보고 밑면의 한 변의 길이는 몇 cm인지 구하세요.

> **조건**
> • 각기둥의 옆면은 모두 합동입니다.
> • 각기둥의 높이는 5 cm입니다.
> • 각기둥의 모든 모서리의 길이의 합은 55 cm입니다.

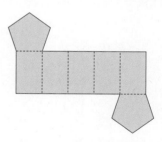

(1) □ 안에 알맞은 말을 써넣으세요.

> 각기둥의 옆면은 모두 합동이므로 두 밑면은 ☐☐☐☐입니다.

(2) 두 밑면의 변의 길이의 합은 몇 cm인가요?

(   )

(3) 밑면의 한 변의 길이는 몇 cm인가요?

(   )

수학 익힘

2 단원

미리 보는 **수학 익힘** 각기둥의 전개도 그리기

● 정답 47쪽

1 사각기둥의 전개도를 완성해 보세요.

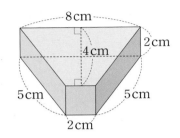

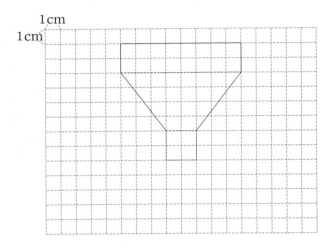

2 사각기둥의 전개도를 완성해 보세요.

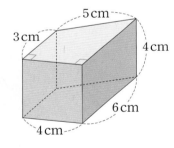

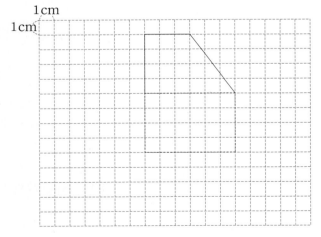

3 밑면이 다음 그림과 같고, 높이가 7 cm인 삼각기둥의 전개도를 2개 그려 보세요.

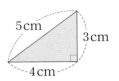

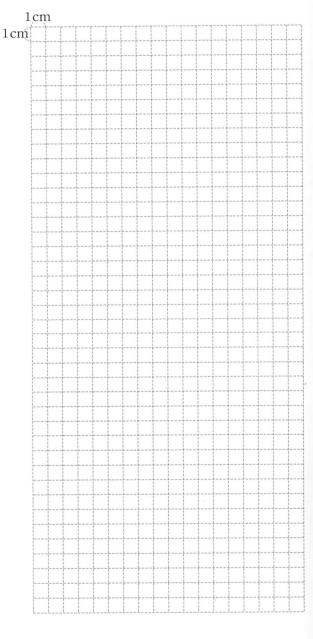

미리 보는 수학 익힘　각뿔(1)

● 정답 48쪽

1 입체도형을 보고 물음에 답하세요.

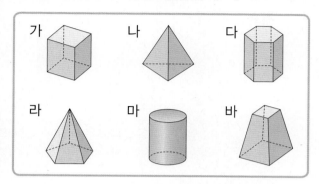

가　나　다

라　마　바

(1) 밑면이 다각형인 도형을 모두 찾아 기호를 쓰세요.

(　　　　　)

(2) 옆면이 모두 삼각형인 도형을 모두 찾아 기호를 쓰세요.

(　　　　　)

(3) 밑면이 다각형이고 옆면이 모두 삼각형인 도형을 모두 찾아 기호를 쓰세요.

(　　　　　)

(4) 각뿔을 모두 찾아 기호를 쓰세요.

(　　　　　)

2 각뿔을 보고 물음에 답하세요.

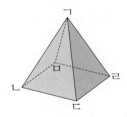

(1) 밑면을 찾아 쓰세요.

(　　　　　)

(2) 밑면과 만나는 면은 몇 개인가요?

(　　　　　)

3 각뿔을 보고 옆면을 모두 찾아 쓰세요.

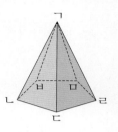

(　　　　　　　　　　　)

4 입체도형을 보고 표를 완성해 보세요.

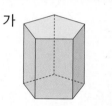　

가　　　나

도형	가	나
밑면의 모양		
옆면의 모양	직사각형	
밑면의 수(개)	2	

5 다음 입체도형이 각뿔이 <u>아닌</u> 이유를 쓰세요.

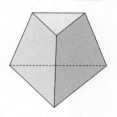

이유 각뿔은 밑면이 □개인데 주어진 입체도형의 밑면은 □개이므로 각뿔이 아닙니다.

미리 보는 수학 익힘　각뿔(2)

진도북 042쪽

●정답 48쪽

1 각뿔을 보고 표를 완성해 보세요.

각뿔	밑면의 모양	각뿔의 이름

2 밑면의 모양이 다음과 같은 각뿔의 이름은 무엇인가요?

(　　　　　　　)

3 보기에서 알맞은 말을 골라 □ 안에 써넣으세요.

보기
모서리, 밑면, 각뿔의 꼭짓점, 높이, 옆면

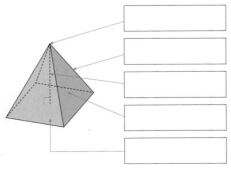

4 각뿔을 보고 표를 완성한 다음 규칙을 찾아보세요.

도형	밑면의 변의 수(개)	꼭짓점의 수(개)	면의 수(개)	모서리의 수(개)
사각뿔	4			
오각뿔	5			
육각뿔	6			

규칙
- (각뿔의 꼭짓점의 수)
  =(밑면의 변의 수)+□
- (각뿔의 면의 수)
  =(밑면의 변의 수)+□
- (각뿔의 모서리의 수)
  =(밑면의 변의 수)×□

5 각뿔의 특징을 잘못 설명한 것을 찾아 기호를 쓰세요.

㉠ 각뿔의 밑면은 1개입니다.
㉡ 각뿔의 옆면은 모두 삼각형입니다.
㉢ 각뿔에서 각뿔의 꼭짓점은 2개입니다.
㉣ 각뿔의 꼭짓점에서 밑면에 수직인 선분의 길이는 높이입니다.

(　　　　　　　)

미리 보는 수학 익힘

자연수의 나눗셈을 이용한 (소수)÷(자연수)

●정답 48쪽

1 □ 안에 알맞은 수를 써넣으세요.

> 끈 62.4 cm를 2명에게 똑같이 나누어 주려고 합니다.
> 1 cm＝10 mm이므로
> 62.4 cm＝624 mm입니다.
> 624÷2＝□, 한 명에게 줄 수 있는
> 끈은 □mm이므로 □cm입니다.

2 □ 안에 알맞은 수를 써넣으세요.

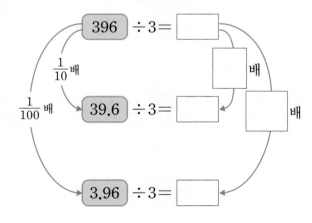

3 자연수의 나눗셈을 이용하여 소수의 나눗셈을 해 보세요.

> 842÷2＝421
> 84.2÷2＝□
> 8.42÷2＝□

4 상우는 상자 4개를 묶으려고 리본 488 cm를 4개로 똑같이 나누었습니다. 민영이도 상우와 같은 방법으로 리본 4.88 m를 사용하여 상자 4개를 묶으려고 합니다. 민영이가 상자 한 개를 묶기 위해 필요한 리본은 몇 m인지 □ 안에 알맞은 수를 써넣고 구하세요.

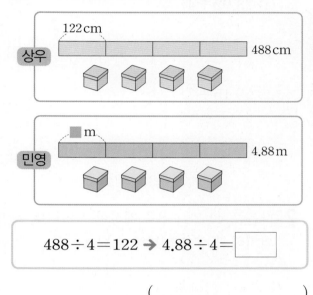

> 488÷4＝122 ➜ 4.88÷4＝□

(   )

5 □ 안에 알맞은 수를 써넣고, 그 이유를 쓰세요.

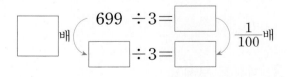

> **이유** 몫이 699÷3의 몫의 $\frac{1}{100}$배가 되려
> 면 나누어지는 수 699의 □ 배인 수를
> □ 으로 나누는 식이어야 합니다.

미리 보는 수학 익힘

각 자리에서 나누어떨어지지 않는
(소수)÷(자연수)

진도북 066쪽

● 정답 48쪽

1 보기와 같은 방법으로 계산해 보세요.

보기
$$38.52 \div 3 = \frac{3852}{100} \div 3 = \frac{3852 \div 3}{100}$$
$$= \frac{1284}{100} = 12.84$$

(1) $28.92 \div 4$

(2) $59.15 \div 7$

2 다음은 $41.28 \div 8$을 계산한 식입니다. 알맞은 위치에 소수점을 찍어 보세요.

```
        5□1□6
   8)4 1.2 8
     4 0
       1 2
         8
         4 8
         4 8
           0
```

3 계산해 보세요.

(1)
```
5)3 1.7 5
```

(2)
```
9)1 6.0 2
```

4 빈칸에 알맞은 수를 써넣으세요.

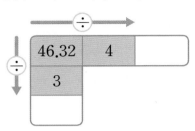

5 수진이가 그린 삼각형의 넓이는 지나가 그린 삼각형의 넓이의 몇 배인지 구하세요.

지나: 나는 밑변의 길이가 4 cm이고, 높이가 6 cm인 삼각형을 그렸어.
수진: 나는 밑변의 길이가 4 cm이고, 높이가 9.24 cm인 삼각형을 그렸어.

(   )

6 $6185 \div 5$를 이용하여 $61.85 \div 5$를 계산하는 방법을 알아보려고 합니다. □ 안에 알맞은 수를 써넣으세요.

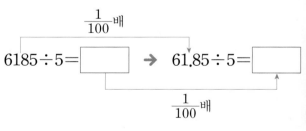

방법 61.85는 6185의 □배이므로

계산한 값도 □배입니다.

$6185 \div 5 = $ □ 이므로 $61.85 \div 5$의

몫은 □의 $\frac{1}{100}$배인 □입니다.

미리 보는 **수학 익힘**

몫이 1보다 작은 소수인 (소수)÷(자연수)

진도북 067쪽

● 정답 49쪽

1 보기와 같은 방법으로 계산해 보세요.

보기
$$1.44 \div 4 = \frac{144}{100} \div 4 = \frac{144 \div 4}{100}$$
$$= \frac{36}{100} = 0.36$$

(1) $1.85 \div 5$

(2) $0.54 \div 3$

2 계산이 <u>잘못된</u> 곳을 찾아 바르게 계산해 보세요.

```
      7.4
   8)5.9 2
     5 6
       3 2
       3 2
         0
```

→

```
   8)5.9 2
```

3 계산해 보세요.

(1)
```
   6)2.5 2
```

(2)
```
   7)0.9 1
```

4 계산 결과를 비교하여 ○ 안에 >, =, <를 알맞게 써넣으세요.

$3.25 \div 5$ ○ $4.41 \div 7$

5 수 카드 1 , 3 , 6 , 8 중 3장을 골라 가장 작은 소수 두 자리 수를 만들었습니다. 만든 수를 남은 수 카드의 수로 나누었을 때 몫은 얼마인가요?

식 _____

답 _____

6 오른쪽과 같이 넓이가 $4.32\,\mathrm{m}^2$인 직사각형 모양의 텃밭을 6칸으로 똑같이 나누었습니다. 빗금 친 부분의 넓이는 몇 m^2인지 두 가지 방법으로 구하세요.

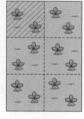

방법 **1**

$4.32 \div 6$

답 _____

방법 **2**

```
   6)4.3 2
```

답 _____

미리 보는 수학 익힘

소수점 아래 0을 내려 계산하는
(소수)÷(자연수)

● 정답 49쪽

1 보기와 같은 방법으로 계산해 보세요.

보기

$$1.4 \div 4 = \frac{140}{100} \div 4 = \frac{140 \div 4}{100}$$
$$= \frac{35}{100} = 0.35$$

(1) $3.6 \div 8$

(2) $2.49 \div 6$

2 자연수의 나눗셈을 이용하여 소수의 나눗셈을 계산해 보세요.

(1) $90 \div 2 = 45$ ➔ $0.9 \div 2 = \boxed{}$

(2) $380 \div 4 = 95$ ➔ $3.8 \div 4 = \boxed{}$

3 나누어떨어지도록 계산해 보세요.

(1)
```
      0.3
  5)1.8
    1 5
      3
```

(2)
```
      1.1
  8)9.2
    8
    1 2
      8
      4
```

4 빈칸에 알맞은 수를 써넣으세요.

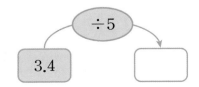

$\div 5$

3.4 → $\boxed{}$

5 그림을 보고 진주네 가게의 복숭아 한 개와 동주네 가게의 복숭아 한 개 중 어느 것이 더 무거운지 □ 안에 알맞은 수를 써넣고 구하세요. (단, 한 가게에서 파는 복숭아의 무게는 모두 같습니다.)

진주네 가게의 복숭아   동주네 가게의 복숭아

• 진주네 가게의 복숭아 5개의 무게가 1.65 kg이므로 복숭아 한 개의 무게는 $\boxed{}$ kg입니다.

• 동주네 가게의 복숭아 4개의 무게가 1.16 kg이므로 복숭아 한 개의 무게는 $\boxed{}$ kg입니다.

(   )

6 7.5 m인 길에 깃발 7개를 같은 간격으로 그림과 같이 꽂으려고 합니다. 깃발 사이의 간격을 몇 m로 해야 하는지 구하세요. (단, 깃발의 두께는 생각하지 않습니다.)

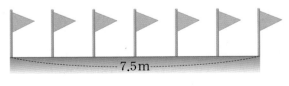

7.5 m

식

답

미리 보는 수학 익힘

몫의 소수 첫째 자리에 0이 있는 (소수)÷(자연수)

진도북 069쪽

●정답 50쪽

1 소수의 나눗셈을 분수의 나눗셈으로 바꾸어 계산해 보세요.

(1) $9.36 \div 9$

(2) $8.2 \div 4$

2 자연수의 나눗셈을 이용하여 소수의 나눗셈을 계산해 보세요.

(1) $742 \div 7 = 106$ → $7.42 \div 7 =$ ☐

(2) $540 \div 5 = 108$ → $5.4 \div 5 =$ ☐

3 계산이 <u>잘못된</u> 곳을 찾아 바르게 계산해 보세요.

$$
\begin{array}{r}
1.7 \\
6\overline{)6.4\,2} \\
\underline{6} \\
4\,2 \\
\underline{4\,2} \\
0
\end{array}
$$

→

$$6\overline{)6.4\,2}$$

4 계산해 보세요.

(1) $3\overline{)9.1\,8}$

(2) $5\overline{)5.4\,5}$

5 모든 모서리의 길이가 같은 사각뿔이 있습니다. 모든 모서리의 길이의 합이 8.24 m일 때 한 모서리의 길이는 몇 m인지 구하세요.

식 _____

답 _____

6 무게가 같은 동화책 4권의 무게를 재었더니 4.36 kg이었습니다. 동화책 1권의 무게는 몇 kg인지 두 가지 방법으로 구하세요.

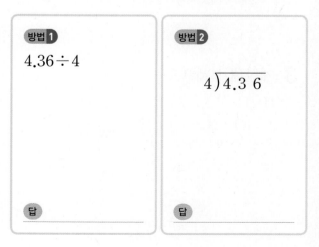

방법**1**

$4.36 \div 4$

답 _____

방법**2**

$$4\overline{)4.3\,6}$$

답 _____

미리 보는 수학 익힘 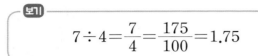 (자연수)÷(자연수)의 몫을 소수로 나타내기

1 보기와 같은 방법으로 계산해 보세요.

┌─ 보기 ─────────────────────┐
$$7 \div 4 = \frac{7}{4} = \frac{175}{100} = 1.75$$
└─────────────────────────┘

(1) $9 \div 4$

(2) $11 \div 2$

2 □ 안에 알맞은 수를 써넣으세요.

(1) $40 \div 5 = 8$ ➡ $4 \div 5 =$ □

(2) $600 \div 8 = 75$ ➡ $6 \div 8 =$ □

3 계산해 보세요.

(1)
$$4 \overline{)2\ 3}$$

(2)
$$15 \overline{)9}$$

4 관계있는 것끼리 이어 보세요.

(1) 21÷12 ·

(2) 6÷25 ·

· 1.75

· 0.57

· 0.24

5 무게가 같은 자두가 한 봉지에 5개씩 들어 있습니다. 4봉지의 무게가 3 kg일 때 자두 한 개의 무게는 얼마인지 구하세요. (단, 봉지의 무게는 생각하지 않습니다.)

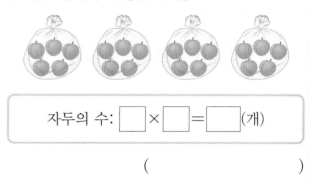

┌─────────────────────────┐
자두의 수: □ × □ = □ (개)
└─────────────────────────┘

(   )

6 수 카드 3장 중 2장을 사용하여 몫이 가장 작은 나눗셈식을 만들고 계산해 보세요.

| 2 | 5 | 8 |

□ ÷ □ = □

미리 보는 수학 익힘

몫의 소수점 위치 확인하기

진도북 070쪽

● 정답 51쪽

1 보기와 같이 소수를 반올림하여 일의 자리까지 나타내어 어림한 식으로 표현해 보세요.

> 보기
> $$2.73 \div 3 \rightarrow 3 \div 3$$

(1) $28.2 \div 4 \rightarrow ($　　　　　　　$)$

(2) $6.65 \div 7 \rightarrow ($　　　　　　　$)$

(3) $119.5 \div 5 \rightarrow ($　　　　　　　$)$

2 어림셈하여 몫의 소수점 위치를 찾아 표시해 보세요.

(1)
> $17.12 \div 8$

어림 $\boxed{} \div 8 \rightarrow$ 약 $\boxed{}$

몫 $2\,{\scriptstyle\square}\,1\,{\scriptstyle\square}\,4$

(2)
> $14.08 \div 4$

어림 $\boxed{} \div \boxed{} \rightarrow$ 약 $\boxed{}$

몫 $3\,{\scriptstyle\square}\,5\,{\scriptstyle\square}\,2$

(3)
> $32.8 \div 2$

어림 $\boxed{} \div \boxed{} \rightarrow$ 약 $\boxed{}$

몫 $1\,{\scriptstyle\square}\,6\,{\scriptstyle\square}\,4$

3 어림셈하여 몫의 소수점 위치가 올바른 식을 찾아 ○표 하세요.

(1)
> $24.12 \div 6 = 402$
> $24.12 \div 6 = 40.2$
> $24.12 \div 6 = 4.02$
> $24.12 \div 6 = 0.402$

(2)
> $53.5 \div 5 = 107$
> $53.5 \div 5 = 10.7$
> $53.5 \div 5 = 1.07$
> $53.5 \div 5 = 0.107$

4 준열이의 계산을 보고 준열이가 어떤 실수를 하였는지 쓰세요.

> 3.6 L의 물을 3명에게 나누어 주어야 해. $36 \div 3 = 12$이므로 $3.6 \div 3 = 0.12$이야. 그러므로 한 사람이 가지게 되는 물의 양은 0.12 L야.

준열

준열이가 한 실수

_____

5 몫을 어림하여 몫이 1보다 큰 나눗셈을 모두 찾아 ○표 하세요.

> | | |
> |---|---|
> | $6.48 \div 6$ | $3.28 \div 4$ |
> | $4.56 \div 6$ | $4.6 \div 4$ |
> | $2.52 \div 6$ | $5.72 \div 4$ |

미리 보는 수학 익힘 　두 수 비교하기

● 정답 51쪽

1 한 모둠에 도넛을 한 상자씩 나누어 주었습니다. 한 모둠은 3명씩이고 한 상자에 들어 있는 도넛은 6개입니다. 물음에 답하세요.

(1) 한 모둠에서 모둠원 수와 도넛 수를 비교해 보세요.

　[방법1] 뺄셈으로 비교하기

　　도넛 수가 모둠원 수보다 □ 만큼 더 큽니다.

　[방법2] 나눗셈으로 비교하기

　　도넛 수는 모둠원 수의 □ 배입니다.

(2) 표를 완성해 보세요.

모둠 수	1	2	3	4
모둠원 수(명)	3	6	9	12
도넛 수(개)	6	12		

(3) 모둠 수에 따른 모둠원 수와 도넛 수를 비교해 보세요.

　[방법1] 뺄셈으로 비교하기

　　도넛 수는 모둠원 수보다 각각 □ , □ , □ , □ 더 많습니다.

　[방법2] 나눗셈으로 비교하기

　　도넛 수는 항상 모둠원 수의 □ 배입니다.

(4) 알맞은 말에 ○표 하세요.

> (뺄셈 , 나눗셈)으로 비교하면 모둠 수에 따라 모둠원 수와 도넛 수의 관계가 변하지만, (뺄셈 , 나눗셈)으로 비교하면 모둠 수에 따른 모둠원 수와 도넛 수의 관계가 변하지 않습니다.

2 모눈종이에 그린 직사각형을 보고 직사각형의 가로와 세로를 뺄셈과 나눗셈으로 각각 비교해 보세요.

- 가로는 세로보다 □ − □ = □ (칸) 더 깁니다.
- 가로는 세로의 □ ÷ □ = □ (배)입니다.

3 승기와 재희가 표를 만들어 두 수를 비교한 것을 보고 어떤 차이가 있는지 쓰세요.

> 올해 나는 12살, 동생은 10살이에요. 나는 동생보다 항상 2살이 많아요.

승기

	올해	1년 후	2년 후	3년 후
내 나이(살)	12	13	14	15
동생 나이(살)	10	11	12	13

> 붙임딱지 12장으로 모양을 꾸몄어요. 붙임딱지 수는 꾸민 모양 수의 12배예요.

재희

꾸민 모양의 수(개)	1	2	3	4
붙임딱지의 수(장)	12	24	36	48

[차이] 승기는 두 수를 □ 으로, 재희는 두 수를 □ 으로 비교했습니다.

미리 보는 수학 익힘   비

진도북 092쪽

● 정답 51쪽

1 ☐ 안에 알맞게 써넣으세요.

> 두 수를 나눗셈으로 비교하기 위해 기호
> ☐ 을/를 사용합니다.
> 두 수 5와 6을 비교할 때 ☐ (이)라 쓰
> 고 ☐ (이)라고 읽습니다.

2 공책 7권과 책가방 2개가 있습니다. 공책 수와 책가방 수의 비를 쓰세요.

(　　　　　　)

3 그림을 보고 ☐ 안에 알맞은 수를 써넣으세요.

(1) 식탁 수와 의자 수의 비 → ☐ : ☐

(2) 의자 수에 대한 식탁 수의 비 → ☐ : ☐

(3) 식탁 수에 대한 의자 수의 비 → ☐ : ☐

4 전체에 대한 색칠한 부분의 비가 3 : 8이 되도록 색칠해 보세요.

5 유정이가 비에 대해 이야기한 것이 맞는지 틀린지 표시하고, 그 이유를 쓰세요.

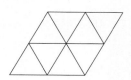

9 : 2와 2 : 9는 같아요.

유정

(맞습니다 , 틀립니다)

이유

6 [보기]와 같이 우리 주변에서 비가 사용되는 경우를 찾아 쓰세요.

> **보기**
> 잡곡밥을 지을 때 필요한 쌀 양과 잡곡 양의 비는 7 : 3입니다.

_____

_____

수학 익힘

4 단원

미리 보는 수학 익힘   비율

1 비교하는 양과 기준량을 찾아 쓰고 비율을 구하세요.

비	비교하는 양	기준량	비율
6 : 15			
11과 20의 비			
7에 대한 21의 비			

2 관계있는 것끼리 이어 보세요.

(1) 12와 25의 비 •

(2) 10에 대한 8의 비 •

(3) 3의 4에 대한 비 •

• $\frac{3}{4}$ •

• $\frac{4}{5}$ •

• $\frac{12}{25}$ •

• 0.48

• 0.75

• 0.8

3 두 직사각형의 가로에 대한 세로의 비율을 비교해 보세요.

10 cm
가 4 cm

25 cm
나 10 cm

비율	가	나
분수		

➜ 두 직사각형의 가로에 대한 세로의 비율은
[   ] .

4 어느 과학책의 긴 쪽과 짧은 쪽의 길이를 자로 재어 보았더니 긴 쪽이 27 cm, 짧은 쪽이 21 cm였습니다. 물음에 답하세요.

(1) 과학책의 긴 쪽에 대한 짧은 쪽의 길이의 비를 쓰세요.

(   )

(2) 과학책의 긴 쪽에 대한 짧은 쪽의 길이의 비율을 분수로 나타내어 보세요.

(   )

5 동전 한 개를 10번 던져서 나온 면이 그림 면인지, 숫자 면인지 나타낸 것입니다. 물음에 답하세요.

회차	1회	2회	3회	4회	5회
나온 면	🪙	🪙	🪙	500	🪙
회차	6회	7회	8회	9회	10회
나온 면	500	🪙	500	🪙	🪙

(1) 숫자 면이 나온 횟수는 몇 번인가요?

(   )

(2) 동전을 던진 횟수에 대한 숫자 면이 나온 횟수의 비를 쓰세요.

(   )

(3) 동전을 던진 횟수에 대한 숫자 면이 나온 횟수의 비율을 분수와 소수로 각각 나타내어 보세요.

분수 (   )
소수 (   )

미리 보는 수학 익힘
비율이 사용되는 경우

진도북 093쪽

●정답 52쪽

1 주영이는 100 m를 달리는 데 25초가 걸렸습니다. 주영이가 100 m를 달리는 데 걸린 시간에 대한 달린 거리의 비율을 구하려고 합니다. 알맞은 것에 ○표 하고, □ 안에 알맞은 수를 써넣으세요.

(1) 기준량은 (100 m , 25초)이고, 비교하는 양은 (100 m , 25초)입니다.

(2) 걸린 시간에 대한 달린 거리의 비율은

$$\frac{\boxed{}}{\boxed{}} = \boxed{}$$ 입니다.

2 사랑 마을과 장수 마을의 인구와 넓이는 각각 다음과 같습니다. 물음에 답하세요.

마을	사랑 마을	장수 마을
인구(명)	8400	6800
넓이(km^2)	7	4

(1) 사랑 마을의 넓이에 대한 인구의 비율을 구하세요.

(   )

(2) 장수 마을의 넓이에 대한 인구의 비율을 구하세요.

(   )

(3) □ 안에 알맞은 말을 써넣으세요.

마을의 넓이에 대한 인구이 비율이 더 높은 마을은 □ 마을이므로 인구가 더 밀집한 마을은 □ 마을입니다.

3 파란 버스는 160 km를 가는 데 2시간이 걸렸고, 노란 버스는 225 km를 가는 데 3시간이 걸렸습니다. 두 버스의 걸린 시간에 대한 달린 거리의 비율을 각각 구하고, 어느 버스가 더 빠른지 알아보세요.

파란 버스 (   )

노란 버스 (   )

더 빠른 버스 (   )

4 주호와 선영이는 물에 사과 원액을 넣어 사과 주스를 만들었습니다. 두 사람의 사과 주스 양에 대한 사과 원액 양의 비율을 각각 구하고, 누가 만든 사과 주스가 더 진한지 알아보세요.

나는 물에 사과 원액 120 mL를 넣어 사과 주스 200 mL를 만들었어.

나는 물에 사과 원액 175 mL를 넣어 사과 주스 350 mL를 만들었어.

주호   선영

주호 (   )

선영 (   )

더 진한 사과 주스를 만든 사람

(   )

수학 익힘

4 단원

미리 보는 수학 익힘 백분율

진도북 093쪽

● 정답 52쪽

1 □ 안에 알맞게 써넣으세요.

기준량을 [   ]으로 할 때의 비율을
백분율이라고 합니다. 백분율은
기호 [   ]를 사용하여 나타냅니다.

2 그림을 보고 전체에 대한 색칠한 부분의 비율을 백분율로 나타내어 보세요.

(1) [   ] %

(2) [   ] %

3 빈칸에 알맞은 수를 써넣으세요.

분수	소수	백분율(%)
$\frac{57}{100}$	0.57	
	0.04	
$\frac{1}{4}$		

4 넓이가 200 m²인 학교 강당에 넓이가 32 m²인 무대를 만들려고 합니다. 물음에 답하세요.

(1) 강당 넓이에 대한 무대 넓이의 비율을 백분율로 나타내어 보세요.

(   )

(2) 강당이 다음과 같을 때 무대를 만들기 알맞은 곳을 정해 놓은 다음 무대의 넓이만큼 색칠해 보세요.

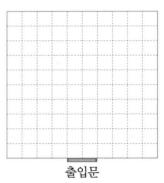

출입문

5 백분율에 대해 이야기한 것이 맞는지 틀린지 표시하고, 그 이유를 쓰세요.

비율 $\frac{1}{5}$을 소수로 나타내면 0.2이고, 이것을 백분율로 나타내면 2 %야.

(맞습니다 , 틀립니다)

이유

미리 보는 수학 익힘 백분율이 사용되는 경우

● 정답 53쪽

1 준희가 전망대에 갔습니다. 전망대의 입장료는 15000원인데 준희는 할인권을 이용하여 입장료로 9000원을 냈습니다. 몇 % 할인받은 것인지 구하세요.

( )

2 승우와 민지는 축구 연습을 했습니다. 승우와 민지의 골 성공률은 각각 몇 %인지 구하고, 누구의 골 성공률이 더 높은지 알아보세요.

> 난 공을 25번 차서 골대에 17번 공을 넣었어.

> 난 공을 20번 차서 골대에 14번 공을 넣었어.

승우 민지

[ ] % [ ] %

( )

3 현장 체험 학습을 종묘로 가는 것에 찬성하는 학생 수를 조사했습니다. 각 반의 찬성률을 %로 나타내어 보고, 찬성률이 가장 높은 반은 몇 반인지 알아보세요.

	전체 학생 수(명)	찬성하는 학생 수(명)	찬성률 (%)
1반	30	18	
2반	25	14	
3반	20	13	

( )

4 두 친구의 대화를 읽고 어느 영화가 좌석 수에 대한 관객 수의 비율이 더 높은지 알아보세요.

> 가 영화는 그 영화관에서 좌석 수에 대한 관객 수의 비율이 60 %래.

> 나 영화도 인기가 많다고 하던데. 좌석 300석당 189명이 봤다고 들었어.

(1) 가 영화의 좌석 수에 대한 관객 수의 비율을 구하세요.

( )

(2) 나 영화의 좌석 수에 대한 관객 수의 비율을 구하세요.

( )

(3) 가와 나 영화 중 어느 영화가 좌석 수에 대한 관객 수의 비율이 더 높은지 구하세요.

( )

5 보기와 같이 우리 주변에서 백분율이 사용되는 경우를 찾아 쓰세요.

> 보기
> 이번 대통령 선거의 전국 투표율은 77%입니다.

_____

_____

미리보는 수학 익힘 그림그래프로 나타내기

진도북 116쪽

● 정답 53쪽

[1~2] 어느 해의 국가별 1인당 이산화 탄소 배출량을 나타낸 표를 보고 그림그래프로 나타내려고 합니다. 물음에 답하세요.

국가별 1인당 이산화 탄소 배출량

국가	캐나다	호주	일본	독일
1인당 이산화 탄소 배출량(억 t)	15	16	10	9

1 ⬤는 10억 t을, ●는 1억 t을 나타냅니다. □ 안에 알맞은 수를 써넣으세요.

(1) 캐나다의 1인당 이산화 탄소 배출량은 15억 t입니다. 15억 t은 10억 t이 1개, 1억 t이 ☐개이므로 ⬤ 1개, ● ☐개로 나타냅니다.

(2) 호주의 1인당 이산화 탄소 배출량은 16억 t입니다. 16억 t은 10억 t이 ☐개, 1억 t이 ☐개이므로 ⬤ ☐개, ● ☐개로 나타냅니다.

2 국가별 1인당 이산화 탄소 배출량을 그림그래프로 나타내어 보세요.

국가별 1인당 이산화 탄소 배출량

국가	배출량
캐나다	
호주	
일본	
독일	

⬤ 10억 t
● 1억 t

[3~4] 다음 기사를 보고 물음에 답하세요.

어느 해 전국에서 사과가 545000 t이 생산되었습니다. 이 중 70 % 이상인 393000 t이 대구·부산·울산·경상 권역에서 생산되었고, 대전·세종·충청 권역에서 96000 t, 광주·전라 권역에서 48000 t, 강원 권역에서 6000 t, 서울·인천·경기 권역에서 2000 t이 생산되었습니다.

권역별 사과 생산량

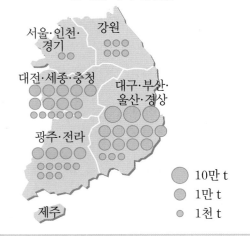

⬤ 10만 t
● 1만 t
• 1천 t

3 권역별 사과 생산량을 그림그래프로 나타내면 좋은 점을 바르게 설명한 사람은 누구인가요?

> 수정: 특정 권역의 사과 생산량을 쉽게 알 수 있습니다.
> 태호: 권역별로 사과 생산량의 많고 적음을 쉽게 파악할 수 있습니다.

( )

4 그림그래프를 보고 알 수 있는 내용을 쓰세요.

> ＿＿＿＿＿＿＿＿＿ 권역의 사과 생산량이 가장 많습니다.

미리 보는 수학 익힘 — 띠그래프

● 정답 53쪽

1 전체에 대한 각 부분의 비율을 띠 모양에 나타낸 그래프를 무엇이라고 하나요?

학급 대표 선거 후보자별 득표 수

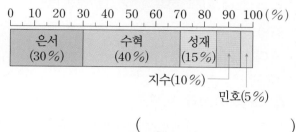

( )

[2~3] 샛별이네 학교 학생들의 혈액형을 조사하여 나타낸 표입니다. 물음에 답하세요.

혈액형별 학생 수

혈액형	A형	B형	O형	AB형	합계
학생 수(명)	90	105	60	45	300
백분율 (%)	30			15	100

2 조사한 학생은 모두 몇 명인가요?

( )

3 ☐ 안에 알맞은 수를 써넣으세요.

• B형: $\dfrac{105}{300} \times 100 = $ ☐ (%)

• O형: $\dfrac{60}{300} \times 100 = $ ☐ (%)

혈액형별 학생 수

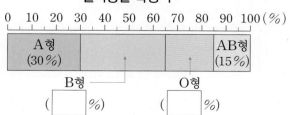

[4~6] 주호가 한 달에 쓴 용돈의 쓰임새를 나타낸 표와 띠그래프입니다. 물음에 답하세요.

용돈의 쓰임새별 금액

용돈의 쓰임새	저금	학용품	군것질	기타	합계
금액(원)	8000	10400	16000	5600	
백분율 (%)	20	26	40	14	100

용돈의 쓰임새별 금액

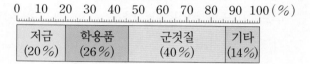

4 군것질에 사용한 금액은 저금에 사용한 금액의 몇 배인가요?

( )

5 주호의 한 달 용돈은 얼마인가요?

( )

6 띠그래프를 보고 알 수 있는 내용을 쓴 것입니다. ☐ 안에 알맞은 수나 말을 써넣으세요.

• 가장 많은 금액을 사용한 용돈의 쓰임새는 ☐ 입니다.

• 저금 또는 학용품에 사용한 용돈은 전체의 ☐ %입니다.

미리 보는 수학 익힘 · 띠그래프로 나타내기

● 정답 54쪽

[1~3] 재희네 반 학생들이 좋아하는 TV 프로그램을 조사하여 나타낸 표입니다. 물음에 답하세요.

좋아하는 TV 프로그램별 학생 수

TV 프로그램	드라마	예능	음악	기타	합계
학생 수(명)	12	18	6	4	40
백분율 (%)	30		15		

1 전체 학생 수에 대한 예능을 좋아하는 학생 수와 기타를 좋아하는 학생 수의 백분율은 각각 얼마인가요?

- 예능: $\dfrac{18}{40} \times 100 = \boxed{}$ (%)

- 기타: $\dfrac{4}{40} \times 100 = \boxed{}$ (%)

2 각 항목의 백분율을 모두 더하면 얼마인가요?

(   )

3 띠그래프를 완성해 보세요.

좋아하는 TV 프로그램별 학생 수

```
 0  10  20  30  40  50  60  70  80  90  100 (%)
┌──────────┬─────────────────────────────────┐
│  드라마  │                                 │
│  (30%)   │                                 │
└──────────┴─────────────────────────────────┘
```

[4~6] 글을 읽고 물음에 답하세요.

> 수아네 학교 학생 500명을 대상으로 학생들이 방과 후에 하는 활동을 조사하였습니다. 요리는 100명, 축구는 125명, 로봇 조립은 ☐명, 기타는 75명이었습니다.

4 표를 완성해 보세요.

방과 후에 하는 활동별 학생 수

활동	요리	축구	로봇 조립	기타	합계
학생 수(명)	100	125		75	500
백분율 (%)	20	25			100

5 띠그래프로 나타내어 보세요.

방과 후에 하는 활동별 학생 수

```
 0  10  20  30  40  50  60  70  80  90  100 (%)
┌────────────────────────────────────────────┐
│                                            │
└────────────────────────────────────────────┘
```

6 띠그래프로 나타내는 방법을 순서대로 찾아 기호를 쓰세요.

> ㉠ 나눈 부분에 각 항목의 내용과 백분율을 씁니다.
> ㉡ 자료를 보고 각 항목의 백분율을 구합니다.
> ㉢ 각 항목의 백분율의 합계가 100%가 되는지 확인합니다.
> ㉣ 띠그래프의 제목을 씁니다.
> ㉤ 각 항목이 차지하는 백분율의 크기만큼 선을 그어 띠를 나눕니다.

$\boxed{} - ㉡ - \boxed{} - \boxed{} - ㉣$

미리 보는 수학 익힘 · 원그래프

●정답 54쪽

1 전체에 대한 각 부분의 비율을 원 모양에 나타낸 그래프를 무엇이라고 하나요?

좋아하는 간식별 학생 수

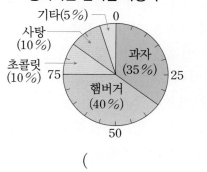

(   )

[2~3] 혜준이네 학교 6학년 학생들이 가고 싶은 체험 학습 장소를 조사하여 나타낸 표입니다. 물음에 답하세요.

체험 학습 장소별 학생 수

장소	놀이 공원	해양 체험관	문화 유적지	기타	합계
학생 수(명)	44	74	52	30	200
백분율(%)	22			15	100

2 조사한 학생은 모두 몇 명인가요?

(   )

3 □ 안에 알맞은 수를 써넣으세요.

• 해양 체험관: $\dfrac{74}{200} \times 100 = \boxed{}$ (%)

• 문화 유적지: $\dfrac{52}{200} \times 100 = \boxed{}$ (%)

체험 학습 장소별 학생 수

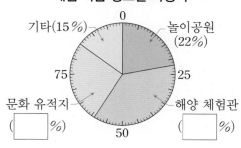

[4~6] 민서네 학교 전체 학생들을 대상으로 가고 싶은 우리나라의 섬을 조사하여 나타낸 원그래프입니다. 물음에 답하세요.

가고 싶은 섬별 학생 수

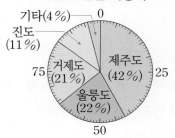

4 가장 많은 학생들이 가고 싶어 하는 섬은 어디인가요?

(   )

5 거제도에 가고 싶은 학생 수는 진도에 가고 싶은 학생 수의 약 몇 배인가요?

(   )

6 원그래프를 보고 알 수 있는 내용을 쓴 것입니다. □ 안에 알맞은 수를 써넣으세요.

• 울릉도에 가고 싶은 학생 수는 진도에 가고 싶은 학생 수의 □배입니다.

• 제주도 또는 거제도에 가고 싶은 학생 수는 전체 학생 수의 □ %입니다.

미리 보는 수학 익힘

원그래프로 나타내기

진도북 118쪽

● 정답 54쪽

[1~3] 지수네 학교의 학생들이 좋아하는 만화책을 나타낸 표입니다. 물음에 답하세요.

좋아하는 만화책별 학생 수

만화책	추리	역사	과학	기타	합계
학생 수(명)	180	210	120	90	600
백분율(%)		35	20	15	

1 전체 학생 수에 대한 추리를 좋아하는 학생 수의 백분율은 얼마인가요?

$$\frac{180}{600} \times 100 = \boxed{} \, (\%)$$

2 원그래프로 나타내어 보세요.

좋아하는 만화책별 학생 수

3 백분율과 학생 수 사이의 관계를 알아보려고 합니다. □ 안에 알맞은 수를 써넣으세요.

> 학생 수를 □으로 나누면 백분율의 값과 같습니다.

[4~6] 우진이가 쓴 일기입니다. 일기를 읽고 물음에 답하세요.

> 오늘 선생님께서 설문 조사 결과를 토대로 결정한 수학여행 일정과 장소를 알려 주셨다. 조사 결과 일정은 1박 2일 30 %, 2박 3일 70 %가 희망하여 2박 3일 일정으로 정하고, 장소는 충청권 25 %, 강원권 10 %, 전라권 30 %, 경상권 35 %가 희망하여 경상권의 문화 유적을 탐방하는 것으로 정했다고 말씀하셨다.

4 수학여행 일정별 학생 수의 백분율을 표로 나타내어 보세요.

수학여행 일정별 학생 수

일정	1박 2일	2박 3일	합계
백분율(%)	30		100

5 수학여행 장소별 학생 수의 백분율을 표로 나타내어 보세요.

수학여행 장소별 학생 수

장소	충청권	강원권	전라권	경상권	합계
백분율(%)	25		30		100

6 수학여행 일정과 장소별 학생 수의 백분율을 각각 원그래프로 나타내어 보세요.

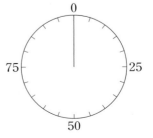 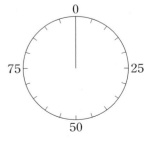

수학여행 일정별 학생 수   수학여행 장소별 학생 수

미리 보는 수학 익힘   그래프 해석하기

진도북 118쪽

● 정답 54쪽

[1~3] 윤아네 반 학생들이 생일에 받고 싶은 선물을 조사하여 나타낸 띠그래프입니다. 물음에 답하세요.

받고 싶은 선물별 학생 수

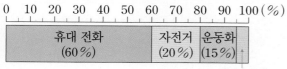

1 휴대 전화를 받고 싶은 학생 수는 운동화를 받고 싶은 학생 수의 몇 배인가요?

( )

2 자전거를 받고 싶은 학생이 8명이라면 기타에 속하는 학생은 몇 명인가요?

( )

3 띠그래프를 보고 알 수 있는 사실을 넣어서 기사문을 작성한 것입니다. □ 안에 알맞은 수나 말을 써넣으세요.

> 지난주 윤아네 반 학생들을 대상으로 생일에 받고 싶은 선물을 조사하였습니다.
> 그 결과 [   ]가 [   ]%로 받고 싶은 선물 1위를 차지하며 윤아네 반 학생들에게 가장 인기 있는 선물로 조사되었습니다.

[4~6] 어느 지역의 교육 과정별 학생 수를 조사하여 나타낸 원그래프입니다. 물음에 답하세요.

교육 과정별 학생 수

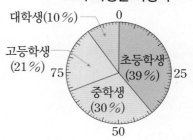

4 어느 교육 과정의 학생 수가 가장 많은가요?

( )

수학 익힘

5
단원

5 대학생 수는 중학생 수의 몇 배인가요?

( )

6 원그래프를 보고 알 수 있는 내용을 쓴 것입니다. □ 안에 알맞은 수를 써넣으세요.

> • 초등학생 수는 전체 학생 수의 [   ]%입니다.
> • 중학생 또는 고등학생인 학생 수는 전체 학생 수의 [   ]%입니다.

미리 보는 **수학 익힘** 여러 가지 그래프 비교

진도북 119쪽

● 정답 55쪽

[1~5] 마을별 배출하는 쓰레기의 양을 나타낸 그림 그래프입니다. 물음에 답하세요.

마을별 쓰레기 배출량

500 kg
100 kg

1 표를 완성해 보세요.

마을별 쓰레기 배출량

마을	가	나	다	라	합계
배출량 (kg)	400		600	200	2000
백분율 (%)	20	40		10	100

2 막대그래프로 나타내어 보세요.

마을별 쓰레기 배출량

(kg) 1000
500
0
배출량 / 마을 : 가 나 다 라

3 띠그래프로 나타내어 보세요.

마을별 쓰레기 배출량

0 10 20 30 40 50 60 70 80 90 100(%)

4 원그래프로 나타내어 보세요.

마을별 쓰레기 배출량

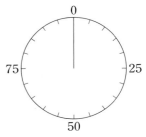

5 마을별 쓰레기 배출량을 비교할 때 원영이는 원그래프가 가장 적당하다고 생각했습니다. 그 이유를 쓰세요.

이유

미리 보는 수학 익힘 　 직육면체의 부피 비교

진도북 140쪽

● 정답 55쪽

[1~2] 세 직육면체의 부피를 비교하려고 합니다. 물음에 답하세요.

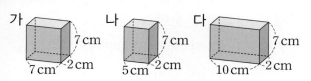

1 부피가 큰 직육면체부터 기호를 차례로 쓰세요.

(　　　　　　)

2 세 직육면체의 부피를 비교한 방법을 쓴 것입니다. □ 안에 알맞은 말을 써넣으세요.

> 가, 나, 다는 모두 □와 □가 같습니다. 따라서 가로가 가장 긴 □의 부피가 가장 크고, 가로가 가장 짧은 □의 부피가 가장 작습니다.

3 크기가 같은 쌓기나무를 사용하여 두 직육면체의 부피를 비교하고, ○ 안에 >, =, <를 알맞게 써넣으세요.

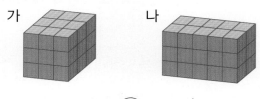

가의 부피 　○　 나의 부피

4 두 직육면체 모양의 포장 상자에 크기가 같은 휴지 상자를 담아 두 포장 상자의 부피를 비교하려고 합니다. 물음에 답하세요.

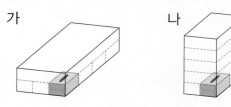

(1) 가와 나 포장 상자에 담을 수 있는 휴지 상자는 각각 몇 개인가요?

가 (　　　　　　)

나 (　　　　　　)

(2) 가와 나 포장 상자 중에서 부피가 더 큰 포장 상자는 어느 것인가요?

(　　　　　　)

5 직접 맞대었을 때 부피를 비교할 수 있는 상자끼리 짝지어 보고, 그 이유를 쓰세요.

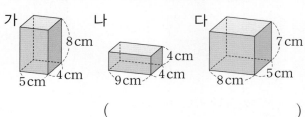

(　　　　　　)

이유 직접 맞대어 비교하려면 가로, 세로, 높이 중에서 (한 , 두) 종류 이상의 길이가 같아야 합니다. □와 □는 8 cm, 5 cm인 변의 길이가 각각 같기 때문에 부피를 직접 맞대어 비교할 수 있습니다.

미리 보는 수학 익힘 　직육면체의 부피 구하는 방법

진도북 140쪽

● 정답 55쪽

1 부피가 1 cm³인 쌓기나무를 오른쪽과 같이 쌓았습니다. 쌓기나무의 수를 곱셈식으로 나타내고 직육면체의 부피를 구하세요.

쌓기나무의 수(개)	부피 (cm³)
□ × □ × □	

2 은수는 가로가 4 cm, 세로가 3 cm, 높이가 2 cm인 직육면체 모양의 지우개를 샀습니다. 은수가 산 지우개의 부피는 몇 cm³인가요?

식

답

3 직육면체 모양의 두 물건 중 부피가 더 큰 물건의 기호를 쓰세요.

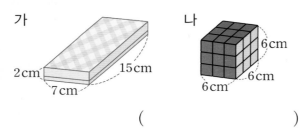

가
2cm 15cm 7cm

나
6cm 6cm 6cm

(　　　　　　　)

4 오른쪽 직육면체 모양 상자의 부피는 432 cm³입니다. 이 상자의 높이를 구하세요.

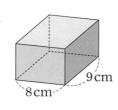

9cm 8cm

(　　　　　　　)

5 작은 정육면체 여러 개를 정육면체 모양으로 쌓은 것입니다. 쌓은 정육면체 모양의 부피가 729 cm³일 때 작은 정육면체의 한 모서리의 길이는 몇 cm인가요?

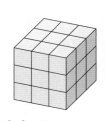

(　　　　　　　)

6 오른쪽 그림과 같은 직육면체 모양의 카스텔라를 잘라서 정육면체 모양으로 만들려고 합니다. 만들 수 있는 가장 큰 정육면체 모양의 부피는 몇 cm³인가요?

8cm 15cm 12cm

(　　　　　　　)

7 부피가 36 cm³인 직육면체가 있습니다. 이 직육면체의 가로, 세로, 높이를 정해 표를 완성해 보세요. (단, 각 모서리의 길이는 자연수입니다.)

가로 (cm)	세로 (cm)	높이 (cm)	부피 (cm³)
2			36
		4	36

미리 보는 수학 익힘 m³ 알아보기

● 정답 56쪽

1 그림을 보고 □ 안에 알맞게 써넣으세요.

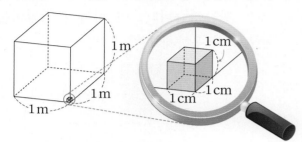

한 모서리의 길이가 1 m인 정육면체의 부피를 □라 쓰고, □라고 읽습니다.

1 m³ = □ cm³

2 직육면체를 보고 물음에 답하세요.

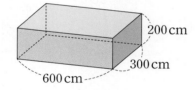

(1) 직육면체의 가로, 세로, 높이를 m로 나타내어 보세요.

가로 ( )
세로 ( )
높이 ( )

(2) 직육면체의 부피는 몇 m³인지 구하세요.

( )

3 □ 안에 알맞은 수를 써넣으세요.

(1) 5 m³ = □ cm³

(2) 1700000 cm³ = □ m³

4 부피가 큰 순서대로 기호를 쓰세요.

> ㉠ 3.4 m³
> ㉡ 한 모서리의 길이가 300 cm인 정육면체의 부피
> ㉢ 가로가 0.7 m, 세로가 4 m, 높이가 60 cm인 직육면체의 부피

( )

5 가로가 5 m, 세로가 3 m, 높이가 8 m인 직육면체 모양의 창고가 있습니다. 이 창고에 한 모서리의 길이가 25 cm인 정육면체 모양의 상자를 빈틈없이 쌓으려고 합니다. 정육면체 모양의 상자를 모두 몇 개까지 쌓을 수 있나요? (단, 창고의 두께는 생각하지 않습니다.)

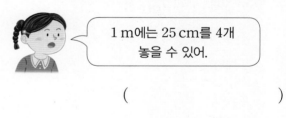

1 m에는 25 cm를 4개 놓을 수 있어.

( )

6 윤지의 방에 있는 옷장의 부피는 1.92 m³이고, 에어컨의 부피는 210000 cm³입니다. 옷장과 에어컨의 부피의 차는 몇 m³인가요?

( )

미리 보는 수학 익힘　직육면체의 겉넓이 구하는 방법

진도북 142쪽

● 정답 56쪽

1 직육면체의 겉넓이를 여러 가지 방법으로 구하세요.

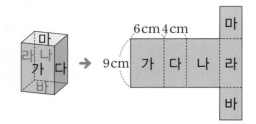

(1) (여섯 면의 넓이의 합)

= ☐ + ☐ + ☐ + ☐

　+ ☐ + ☐

= ☐ (cm²)

(2) (한 꼭짓점에서 만나는 세 면의 넓이의 합)×2

= (☐ + ☐ + ☐) × 2

= ☐ (cm²)

(3) (옆면의 넓이)+(한 밑면의 넓이)×2

= ☐ × 9 + (4 × ☐) × 2

= ☐ (cm²)

2 직육면체 모양 상자의 겉넓이는 몇 cm²인지 구하세요.

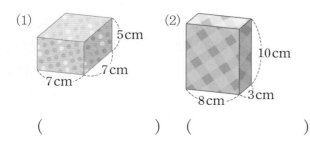

(1)　　　　　　　　(2)

(　　　　　) (　　　　　)

3 다음 전개도를 이용하여 정육면체 모양의 상자를 만들었습니다. 이 상자의 겉넓이는 몇 cm²인지 구하세요.

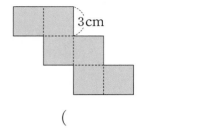

(　　　　　　　　　)

4 직육면체 가의 겉넓이는 정육면체 나의 겉넓이와 같습니다. 정육면체 나의 한 모서리의 길이는 몇 cm인가요?

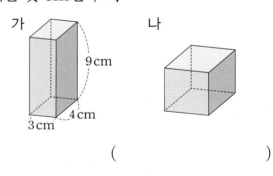

(　　　　　　　　　)

5 버터를 똑같이 2조각으로 자를 때 버터 2조각의 겉넓이의 합은 처음 버터의 겉넓이보다 64 cm² 늘어납니다. 버터를 똑같이 4조각으로 자를 때 버터 4조각의 겉넓이의 합은 처음 버터의 겉넓이보다 얼마나 늘어나는지 구하세요.

처음 버터　　똑같이 2조각　　똑같이 4조각
　　　　　　으로 자른 버터　　으로 자른 버터

(　　　　　　　　　)

독해의 핵심은 비문학

지문 분석으로 독해를 깊이 있게!
비문학 독해 | 1~6단계

올바른 문학 독서법

문학 갈래별 작품 이해를 풍성하게!
문학 독해 | 1~6단계

결국은 어휘력

비문학 독해로 어휘 이해부터 어휘 확장까지!
어휘 X 독해 | 1~6단계

초등 문해력의 빠른시작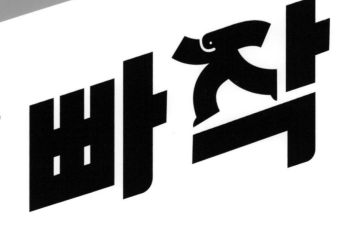

동아출판

큐브
수학
개념

엄마 매니저의
큐브수학
STORY

🔍 초등수학 문제집 추천 ▼

3년째 큐브수학 개념으로 엄마표 수학 완성!

닉네임
사*

4학년부터 개념은 큐브수학으로 시작했는데요. 설명이 쉽게 되어 있어서 접근하기가 좋더라고요. 기초개념만 제대로 잡히면 그다음 단계로 올라가는 건 어렵지 않아요. 처음부터 너무 어려우면 부담스러워 피하기도 하는데 아이가 쉽게 잘 풀어나가는게 효과가 아주 좋았어요. **기초 잡기에는 큐브수학 개념이 제일 만족스러웠어요.**

쉽고 재미있게 개념도 탄탄하게!

닉네임
그**

큐브수학 개념을 계속해서 선택한 이유는 **기초 수학을 체계적으로 풀어가면서 수학 실력을 쌓을 수 있기 때문이에요.** 무료 스마트러닝 개념 동영상 강의도 쉽고 재미나서 혼자서도 충실하게 잘 듣더라고요! 수학 익힘 문제, 더 확장된 문제들까지 다양하게 풀어 볼 수 있어서 좋았어요. 큐브수학만큼 만족도가 큰 문제집은 없는 것 같네요.

무료 동영상 강의로 빈틈 없는 홈스쿨링

닉네임
매****

엄마표 수학을 진행하고 있기 때문에 아이가 잘 따라올 수 있는 수준의 문제집을 고르려고 해요. **특히 홈스쿨링으로 예습을 할 때 가장 좋은 건 동영상 강의예요.** QR코드를 찍으면 바로 동영상을 볼 수 있고, 선생님이 제가 알려주는 것보다 더 알기 쉽게 알려주세요. 부족한 학습은 동영상을 통해 채워줄 수 있어서 정말 좋아요. 혼자서도 언제 어느 때나 강의를 들을 수 있다는 점이 최고!

큐브
수학
개념

정답 및 풀이

6·1

동아출판

정답 및 풀이

6·1

| 차례 | | 매칭북 | |
진도북	단원명	기초력 학습지	미리 보는 수학 익힘
01~05쪽	1. 분수의 나눗셈	39쪽	44~46쪽
06~11쪽	2. 각기둥과 각뿔	40쪽	46~48쪽
12~19쪽	3. 소수의 나눗셈	41쪽	48~51쪽
20~25쪽	4. 비와 비율	42~43쪽	51~53쪽
26~32쪽	5. 여러 가지 그래프	43쪽	53~55쪽
32~37쪽	6. 직육면체의 부피와 겉넓이	44쪽	55~56쪽
37~38쪽	학업 성취도 평가		

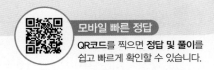
진도북 정답 및 풀이

1 분수의 나눗셈

1 (1) 예 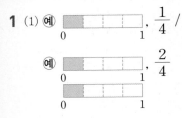, $\dfrac{1}{4}$ /

예 , $\dfrac{2}{4}$

(2) $\dfrac{1}{4}$, 2, $\dfrac{2}{4}$

2 예 , $\dfrac{4}{5}$

3 $\dfrac{1}{6}$, 7 / 7, 1, 1

4 (1) $\dfrac{1}{7}$ (2) $\dfrac{2}{9}$ (3) $\dfrac{3}{7}$ (4) $\dfrac{11}{6}\left(=1\dfrac{5}{6}\right)$

1 (자연수)÷(자연수)의 몫은 나누어지는 수를 분자, 나누는 수를 분모로 하는 분수로 나타낼 수 있습니다.

코칭Tip 2÷4는 1÷4와 비교했을 때 나누어지는 수가 2배이므로 몫도 2배가 됩니다.

2 오각형 4개를 각각 5로 나누면 $\dfrac{1}{5}$이 4개입니다.

➜ $4 \div 5 = \dfrac{4}{5}$

채점Tip 똑같이 5로 나누어진 오각형 4개 중에서 4칸에 색칠했으면 정답으로 합니다.

3 ●와 ■가 자연수일 때, ● ÷ ■ $=\dfrac{●}{■}$ 로 나타낼 수 있습니다.

코칭Tip 나누어지는 수가 나누는 수보다 클 때 몫은 가분수가 됩니다.

4 (1) $1 \div 7 = \dfrac{1}{7}$ (2) $2 \div 9 = \dfrac{2}{9}$

(3) $3 \div 7 = \dfrac{3}{7}$ (4) $11 \div 6 = \dfrac{11}{6}$

1 2, 2

2 (1) 4, $\dfrac{2}{9}$ (2) 10, 10, $\dfrac{5}{12}$

3 $\dfrac{1}{5}$, $\dfrac{1}{5}$ / $\dfrac{1}{5}$, $\dfrac{2}{15}$

4 $\dfrac{10}{7} \div 3 = \dfrac{10}{7} \times \dfrac{1}{3} = \dfrac{10}{21}$

1 5칸 중 4칸에 색칠되어 있으므로 4칸을 둘로 나누면 하나는 2칸입니다.

2 (1) 분자를 자연수로 나누어 계산합니다.
(2) 크기가 같은 분수 중에서 분자가 자연수의 배수인 수로 바꾸어 계산합니다.

3 그림에서 빗금 친 부분은 $\dfrac{2}{3}$를 똑같이 5로 나눈 것 중의 하나입니다.

4 ÷3을 $\times\dfrac{1}{3}$로 바꾸어 나타낸 다음 분수의 곱셈을 계산합니다.

1 (1) (위에서부터) 12, 4, 4, 4   (2) 12, 12, 4

2 방법1 21, 21, 3   방법2 21, 21, 7, 3

3 (1) $\dfrac{4}{7}$ (2) $\dfrac{5}{18}$ (3) $\dfrac{11}{12}$ (4) $\dfrac{3}{4}$

1 색칠된 부분은 $\dfrac{1}{5}$이 12칸이므로 $\dfrac{12}{5}$입니다.
12칸을 똑같이 3으로 나눈 것 중 하나는 4칸이므로 $2\dfrac{2}{5} \div 3 = \dfrac{4}{5}$입니다.

2 방법1 대분수를 가분수로 바꾼 다음 분자를 자연수로 나누어 계산합니다.
방법2 대분수를 가분수로 바꾼 다음 분수의 곱셈으로 나타내어 계산합니다.

진도북

1
단원

3 (1) $2\dfrac{2}{7} \div 4 = \dfrac{16}{7} \div 4 = \dfrac{16 \div 4}{7} = \dfrac{4}{7}$

(2) $2\dfrac{2}{9} \div 8 = \dfrac{20}{9} \div 8 = \dfrac{40}{18} \div 8$

$= \dfrac{40 \div 8}{18} = \dfrac{5}{18}$

(3) $1\dfrac{5}{6} \div 2 = \dfrac{11}{6} \div 2 = \dfrac{11}{6} \times \dfrac{1}{2} = \dfrac{11}{12}$

(4) $3\dfrac{3}{4} \div 5 = \dfrac{15}{4} \div 5 = \dfrac{15 \div 5}{4} = \dfrac{3}{4}$

코칭Tip 분자를 자연수로 나누어 계산하거나 분수의 나눗셈을
분수의 곱셈으로 나타내어 계산합니다.

014쪽 STEP2 개념 한번 더 잡기

01 예 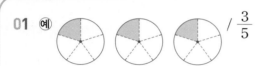 / $\dfrac{3}{5}$

02 $\dfrac{1}{3}$, 4, 4, 1, 1

03 (1) $\dfrac{1}{8}$ (2) $\dfrac{7}{2}\left(=3\dfrac{1}{2}\right)$ (3) $\dfrac{12}{5}\left(=2\dfrac{2}{5}\right)$

04 $\dfrac{3}{8}$ **05** 3 / 3, 3, $\dfrac{1}{12}$

06 15, 15, 5 **07** $\dfrac{1}{4}$, $\dfrac{5}{28}$

08 $\dfrac{1}{5}$, $\dfrac{8}{55}$

09 $\dfrac{9}{7} \div 2 = \dfrac{9}{7} \times \dfrac{1}{2} = \dfrac{9}{14}$

10 (1) $\dfrac{5}{16}$ (2) $\dfrac{13}{20}$

11 방법 1 $3\dfrac{1}{5} \div 4 = \dfrac{16}{5} \div 4 = \dfrac{16 \div 4}{5} = \dfrac{4}{5}$

방법 2 $3\dfrac{1}{5} \div 4 = \dfrac{16}{5} \div 4 = \dfrac{16}{5} \times \dfrac{1}{4}$

$= \dfrac{16}{20}\left(=\dfrac{4}{5}\right)$

12 $\dfrac{17}{24}$ / 3, $\dfrac{17}{24}$ **13** (1) $\dfrac{17}{20}$ (2) $\dfrac{11}{72}$

14 $\dfrac{1}{12}$

01 원 3개를 각각 5로 나누면 $\dfrac{1}{5}$이 3개입니다.

→ $3 \div 5 = \dfrac{3}{5}$

03 $\bullet \div \blacksquare = \dfrac{\bullet}{\blacksquare}$

04 작은 눈금 한 칸의 크기는 $\dfrac{1}{8}$입니다.

$\dfrac{6}{8}$을 똑같이 2로 나눈 것 중의 1은 $\dfrac{3}{8}$입니다.

→ $\dfrac{6}{8} \div 2 = \dfrac{3}{8}$

05 분자가 자연수의 배수가 되도록 분수의 분모와 분자
에 각각 3을 곱한 다음 계산합니다.

06 $\dfrac{5}{9}$와 크기가 같은 분수 중에서 분자가 3으로 나누어

떨어지는 분수는 $\dfrac{5}{9} = \dfrac{5 \times 3}{9 \times 3} = \dfrac{15}{27}$입니다.

07 $\div 4$와 $\times \dfrac{1}{4}$은 어떤 수를 똑같이 4로 나눈 것 중의

하나로 같은 의미입니다. 따라서 $\dfrac{5}{7} \div 4$를 $\dfrac{5}{7} \times \dfrac{1}{4}$

로 나타내어 계산할 수 있습니다.

08 $\div 5$를 $\times \dfrac{1}{5}$로 바꾸어 계산합니다.

10 (1) $\dfrac{5}{8} \div 2 = \dfrac{5}{8} \times \dfrac{1}{2} = \dfrac{5}{16}$

(2) $\dfrac{13}{4} \div 5 = \dfrac{13}{4} \times \dfrac{1}{5} = \dfrac{13}{20}$

11 (대분수)÷(자연수)는 대분수를 가분수로 바꾼 다음
(분수)÷(자연수)와 같은 방법으로 계산합니다.

12 $2\dfrac{1}{8} \div 3 = \dfrac{17}{8} \div 3 = \dfrac{17}{8} \times \dfrac{1}{3} = \dfrac{17}{24}$

13 (1) $3\dfrac{2}{5} \div 4 = \dfrac{17}{5} \div 4 = \dfrac{17}{5} \times \dfrac{1}{4} = \dfrac{17}{20}$

(2) $1\dfrac{2}{9} \div 8 = \dfrac{11}{9} \div 8 = \dfrac{11}{9} \times \dfrac{1}{8} = \dfrac{11}{72}$

14 $1\dfrac{1}{6} \div 14 = \dfrac{7}{6} \div 14 = \dfrac{7}{6} \times \dfrac{1}{14}$

$= \dfrac{7}{84} = \dfrac{1}{12}$

01
(1) •　　•
(2) •　　•
(3) •　　•

02 (○) (　　)

03 3, 3, 3, 3, 8

04 $3÷5=\dfrac{3}{5}$ / $\dfrac{3}{5}$ m

05 $\dfrac{9}{4}$ kg$\left(=2\dfrac{1}{4}\ \text{kg}\right)$

06 $\dfrac{8}{7}\left(=1\dfrac{1}{7}\right)$

07 ㉢

08 $\dfrac{1}{4}$ m

09 3, 1, 2

10 $\dfrac{1}{63}$

11 ⑩ $\dfrac{3}{5}$, 8 / $\dfrac{3}{40}$

12 $\dfrac{16}{5}$ cm$\left(=3\dfrac{1}{5}\ \text{cm}\right)$

13 4개

14 $\dfrac{7}{16}$ kg

15 $\dfrac{14}{9}$ m²$\left(=1\dfrac{5}{9}\ \text{m}^2\right)$

16 $\dfrac{5}{6}$ 공기 / $\dfrac{13}{12}$ 큰술$\left(=1\dfrac{1}{12}\ \text{큰술}\right)$

17 (1) $\dfrac{21}{4}$ m²$\left(=5\dfrac{1}{4}\ \text{m}^2\right)$ / $\dfrac{19}{3}$ m²$\left(=6\dfrac{1}{3}\ \text{m}^2\right)$
(2) ㉯ 수목원

---

01 $●÷■=\dfrac{●}{■}$

(1) $5÷2=\dfrac{5}{2}$　(2) $3÷7=\dfrac{3}{7}$　(3) $7÷3=\dfrac{7}{3}$

02 • $5÷6=\dfrac{5}{6}$　　• $11÷12=\dfrac{11}{12}$

→ $\dfrac{5}{6}\left(=\dfrac{10}{12}\right)<\dfrac{11}{12}$이므로 $5÷6<11÷12$입니다.

03 $8÷5=\boxed{1}\cdots3,\ 3÷5=\boxed{\dfrac{3}{5}}$

→ $8÷5=\boxed{1}\ \boxed{\dfrac{3}{5}}=\dfrac{8}{5}$

04 (한 모둠에 나누어 주어야 하는 리본의 길이)
＝(전체 리본의 길이)÷(모둠 수)
$=3÷5=\dfrac{3}{5}$ (m)

05 (전체 콩의 무게)$=\dfrac{9}{5}×5=9$ (kg)
(유리병 한 개에 담을 콩의 무게)
$=9÷4=\dfrac{9}{4}=2\dfrac{1}{4}$ (kg)

06 어떤 수를 □라고 하면 □×7=56에서 □=8입니다.
따라서 바르게 계산하면 $8÷7=\dfrac{8}{7}=1\dfrac{1}{7}$입니다.

07 ㉢ $\dfrac{4}{7}÷3=\dfrac{12}{21}÷3=\dfrac{12÷3}{21}=\dfrac{4}{21}$

08 (정삼각형의 한 변의 길이)
＝(정삼각형의 둘레)÷3
$=\dfrac{3}{4}÷3=\dfrac{3÷3}{4}=\dfrac{1}{4}$ (m)

09 • $\dfrac{1}{2}÷9=\dfrac{1}{2}×\dfrac{1}{9}=\dfrac{1}{18}\left(=\dfrac{2}{36}\right)$
• $\dfrac{7}{12}÷3=\dfrac{7}{12}×\dfrac{1}{3}=\dfrac{7}{36}$
• $\dfrac{5}{9}÷4=\dfrac{5}{9}×\dfrac{1}{4}=\dfrac{5}{36}$

$\dfrac{7}{36}>\dfrac{5}{36}>\dfrac{2}{36}$이므로 차례로 3, 1, 2입니다.

10 $□×7=\dfrac{1}{9}$ ➡ $□=\dfrac{1}{9}÷7=\dfrac{1}{9}×\dfrac{1}{7}=\dfrac{1}{63}$

11 $\dfrac{▲}{■}÷●=\dfrac{▲}{■}×\dfrac{1}{●}=\dfrac{▲}{■×●}$이므로 계산 결과가 가장 작으려면 ■와 ● 자리에 가장 큰 수와 두 번째로 큰 수를 놓아야 합니다.

➡ $\dfrac{3}{5}÷8=\dfrac{3}{40}$ 또는 $\dfrac{3}{8}÷5=\dfrac{3}{40}$

12 (세로)＝(직사각형의 넓이)÷(가로)
$=\dfrac{64}{5}÷4=\dfrac{\overset{16}{64}}{5}×\dfrac{1}{\underset{1}{4}}=\dfrac{16}{5}=3\dfrac{1}{5}$ (cm)

13 $1\dfrac{2}{3}÷2=\dfrac{5}{3}÷2=\dfrac{5}{3}×\dfrac{1}{2}=\dfrac{5}{6}$입니다.
$\dfrac{□}{6}<1\dfrac{2}{3}÷2$는 $\dfrac{□}{6}<\dfrac{5}{6}$이므로 □ 안에 들어갈 수 있는 자연수는 1, 2, 3, 4로 모두 4개입니다.

14 (배 8개의 무게)
＝(배 8개가 들어 있는 바구니의 무게)
　－(빈 바구니의 무게)
$=3\dfrac{3}{4}-\dfrac{1}{4}=3\dfrac{2}{4}=3\dfrac{1}{2}$ (kg)
➡ (배 한 개의 무게)
$=3\dfrac{1}{2}÷8=\dfrac{7}{2}÷8=\dfrac{7}{2}×\dfrac{1}{8}=\dfrac{7}{16}$ (kg)

15 (페인트 한 통으로 칠한 벽면의 넓이)
  =(전체 벽면의 넓이)÷(페인트 통의 수)
  $=4\frac{2}{3}\div3=\frac{14}{3}\div3=\frac{14}{3}\times\frac{1}{3}=\frac{14}{9}=1\frac{5}{9}$ (m²)

16 ・밥: $2\frac{1}{2}\div3=\frac{5}{2}\div3=\frac{5}{2}\times\frac{1}{3}=\frac{5}{6}$ (공기)

  ・참기름: $3\frac{1}{4}\div3=\frac{13}{4}\div3=\frac{13}{4}\times\frac{1}{3}$
  $=\frac{13}{12}=1\frac{1}{12}$ (큰술)

17 (1) ・㉮ 수목원: $21\div4=\frac{21}{4}=5\frac{1}{4}$ (m²)

  ・㉯ 수목원: $19\div3=\frac{19}{3}=6\frac{1}{3}$ (m²)

  (2) $\frac{21}{4}\left(=5\frac{1}{4}\right)<\frac{19}{3}\left(=6\frac{1}{3}\right)$ 이므로 장미를 심은
  넓이가 더 넓은 곳은 ㉯ 수목원입니다.

019쪽 서술형 잡기   ※서술형 문제의 예시 답안입니다.

1 ❶ 가분수

  ❷ $1\frac{9}{10}\div3=\frac{19}{10}\div3=\frac{19}{10}\times\frac{1}{3}=\frac{19}{30}$

2 ❶ 잘못된 이유 쓰기 ▶ 2점
  ❷ 바르게 계산하기 ▶ 3점

  ❶ 대분수를 가분수로 바꾸지 않고 계산하였습니다.

  ❷ $5\frac{6}{7}\div2=\frac{41}{7}\div2=\frac{41}{7}\times\frac{1}{2}=\frac{41}{14}\left(=2\frac{13}{14}\right)$

3 ❶ 6, 4 ❷ 4, 4, 16, 3, 1

  / $\frac{16}{5}$ cm²$\left(=3\frac{1}{5}\text{ cm}^2\right)$

4 ❶ 정오각형의 한 칸의 넓이 구하기 ▶ 3점
  ❷ 색칠한 부분의 넓이 구하기 ▶ 2점

  ❶ (정오각형의 한 칸의 넓이)
   $=\frac{45}{7}\div5=\frac{9}{7}$ (cm²)

  ❷ (색칠한 부분의 넓이)
   $=\frac{9}{7}\times4=\frac{36}{7}=5\frac{1}{7}$ (cm²)

  / $\frac{36}{7}$ cm²$\left(=5\frac{1}{7}\text{ cm}^2\right)$

020쪽 단원마무리

01 $\frac{1}{5}$

02 예 / $\frac{3}{4}$

03 $\frac{2}{9}$ **04** $\frac{1}{6}$, $\frac{5}{42}$

05 15, 15, 5, $\frac{3}{7}$ **06** $\frac{3}{56}$

07 $\frac{11}{2}\div4=\frac{11}{2}\times\frac{1}{4}=\frac{11}{8}=1\frac{3}{8}$

08 $\frac{5}{72}$, $\frac{2}{81}$ **09** $\frac{8}{21}$

10 (1) •   •   **11** 서현
   (2) •   •   **12** >

13 $\frac{8}{3}\left(=2\frac{2}{3}\right)$, $\frac{4}{15}$ **14** $\frac{29}{60}$

15 $2\div5=\frac{2}{5}$ / $\frac{2}{5}$ L   **16** $\frac{11}{4}$ cm$\left(=2\frac{3}{4}\text{ cm}\right)$

17 6, 7, 8   **18** $\frac{3}{40}$ m

서술형   ※서술형 문제의 예시 답안입니다.

19 ❶ 잘못된 이유 쓰기 ▶ 2점
  ❷ 바르게 계산하기 ▶ 3점

  ❶ 대분수를 가분수로 바꾸지 않고 계산하였습니다.

  ❷ $2\frac{6}{7}\div3=\frac{20}{7}\div3=\frac{20}{7}\times\frac{1}{3}=\frac{20}{21}$

20 ❶ 정팔각형의 한 칸의 넓이 구하기 ▶ 3점
  ❷ 색칠한 부분의 넓이 구하기 ▶ 2점

  ❶ (정팔각형의 한 칸의 넓이)
   $=3\frac{5}{9}\div8=\frac{32}{9}\div8=\frac{4}{9}$ (cm²)

  ❷ (색칠한 부분의 넓이)
   $=\frac{4}{9}\times5=\frac{20}{9}=2\frac{2}{9}$ (cm²)

  / $\frac{20}{9}$ cm²$\left(=2\frac{2}{9}\text{ cm}^2\right)$

01 그림에서 색칠한 부분은 1을 똑같이 5로 나눈 것 중의 하나입니다.

$\rightarrow 1 \div 5 = \dfrac{1}{5}$

코칭Tip $1 \div \bullet = \dfrac{1}{\bullet}$

02 원 3개를 각각 4로 나누면 $\dfrac{1}{4}$이 3개입니다.

$\rightarrow 3 \div 4 = \dfrac{3}{4}$

03 작은 눈금 한 칸의 크기는 $\dfrac{1}{9}$입니다.

$\dfrac{8}{9}$을 똑같이 4로 나눈 것 중의 1은 $\dfrac{2}{9}$입니다.

$\rightarrow \dfrac{8}{9} \div 4 = \dfrac{2}{9}$

04 (분수)÷(자연수)=(분수)$\times \dfrac{1}{(자연수)}$

05 대분수를 가분수로 바꾼 다음 분자를 자연수로 나누어 계산합니다.

06 $\dfrac{3}{8} \div 7 = \dfrac{21}{56} \div 7 = \dfrac{21 \div 7}{56} = \dfrac{3}{56}$

다른 풀이 $\dfrac{3}{8} \div 7 = \dfrac{3}{8} \times \dfrac{1}{7} = \dfrac{3}{56}$

07 $\div 4$를 $\times \dfrac{1}{4}$로 바꾸어 나타낸 다음 분수의 곱셈을 계산합니다.

08 $\cdot \dfrac{5}{8} \div 9 = \dfrac{5}{8} \times \dfrac{1}{9} = \dfrac{5}{72}$

$\cdot \dfrac{2}{9} \div 9 = \dfrac{2}{9} \times \dfrac{1}{9} = \dfrac{2}{81}$

09 $\dfrac{24}{7} = 3\dfrac{3}{7}$이므로 $\dfrac{24}{7} < 9$입니다.

$\rightarrow$ (작은 수)÷(큰 수)$= \dfrac{24}{7} \div 9 = \dfrac{24}{7} \times \dfrac{1}{9}$

$= \dfrac{24}{63} = \dfrac{8}{21}$

10 (1) $1\dfrac{1}{4} \div 9 = \dfrac{5}{4} \div 9 = \dfrac{5}{4} \times \dfrac{1}{9} = \dfrac{5}{36}$

(2) $2\dfrac{2}{3} \div 7 = \dfrac{8}{3} \div 7 = \dfrac{8}{3} \times \dfrac{1}{7} = \dfrac{8}{21}$

11 서현: $11 \div 2 = \dfrac{11}{2} = 5\dfrac{1}{2}$

12 $\cdot 6 \div 5 = \dfrac{6}{5} \left(= 1\dfrac{1}{5}\right)$

$\cdot 10 \div 9 = \dfrac{10}{9} \left(= 1\dfrac{1}{9}\right)$

$\rightarrow \dfrac{6}{5}\left(= 1\dfrac{1}{5}\right) > \dfrac{10}{9}\left(= 1\dfrac{1}{9}\right)$

13 $\cdot 8 \div 3 = \dfrac{8}{3} = 2\dfrac{2}{3}$

$\cdot 2\dfrac{2}{3} \div 10 = \dfrac{8}{3} \div 10 = \dfrac{8}{3} \times \dfrac{1}{10}$

$= \dfrac{8}{30} = \dfrac{4}{15}$

14 ㉠ $\dfrac{5}{3} \div 2 = \dfrac{5}{3} \times \dfrac{1}{2} = \dfrac{5}{6}$

㉡ $1\dfrac{2}{5} \div 4 = \dfrac{7}{5} \div 4 = \dfrac{7}{5} \times \dfrac{1}{4} = \dfrac{7}{20}$

$\rightarrow \dfrac{5}{6} = \dfrac{50}{60}$, $\dfrac{7}{20} = \dfrac{21}{60}$이므로

$\dfrac{50}{60} - \dfrac{21}{60} = \dfrac{29}{60}$입니다.

15 (한 명이 마신 물의 양)

$=$(전체 물의 양)÷(사람 수)

$= 2 \div 5 = \dfrac{2}{5}$ (L)

16 (높이)=(평행사변형의 넓이)÷(밑변의 길이)

$= 13\dfrac{3}{4} \div 5 = \dfrac{55}{4} \div 5 = \dfrac{55 \div 5}{4}$

$= \dfrac{11}{4} = 2\dfrac{3}{4}$ (cm)

코칭Tip $13\dfrac{3}{4} \div 5$의 계산 결과에 5를 곱해서 $13\dfrac{3}{4}$이 되는지 확인합니다.

17 $3\dfrac{3}{8} \div 3 = \dfrac{27}{8} \div 3 = \dfrac{27 \div 3}{8} = \dfrac{9}{8}$이므로

$\dfrac{5}{8} < \dfrac{\square}{8} < \dfrac{9}{8}$입니다.

따라서 $5 < \square < 9$이므로 $\square$ 안에 들어갈 수 있는 자연수는 6, 7, 8입니다.

18 (정오각형 1개의 둘레)

$= \dfrac{3}{4} \div 2 = \dfrac{3}{4} \times \dfrac{1}{2} = \dfrac{3}{8}$ (m)

$\rightarrow$ (정오각형의 한 변의 길이)

$= \dfrac{3}{8} \div 5 = \dfrac{3}{8} \times \dfrac{1}{5} = \dfrac{3}{40}$ (m)

코칭Tip 정■각형의 한 변의 길이는 (정■각형의 둘레)÷■입니다.

2 각기둥과 각뿔

027쪽 STEP 1 교과서 개념 잡기

1 (1) 가, 다, 라, 마, 바, 사 / 나, 아
   (2) 가, 마, 바, 각기둥

2 / 밑면

3 (1) 4개   (2) 직사각형

---

1 (2) • 다: 서로 평행한 두 면이 없습니다.
   • 라: 서로 평행한 두 면이 다각형이 아닙니다.
   • 사: 서로 평행한 두 면이 합동이 아닙니다.

3 (1) 두 밑면과 만나는 면은 모두 4개입니다.
   (2) 각기둥에서 두 밑면과 만나는 면은 옆면으로 모두 직사각형입니다.

029쪽 STEP 1 교과서 개념 잡기

1 (1)

가   나 예   다

   (2) 삼각형, 사각형, 오각형
   (3) 삼각기둥, 사각기둥, 오각기둥
2 (1) 육각기둥   (2) 사각기둥
3   / 6개, 9개

4 10, 7, 15

---

1 (1) 나는 서로 마주 보는 세 쌍의 면이 모두 밑면이 될 수 있습니다. 세 쌍의 면 중 한 쌍의 면에 선을 긋습니다.
   (3) • 가: 밑면의 모양이 삼각형인 각기둥 ➜ 삼각기둥
      • 나: 밑면의 모양이 사각형인 각기둥 ➜ 사각기둥
      • 다: 밑면의 모양이 오각형인 각기둥 ➜ 오각기둥

---

2 (1) 밑면의 모양이 육각형이므로 육각기둥입니다.
   (2) 밑면의 모양이 사각형이므로 사각기둥입니다.

3 • 꼭짓점: 모서리와 모서리가 만나는 점
   • 모서리: 면과 면이 만나는 선분

4 각기둥에서 한 밑면의 변의 수를 ■개라 하면 꼭짓점, 면, 모서리의 수는 각각 다음과 같습니다.

꼭짓점의 수(개)	면의 수(개)	모서리의 수(개)
■×2	■+2	■×3

031쪽 STEP 1 교과서 개념 잡기

1 (1) 삼각기둥   (2) 육각기둥
2 가, 겹쳐지므로에 ○표
3 (위에서부터) 6, 7
4

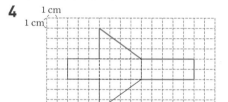

---

1 (1) 밑면의 모양이 삼각형인 각기둥이 만들어지므로 삼각기둥입니다.
   (2) 밑면의 모양이 육각형인 각기둥이 만들어지므로 육각기둥입니다.

2 사각기둥을 만들려면 전개도를 접었을 때 서로 겹쳐지는 면이 없고, 두 밑면이 서로 평행해야 합니다.

3 전개도를 접었을 때 만나는 모서리의 길이는 서로 같습니다. 밑면은 각 변의 길이가 4 cm, 5 cm, 6 cm인 삼각형이고, 높이는 7 cm입니다.

4 밑면인 삼각형이 2개, 옆면인 직사각형이 3개가 되도록 빠진 부분을 그려 넣습니다.
   전개도를 접었을 때 만나는 선분끼리 길이가 같게 그려야 합니다.

   코칭Tip 각기둥의 옆면은 직사각형이므로 전개도에서 옆면은 모두 직사각형으로 그립니다.

01 ①, ④
02
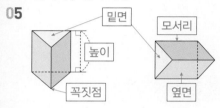
03 (1) 4개
   (2) 면 ㄱㅁㅂㄴ, 면 ㄴㅂㅅㄷ,
      면 ㄷㅅㅇㄹ, 면 ㄹㅇㅁㄱ
04 칠각형, 칠각기둥
05
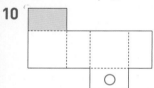
06 (1) 18개 (2) 12개 (3) 6개
07 오각기둥
08 선분 ㅅㅂ
09 면 ㄱㄴㄷㅊ, 면 ㅊㄷㄹㅈ, 면 ㅈㄹㅂㅅ
10
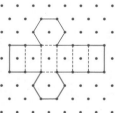
11
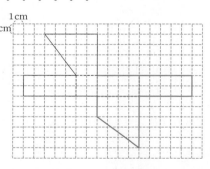
12 예

01 ② 평행한 두 면이 합동이 아닙니다.
   ③ 서로 평행한 두 면이 없습니다.
   ⑤ 평행한 두 면이 다각형이 아닙니다.
   → 각기둥인 것은 ①, ④입니다.

02 서로 평행하고 합동인 두 면이 나머지 면들과 모두 수직으로 만나는지 확인합니다.

03 (2) 옆면: 두 밑면과 만나는 면

04 각기둥의 이름은 밑면의 모양에 따라 정해집니다.
   → 밑면의 모양이 칠각형이므로 칠각기둥입니다.

05 • 밑면: 서로 평행하고 합동인 두 면
   • 옆면: 두 밑면과 만나는 면
   • 모서리: 면과 면이 만나는 선분
   • 꼭짓점: 모서리와 모서리가 만나는 점
   • 높이: 두 밑면 사이의 거리

06 (1) (모서리의 수)=(한 밑면의 변의 수)×3
               =6×3=18(개)
   (2) (꼭짓점의 수)=(한 밑면의 변의 수)×2
               =6×2=12(개)
   (3) 옆면끼리 만나서 생긴 모서리의 길이로 높이를 알 수 있으므로 모두 6개입니다.

07 밑면의 모양이 오각형인 각기둥이 만들어지므로 오각기둥입니다.

08 전개도의 점선을 따라 접으면 선분 ㄱㄴ은 선분 ㅅㅂ과 맞닿습니다.

09 면 ㅇㅈㅅ은 밑면이므로 옆면을 모두 찾습니다.

10 색칠한 면과 마주 보는 면을 찾아 ○표 합니다.

11 밑면인 육각형이 2개, 옆면인 직사각형이 6개가 되도록 빠진 부분을 그려 넣습니다.

12 옆면인 직사각형을 2개, 밑면인 사다리꼴을 1개 더 그려서 전개도를 완성합니다.

1 (1) 가, 다, 마   (2) 각뿔
2 (○) (×) (×) (○)
3 [그림] / 밑면, 옆면
4 1개, 6개

1 • 나: 밑에 놓인 면이 다각형이 아닙니다.
  • 라: 옆으로 둘러싼 면이 삼각형이 아닙니다.

2 각뿔: 밑에 놓인 면이 다각형이고 옆으로 둘러싼 면이 모두 삼각형인 입체도형

3

옆면 / 밑면 / 옆면 / 밑면

코칭Tip 왼쪽 각뿔은 옆면이 4개이고, 오른쪽 각뿔은 옆면이 5개입니다.

4 각뿔을 놓았을 때 바닥에 놓인 육각형 모양의 밑면은 1개이고, 밑면과 만나는 삼각형 모양의 옆면은 6개입니다.

037쪽 STEP1 교과서 개념 잡기

1 (1)
가   나   다

(2) 사각형, 오각형, 삼각형
(3) 사각뿔, 오각뿔, 삼각뿔

2 (1) 육각뿔   (2) 칠각뿔

3

각뿔의 꼭짓점
모서리
높이
꼭짓점

4 7, 7, 12

1 (3) • 가: 밑면의 모양이 사각형인 각뿔 ➡ 사각뿔
   • 나: 밑면의 모양이 오각형인 각뿔 ➡ 오각뿔
   • 다: 밑면의 모양이 삼각형인 각뿔 ➡ 삼각뿔

2 (1) 밑면의 모양이 육각형이므로 육각뿔입니다.
   (2) 밑면의 모양이 칠각형이므로 칠각뿔입니다.

---

3 • 각뿔의 꼭짓점: 꼭짓점 중에서도 옆면이 모두 만나는 점
  • 높이: 각뿔의 꼭짓점에서 밑면에 수직인 선분의 길이

코칭Tip 각뿔에서 꼭짓점의 수를 셀 때에는 '각뿔의 꼭짓점'도 포함하여 세어야 합니다.

4 각뿔에서 밑면의 변의 수를 ■개라 하면 꼭짓점, 면, 모서리의 수는 각각 다음과 같습니다.

꼭짓점의 수(개)	면의 수(개)	모서리의 수(개)
■+1	■+1	■×2

038쪽 STEP2 개념 한번 더 잡기

01 나, 라, 마
02 (   ) (   ) (○)
03

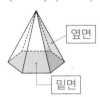

옆면 / 밑면

04

05 칠각형, 삼각형
06 면 ㄴㄷㄹㅁ
   / 면 ㄱㄴㄷ, 면 ㄱㄷㄹ, 면 ㄱㄹㅁ, 면 ㄱㅁㄴ
07 삼각형, 삼각뿔   **08** 팔각뿔
09 육각뿔
10

11 (   ) (○) (   )
12 (1) 점 ㄱ (2) 선분 ㄱㅇ
13 6개, 10개

01 밑에 놓인 면이 다각형이고 옆으로 둘러싼 면이 모두 삼각형인 입체도형은 각뿔입니다.

02
가   나   다

• 가: 밑에 놓인 면이 다각형이 아닙니다.
• 나: 옆으로 둘러싼 면이 삼각형이 아닙니다.

03 • 밑면: 각뿔을 놓았을 때 바닥에 놓인 면
  • 옆면: 밑면과 만나는 면

04 각뿔을 놓았을 때 바닥에 놓인 면을 찾아 ○표 하고, ○표 한 면과 만나는 면에 △표 합니다.

05 • 밑면: 각뿔을 놓았을 때 바닥에 놓인 면
      → 칠각형(1개)
• 옆면: 밑면과 만나는 면 → 삼각형(7개)

06 옆면은 밑면과 만나는 면입니다.

코칭Tip **각뿔의 특징**
① 각뿔의 밑면은 1개입니다.
② 각뿔의 옆면은 모두 삼각형입니다.

07 밑면의 모양이 삼각형이므로 삼각뿔입니다.

08 밑면의 모양이 팔각형이므로 팔각뿔입니다.

09 밑면이 다각형이고 옆면이 모두 삼각형인 입체도형이므로 각뿔입니다.
→ 밑면의 모양이 육각형이므로 육각뿔입니다.

10 • 모서리: 면과 면이 만나는 선분
• 꼭짓점: 모서리와 모서리가 만나는 점

11 첫 번째와 세 번째 그림은 각뿔의 모서리의 길이를 재는 방법입니다.

12 (1) 꼭짓점 중에서 옆면이 모두 만나는 점을 찾으면 점 ㄱ입니다.
(2) 각뿔의 높이는 각뿔의 꼭짓점에서 밑면에 수직인 선분의 길이입니다.

13 (꼭짓점의 수)＝(밑면의 변의 수)＋1
           ＝5＋1＝6(개)
(모서리의 수)＝(밑면의 변의 수)×2
           ＝5×2＝10(개)

 STEP3 수학 익힘 문제 잡기 040쪽

01 면 ㄱㄴㄷㄹㅁㅂ, 면 ㅅㅇㅈㅊㅋㅌ
02 [그림]   **03** 영주
            04 7 cm
05 (위에서부터) 8, 10 / 6, 7 / 12, 15 / 2 / 2 / 3

---

06 가   **07** 18 cm
08 1 cm
09 예
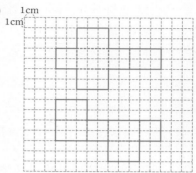
10 예
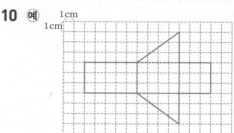
11
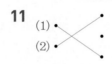
(1) •
(2) •

12

도형	가	나
밑면의 모양	오각형	오각형
옆면의 모양	직사각형	삼각형
밑면의 수(개)	2	1

13 ㉠
14 (위에서부터) 4, 7 / 4, 7 / 6, 12 / 1 / 1 / 2
15 6개
16 8개, 5개
17 (1) 각뿔, 각기둥   (2) 팔각뿔, 칠각기둥

01 육각기둥에서 두 밑면은 서로 평행하고 다른 면에 수직입니다.
→ 면 ㄱㄴㄷㄹㅁㅂ, 면 ㅅㅇㅈㅊㅋㅌ

02 보이는 모서리는 실선으로, 보이지 않는 모서리는 점선으로 나타냅니다.

03 • 영주: (삼각기둥의 꼭짓점의 수)
         ＝(한 밑면의 변의 수)×2
         ＝3×2＝6(개)
• 도은: (옆면의 수)＝(한 밑면의 변의 수)이므로 옆면이 5개인 각기둥은 오각기둥입니다.

04 각기둥의 높이는 두 밑면 사이의 거리이므로 $7\,cm$ 입니다.

05 각기둥의 한 밑면의 변의 수와 꼭짓점, 면, 모서리의 수와의 관계는 다음과 같습니다.

도형	사각기둥	오각기둥
꼭짓점의 수(개)	$4 \times 2 = 8$	$5 \times 2 = 10$
면의 수(개)	$4 + 2 = 6$	$5 + 2 = 7$
모서리의 수(개)	$4 \times 3 = 12$	$5 \times 3 = 15$

06 가는 점선을 따라 접었을 때 밑면이 서로 겹쳐지므로 삼각기둥을 만들 수 없습니다.

07 전개도에서 맞닿는 선분의 길이는 같으므로
(선분 ㅍㅌ)=(선분 ㅍㅎ)=$5\,cm$
(선분 ㅋㅊ)=(선분 ㄱㄴ)=$4\,cm$입니다.
→ (선분 ㄷㅈ)=(선분 ㄴㅊ)
$= 6 + 5 + 3 + 4 = 18\,(cm)$

08 밑면의 모양이 오각형이므로 오각기둥이고, 각기둥의 옆면이 모두 합동이므로 밑면의 변의 길이는 모두 같습니다.
(높이를 나타내는 모서리의 길이의 합)
$= 2 \times 5 = 10\,(cm)$
(두 밑면의 변의 길이의 합)$= 20 - 10 = 10\,(cm)$
(한 밑면의 변의 길이의 합)$= 10 \div 2 = 5\,(cm)$
→ (밑면의 한 변의 길이)$= 5 \div 5 = 1\,(cm)$

09 밑면인 직사각형 2개, 옆면인 직사각형 3개를 그려야 합니다. 전개도를 접었을 때 만나는 선분끼리 길이를 같게 하여 그립니다.

10 밑면인 삼각형 2개, 옆면인 직사각형 3개를 위치와 길이에 맞게 그립니다.

11 (1) 밑면의 모양이 육각형이므로 육각뿔입니다.
(2) 밑면의 모양이 팔각형이므로 팔각뿔입니다.

12 같은 점 가와 나의 밑면의 모양은 오각형입니다.
다른 점 가의 옆면은 모두 직사각형이고 밑면은 2개입니다. 나의 옆면은 모두 삼각형이고 밑면은 1개입니다.

13 ㉠ 각뿔의 밑면은 1개입니다.

14 각뿔의 밑면의 변의 수와 꼭짓점, 면, 모서리의 수와의 관계는 다음과 같습니다.

도형	삼각뿔	육각뿔
꼭짓점의 수(개)	$3 + 1 = 4$	$6 + 1 = 7$
면의 수(개)	$3 + 1 = 4$	$6 + 1 = 7$
모서리의 수(개)	$3 \times 2 = 6$	$6 \times 2 = 12$

15 밑면의 모양이 오각형이므로 오각뿔입니다.
(오각뿔의 꼭짓점의 수)=(밑면의 변의 수)+1
$= 5 + 1 = 6$(개)

16 (사각뿔의 모서리의 수)=(밑면의 변의 수)$\times 2$
$= 4 \times 2 = 8$(개)
(사각뿔의 꼭짓점의 수)=(밑면의 변의 수)+1
$= 4 + 1 = 5$(개)

17 (1) • 승현: 각기둥과 각뿔 중에서 꼭짓점의 수와 면의 수가 같은 것은 각뿔입니다.
• 지현: 꼭짓점, 면, 모서리의 수가 모두 다르므로 각기둥입니다.
(2) • 승현: 각뿔의 꼭짓점의 수는 (밑면의 변의 수)+1 이므로 꼭짓점이 9개인 각뿔의 밑면의 변의 수는 8개입니다. → 팔각뿔
• 지현: 각기둥의 꼭짓점의 수는 (한 밑면의 변의 수)$\times 2$이므로 꼭짓점이 14개인 각기둥의 한 밑면의 변의 수는 7개입니다. → 칠각기둥

043쪽 서술형 잡기
※서술형 문제의 예시 답안입니다.

1 합동 / 직사각형

2 각뿔이 아닌 이유 쓰기 ▶ 5점
밑면이 다각형이 아니고 옆면도 삼각형이 아니므로 각뿔이 아닙니다.

3 ❶ 10, 5
❷ 10, 5, 55 / 55 cm

4 ❶ 길이가 5 cm, 8 cm인 모서리의 수 각각 구하기 ▶ 3점
❷ 모든 모서리의 길이의 합 구하기 ▶ 2점

❶ 길이가 $5\,cm$인 모서리는 6개, 길이가 $8\,cm$인 모서리는 3개입니다.
❷ (모든 모서리의 길이의 합)
$= 5 \times 6 + 8 \times 3 = 54\,(cm)$
/ 54 cm

01

02 모서리

03 육각형, 육각뿔

04 팔각기둥

05 7개

06 다, 마

07 가, 바

08 선분 ㄱㅂ

09 5개

10

(1) •　　•

(2) •　　•

11 오각기둥

12 ④

13 8, 8, 14

14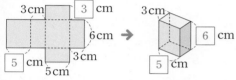

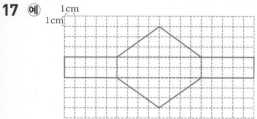

15 은아

16 가, 라

17 예
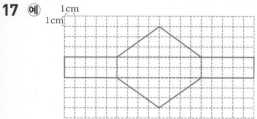

18 16개

서술형

19 각뿔이 아닌 이유 쓰기 ▶ 5점

각뿔은 밑면이 1개이고 옆면이 삼각형인데 주어진 도형은 밑면이 2개이고 옆면이 삼각형이 아니므로 각뿔이 아닙니다.

20
❶ 길이가 7 cm, 11 cm인 모서리의 수 각각 구하기 ▶ 3점

❷ 모든 모서리의 길이의 합 구하기 ▶ 2점

❶ 길이가 7 cm인 모서리는 12개이고, 길이가 11 cm인 모서리는 6개입니다.
❷ (모든 모서리의 길이의 합)
$= 7 \times 12 + 11 \times 6 = 150$ (cm)
/ 150 cm

01 서로 평행하고 합동인 두 면을 찾아 색칠합니다.

02 각뿔에서 면과 면이 만나는 선분을 모서리라고 합니다.

03 밑면의 모양이 육각형이므로 육각뿔입니다.

04 밑면의 모양이 팔각형이므로 팔각기둥입니다.

05 칠각기둥이므로 옆면은 7개입니다.

코칭Tip 각기둥의 옆면의 수는 각기둥의 한 밑면의 변의 수와 같습니다.

06 서로 평행하고 합동인 두 다각형이 있는 입체도형은 다, 마입니다.

07 밑에 놓인 면이 다각형이고 옆으로 둘러싼 면이 모두 삼각형인 입체도형은 가, 바입니다.

08 각뿔의 높이는 각뿔의 꼭짓점에서 밑면에 수직인 선분의 길이입니다.

09 옆면끼리 만나서 생긴 모서리를 모두 찾으면 5개입니다.

10 밑면의 모양이 ■각형인 각뿔의 이름은 ■각뿔입니다.

11 전개도를 접으면 밑면인 오각형이 2개이고 옆면인 직사각형이 5개이므로 오각기둥이 됩니다.

12 ④ 각기둥의 두 밑면은 합동이므로 모양과 크기가 같습니다.

13 (칠각뿔의 꼭짓점의 수)$=7+1=8$(개)
(칠각뿔의 면의 수)$=7+1=8$(개)
(칠각뿔의 모서리의 수)$=7 \times 2 = 14$(개)

14 각기둥의 높이는 6 cm이고 밑면은 가로가 5 cm, 세로가 3 cm인 직사각형입니다.

15 • 경석: 가의 밑면은 1개이고, 나의 밑면은 2개입니다.
• 은아: 가와 나는 밑면의 모양이 삼각형입니다.
➜ 바르게 말한 사람은 은아입니다.

16 • 나: 옆면이 5개이므로 사각기둥의 전개도가 아닙니다.
• 다: 겹쳐지는 면이 있으므로 사각기둥의 전개도가 아닙니다.

17 밑면인 삼각형 2개, 옆면인 직사각형 3개를 위치와 길이에 맞게 그립니다.

18 밑면의 모양이 팔각형이므로 팔각기둥입니다.
(팔각기둥의 꼭짓점의 수)
$=8 \times 2 = 16$(개)

3 소수의 나눗셈

051쪽 STEP 1 교과서 개념 잡기

1 (1) 462 / 462, 231, 23.1　(2) 23.1 cm

2

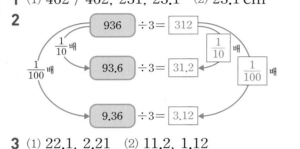

3 (1) 22.1, 2.21　(2) 11.2, 1.12

1 (1) cm 단위를 mm 단위로 바꾼 다음 462÷2를 이용하여 46.2÷2를 계산합니다.
462÷2=231이므로 231 mm=23.1 cm입니다.

코칭Tip 1 cm=10 mm임을 이용하여 46.2 cm를 mm 단위로 나타내어 봅니다.

2 나누는 수가 같으므로
나누어지는 수가 $\frac{1}{10}$배가 되면 몫도 $\frac{1}{10}$배가 되고,
나누어지는 수가 $\frac{1}{100}$배가 되면 몫도 $\frac{1}{100}$배가 됩니다.

3 (1) 663÷3=221 ➡ 66.3÷3=22.1
663÷3=221 ➡ 6.63÷3=2.21
(2) 448÷4=112 ➡ 44.8÷4=11.2
448÷4=112 ➡ 4.48÷4=1.12

053쪽 STEP 1 교과서 개념 잡기

1 1224, 1224, 153, 1.53
2 214, 2.14 / $\frac{1}{100}$
3 5.2□7　(2) 2.3□2
4 (1) 1.34　(2) 15.2　(3) 3.54

1 12.24는 소수 두 자리 수이므로 분모가 100인 분수로 바꾸어 계산합니다.

코칭Tip (소수)÷(자연수)의 계산 방법
방법1 분수의 나눗셈으로 바꾸어 계산하기
방법2 자연수의 나눗셈을 이용하여 계산하기
방법3 세로로 계산하기

2 1926÷9의 몫은 214입니다.
19.26은 1926의 $\frac{1}{100}$배이므로 19.26÷9의 몫은 214의 $\frac{1}{100}$배인 2.14입니다.

3 몫의 소수점은 나누어지는 수의 소수점을 올려 찍습니다.

4 (1)
```
        1.3 4
   4) 5.3 6
      4
      1 3
      1 2
        1 6
        1 6
          0
```
(2)
```
        1 5.2
   6) 9 1.2
      6
      3 1
      3 0
        1 2
        1 2
          0
```
(3)
```
        3.5 4
   8) 2 8.3 2
      2 4
        4 3
        4 0
          3 2
          3 2
            0
```

055쪽 STEP 1 교과서 개념 잡기

1 192, 192, 24, 0.24
2 (1) 73, 0.73　(2) 35, 0.35
3 (1)
```
      0.8 3
  4) 3.3 2
     3 2
       1 2
       1 2
         0
```
(2)
```
      0.1 7
  3) 0.5 1
     3
     2 1
     2 1
       0
```
4 (1) 0.17　(2) 0.37　(3) 0.86

1 1.92는 소수 두 자리 수이므로 분모가 100인 분수로 바꾸어 계산합니다.

2 (1) $\frac{1}{100}$배

$511 \div 7 = 73 \rightarrow 5.11 \div 7 = 0.73$

$\frac{1}{100}$배

(2) $\frac{1}{100}$배

$315 \div 9 = 35 \rightarrow 3.15 \div 9 = 0.35$

$\frac{1}{100}$배

3 나누어지는 수가 나누는 수보다 작은 경우 몫이 1보다 작으므로 몫의 자연수 부분에 0을 써야 합니다.

4 몫의 자연수 부분과 소수점의 위치에 주의하여 세로로 계산합니다.

(1)
```
      0.1 7
  4 ) 0.6 8
      4
      2 8
      2 8
          0
```

(2)
```
      0.3 7
  5 ) 1.8 5
      1 5
      3 5
      3 5
          0
```

(3)
```
      0.8 6
  6 ) 5.1 6
      4 8
      3 6
      3 6
          0
```

056쪽 STEP**2** 개념 한번 더 잡기

01 (1) 939 (2) 313, 3.13 (3) 3.13
02 122, 12.2
03 (1) 10.1 (2) 1.01
04 방법**1** 1424, 1424, 356, 3.56
　　방법**2** 356, 3.56
05 (1) 117, 11.7 (2) 312, 3.12
06 $47.88 \div 9 = \frac{4788}{100} \div 9 = \frac{4788 \div 9}{100}$

$= \frac{532}{100} = 5.32$
07 (1) 17.8 (2) 12.4 **08** 62, 0.62

09 (1) 100, 100, $\frac{24}{100}$, 0.24

(2) 87, 87, 29, 0.29

10 (1)
```
      0.7 5
  5 ) 3.7 5
      3 5
      2 5
      2 5
          0
```

(2)
```
      0.5 4
  8 ) 4.3 2
      4 0
      3 2
      3 2
          0
```

11 (1) 0.23 (2) 0.86 **12** 0.76

01 m 단위를 cm 단위로 바꾼 다음 $939 \div 3$을 이용하여 $9.39 \div 3$을 계산합니다.

02 나누는 수가 같으므로 나누어지는 수가 $\frac{1}{10}$배가 되면 몫도 $\frac{1}{10}$배가 됩니다.

03 (1) 101의 $\frac{1}{10}$배인 10.1입니다.

(2) 101의 $\frac{1}{100}$배인 1.01입니다.

04 방법**1** 14.24는 소수 두 자리 수이므로 분모가 100인 분수로 바꾸어 계산합니다.

방법**2** 14.24는 1424의 $\frac{1}{100}$배이므로 $14.24 \div 4$의 몫은 356의 $\frac{1}{100}$배입니다.

05 (1) $\frac{1}{10}$배 $\left(\begin{array}{l} 585 \div 5 = 117 \\ 58.5 \div 5 = 11.7 \end{array} \right)$ $\frac{1}{10}$배

(2) $\frac{1}{100}$배 $\left(\begin{array}{l} 1872 \div 6 = 312 \\ 18.72 \div 6 = 3.12 \end{array} \right)$ $\frac{1}{100}$배

06 (소수)÷(자연수)를 분수의 나눗셈으로 바꾸어 계산했습니다.

$\rightarrow$ 47.88을 $\frac{4788}{100}$로 바꾸어 계산합니다.

07 (1)
```
      1 7.8
  3 ) 5 3.4
      3
      2 3
      2 1
        2 4
        2 4
            0
```

(2)
```
      1 2.4
  8 ) 9 9.2
      8
      1 9
      1 6
        3 2
        3 2
            0
```

진도북

3
단원

08 $496 \div 8 = 62$이므로 $4.96 \div 8$의 몫은 62의 $\dfrac{1}{100}$배 인 0.62입니다.

09 (1) 1.68을 $\dfrac{168}{100}$로 바꾸어 계산합니다.

(2) 0.87을 $\dfrac{87}{100}$로 바꾸어 계산합니다.

10 나누어지는 수가 나누는 수보다 작은 경우 몫이 1보 다 작으므로 먼저 몫의 자연수 부분에 0을 쓰고, 소 수점을 찍은 다음 자연수의 나눗셈과 같은 방법으로 계산합니다.

11 (1)
```
        0. 2 3
   4 ) 0. 9 2
        8
        1 2
        1 2
            0
```
(2)
```
        0. 8 6
   6 ) 5. 1 6
        4 8
          3 6
          3 6
            0
```

12
```
        0. 7 6
   9 ) 6. 8 4
        6 3
          5 4
          5 4
            0
```

2 2.7은 270의 $\dfrac{1}{100}$배이므로 $2.7 \div 6$의 몫은 45의 $\dfrac{1}{100}$배인 0.45입니다.

3 소수점 아래에서 나누어떨어지지 않는 경우 0을 내려 계산합니다.

4 (1)
```
        2. 3 5
   4 ) 9. 4 0
        8
        1 4
        1 2
          2 0
          2 0
            0
```
(2)
```
        1. 3 5
   6 ) 8. 1 0
        6
        2 1
        1 8
          3 0
          3 0
            0
```
(3)
```
          1. 5 5
   8 ) 1 2. 4 0
        8
        4 4
        4 0
          4 0
          4 0
            0
```

059쪽 STEP 1 교과서 개념 잡기

1 36, 360, 360, 45, 0.45

2 0.45, $\dfrac{1}{100}$

3 (1)
```
        0. 3 4
   5 ) 1. 7 0
        1 5
          2 0
          2 0
            0
```
(2)
```
          6. 7 5
   2 ) 1 3. 5 0
        1 2
          1 5
          1 4
            1 0
            1 0
              0
```

4 (1) 2.35   (2) 1.35   (3) 1.55

1 36은 8로 나누어떨어지지 않으므로 $\dfrac{36}{10} \div 8$이 아닌 $\dfrac{360}{100} \div 8$로 바꾸어 계산합니다.

061쪽 STEP 1 교과서 개념 잡기

1 1218, 1218, 203, 2.03

2 105, 1.05, $\dfrac{1}{100}$

3 (1)
```
        1. 0 9
   8 ) 8. 7 2
        8
          7 2
          7 2
            0
```
(2)
```
          2. 0 8
   7 ) 1 4. 5 6
        1 4
            5 6
            5 6
              0
```

4 (1) 2.07   (2) 1.06   (3) 3.09

1 12.18을 $\dfrac{1218}{100}$로 바꾸어 계산합니다.

2 $525 \div 5$의 몫은 105입니다.

➡ 5.25는 525의 $\dfrac{1}{100}$배이므로 $5.25 \div 5$의 몫은 105의 $\dfrac{1}{100}$배인 1.05입니다.

3 나누어야 할 수가 나누는 수보다 작은 경우 몫에 0을 쓰고 수를 하나 더 내려 계산합니다.

코칭Tip (1) $8.72 \div 8$을 세로로 계산할 때 나누어지는 수의 소수 첫째 자리 수인 7이 나누는 수 8보다 작으므로 나눌 수 없습니다.
➡ 이때 몫의 소수 첫째 자리에 0을 쓰고 수를 하나 더 내려 계산합니다.

4 (1)
$$\begin{array}{r} 2.0\,7 \\ 3\,\overline{)\,6.2\,1} \\ \underline{6} \\ 2\,1 \\ \underline{2\,1} \\ 0 \end{array}$$

(2)
$$\begin{array}{r} 1.0\,6 \\ 4\,\overline{)\,4.2\,4} \\ \underline{4} \\ 2\,4 \\ \underline{2\,4} \\ 0 \end{array}$$

(3)
$$\begin{array}{r} 3.0\,9 \\ 9\,\overline{)\,2\,7.8\,1} \\ \underline{2\,7} \\ 8\,1 \\ \underline{8\,1} \\ 0 \end{array}$$

063쪽 STEP1 **교과서 개념 잡기**

1 (1) 7, 35, 3.5 (2) 35, 10 / 3.5, 10
2 225, 2.25
3 $27.8 \div 4 = 6.95$에 ◯표
4 (1) 1.2 (2) 6.25 (3) 1.7

1 (1) $7 \div 2 = \dfrac{7}{2} = \dfrac{7 \times 5}{2 \times 5} = \dfrac{35}{10} = 3.5$

3 $27.8 \div 4$를 어림하여 계산하면 $28 \div 4 = 7$이므로 몫이 7에 가깝도록 소수점을 바르게 찍은 식은 $27.8 \div 4 = 6.95$입니다.

4 (1)
$$\begin{array}{r} 1.2 \\ 5\,\overline{)\,6.0} \\ \underline{5} \\ 1\,0 \\ \underline{1\,0} \\ 0 \end{array}$$

(2)
$$\begin{array}{r} 6.2\,5 \\ 4\,\overline{)\,2\,5.0\,0} \\ \underline{2\,4} \\ 1\,0 \\ \underline{8} \\ 2\,0 \\ \underline{2\,0} \\ 0 \end{array}$$

(3)
$$\begin{array}{r} 1.7 \\ 20\,\overline{)\,3\,4.0} \\ \underline{2\,0} \\ 1\,4\,0 \\ \underline{1\,4\,0} \\ 0 \end{array}$$

064쪽 STEP2 **개념 한번더 잡기**

01 0.55 / $\dfrac{1}{100}$에 ◯표

02 $6.3 \div 5 = \dfrac{63}{10} \div 5 = \dfrac{630}{100} \div 5 = \dfrac{126}{100} = 1.26$

03 (1)
$$\begin{array}{r} 0.4\,5 \\ 4\,\overline{)\,1.8\,0} \\ \underline{1\,6} \\ 2\,0 \\ \underline{2\,0} \\ 0 \end{array}$$

(2)
$$\begin{array}{r} 1.9\,5 \\ 2\,\overline{)\,3.9\,0} \\ \underline{2} \\ 1\,9 \\ \underline{1\,8} \\ 1\,0 \\ \underline{1\,0} \\ 0 \end{array}$$

04 109, 1.09, $\dfrac{1}{100}$

05 (1)
$$\begin{array}{r} 1.0\,6 \\ 3\,\overline{)\,3.1\,8} \\ \underline{3} \\ 1\,8 \\ \underline{1\,8} \\ 0 \end{array}$$

(2)
$$\begin{array}{r} 2.0\,5 \\ 2\,\overline{)\,4.1\,0} \\ \underline{4} \\ 1\,0 \\ \underline{1\,0} \\ 0 \end{array}$$

06 (1) 1.08 (2) 1.04
07 0.8, 40
08 (1) 75, 0.75 (2) 25, 2.5
09 (1) 4.5 (2) 2.75
10 2.4
11 예 18, 3 / 2◻9◻5
12 (1) 12, 4 (2) 25, 5
13 (1) $12.96 \div 4 = 3.24$에 ◯표
　　(2) $6.79 \div 7 = 0.97$에 ◯표

01 $330 \div 6 = 55$ ➡ $3.3 \div 6 = 0.55$ ($\dfrac{1}{100}$배, $\dfrac{1}{100}$배)

3. 소수의 나눗셈　**15**

02 63은 5로 나누어떨어지지 않으므로 $\dfrac{63}{10} \div 5$가 아닌 $\dfrac{630}{100} \div 5$로 바꾸어 계산합니다.

03 나누어지는 수의 오른쪽 끝자리에 0이 있는 것으로 생각하고 0을 내려 계산합니다.

04 $436 \div 4 = 109$이고, 4.36은 436의 $\dfrac{1}{100}$배이므로 $4.36 \div 4$의 몫은 109의 $\dfrac{1}{100}$배인 1.09입니다.

05 내림을 하여도 나누어야 할 수가 나누는 수보다 작은 경우 몫에 0을 쓰고 수를 하나 더 내려 계산합니다.

06 몫의 소수점은 나누어지는 수의 소수점과 같은 위치에 올려 찍습니다.

(1)
```
      1.0 8
  5) 5.4 0
     5
    ─────
       4 0
       4 0
    ─────
         0
```
(2)
```
      1.0 4
  7) 7.2 8
     7
    ─────
       2 8
       2 8
    ─────
         0
```

07 몫의 소수점은 자연수 바로 뒤에서 올려 찍습니다.

09 (1)
```
      4.5
  2) 9.0
     8
    ────
     1 0
     1 0
    ────
       0
```
(2)
```
       2.7 5
  4) 1 1.0 0
     8
    ──────
     3 0
     2 8
    ──────
       2 0
       2 0
    ──────
         0
```

10 $12 \div 5 = \dfrac{12}{5} = \dfrac{24}{10} = 2.4$

11 $17.7 \div 6$을 $18 \div 6$으로 어림하면 약 3이므로 몫은 2.95입니다.

12 (1) 12.2를 반올림하여 일의 자리까지 나타내면 12입니다.
(2) 24.7을 반올림하여 일의 자리까지 나타내면 25입니다.

13 (1) $12.96 \div 4$를 $13 \div 4$로 어림하면 약 3이므로 몫은 3.24입니다.
(2) $6.79 \div 7$을 $7 \div 7$로 어림하면 약 1이므로 몫은 0.97입니다.

066쪽 STEP3 수학 익힘 문제 잡기

01 213, 21.3, 2.13

02 3.39, 1.13 / 1.13 m

03

04 (1) •   (2) •   (교차)

05 14.76, 4.92

06
31.52÷8   23.52÷6   15.76÷4

07 $17.28 \div 4 = 4.32$ / 4.32 kg

08 경호

09 (1) 0.84, 0.21   (2) 0.91, 0.13

10
```
      0.6 4
  3) 1.9 2
     1 8
    ─────
       1 2
       1 2
    ─────
         0
```

11 <

12 $1.66 \div 2 = 0.83$ / 0.83 kg

13 방법1 $4.92 \div 6 = \dfrac{492}{100} \div 6 = \dfrac{492 \div 6}{100}$
$= \dfrac{82}{100} = 0.82$

방법2
```
      0.8 2
  6) 4.9 2
     4 8
    ─────
       1 2
       1 2
    ─────
         0
```
/ 0.82 m²

14 0.42

15 0.52, 9.25

16 0.45

17 0.68 kg

18 1.26

19 4.45 m

20 36.8, 7.36

21 (○) (   )

22 (1) 8개   (2) 1.05 m

23

방법 1
$$7.42 \div 7 = \frac{742}{100} \div 7 = \frac{742 \div 7}{100}$$
$$= \frac{106}{100} = 1.06$$

방법 2
```
     1.0 6
  7)7.4 2
    7
    ─────
      4 2
      4 2
    ─────
        0
```
/ 1.06 L

24 2.05 L

25

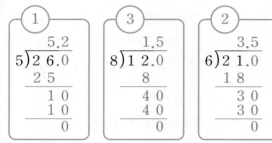

26 0.15 kg   **27** 7, 4 / 1.75

28 (1) 9▫2□8   (2) 2▫1□7

29 예 몫의 소수점

30 6.1÷5, 5.12÷4, 4.32÷4, 5.65÷5에 ○표

31 (1) 50, 235, 50   (2) 4.7 g
        (3) 50, 8.5, 50   (4) 0.17 mm

01 나누는 수가 같을 때 나누어지는 수가 $\frac{1}{10}$배가 되면 몫도 $\frac{1}{10}$배가 되므로 나누어지는 수와 몫의 소수점이 왼쪽으로 한 칸씩 이동합니다.

02 색 테이프 한 도막의 길이를 구하면 다음과 같습니다.
• 영호: 339÷3=113 (cm)
• 주희: 3.39÷3=□ (m)
→ 3.39는 339의 $\frac{1}{100}$배이므로 □는 113의 $\frac{1}{100}$배인 1.13입니다. 따라서 주희가 자른 색 테이프 한 도막의 길이는 1.13 m입니다.

03 계산한 값이 861÷7의 몫의 $\frac{1}{100}$배가 되려면 861의 $\frac{1}{100}$배인 수를 7로 나누는 식이어야 합니다.
861÷7=123 → 8.61÷7=1.23

04 (1) 64.2÷2=32.1
        (2) 93.6÷3=31.2

05 29.52÷2=14.76 → 14.76÷3=4.92

06 31.52÷8=3.94, 23.52÷6=3.92, 15.76÷4=3.94
따라서 몫이 다른 하나는 23.52÷6입니다.

07 (한 자루에 담아야 하는 밀가루의 무게)
=(전체 밀가루의 무게)÷(나누어 담을 자루 수)
=17.28÷4=4.32 (kg)

08 • 경호: 6.24÷8=0.78
• 세영: 5.44÷4=1.36
→ 몫이 1보다 작은 나눗셈을 말한 사람은 경호입니다.
다른 풀이 나누어지는 수와 나누는 수의 크기를 비교합니다.
• 경호: 6.24<8   • 세영: 5.44>4
→ 몫이 1보다 작은 나눗셈을 말한 사람은 경호입니다.

09 (1) 7.56÷9=0.84 → 0.84÷4=0.21
        (2) 4.55÷5=0.91 → 0.91÷7=0.13

10 나누어지는 수가 나누는 수보다 작으므로 몫의 자연수 부분에 0을 쓰고 계산해야 합니다.

11 1.36÷4=0.34, 1.11÷3=0.37
→ 0.34<0.37

12 (과일 통조림 한 개의 무게)
=(과일 통조림 2개의 무게)÷2
=1.66÷2=0.83 (kg)

13 색칠된 부분은 전체를 똑같이 6으로 나눈 것 중의 하나입니다.
(색칠된 부분의 넓이)=4.92÷6=0.82 (m²)

14 수의 크기를 비교하면 3<7<8<9입니다.
• 수 카드 3장으로 만들 수 있는 가장 작은 소수 두 자리 수: 3.78
• 남은 수 카드의 수: 9
→ 3.78÷9=0.42
코칭Tip 세 수가 ㉠<㉡<㉢일 때
• 만들 수 있는 가장 큰 소수 두 자리 수: 높은 자리부터 큰 수를 차례로 놓습니다. → ㉢.㉡㉠
• 만들 수 있는 가장 작은 소수 두 자리 수: 높은 자리부터 작은 수를 차례로 놓습니다. → ㉠.㉡㉢

15 • $2.6 \div 5 = 0.52$
 • $55.5 \div 6 = 9.25$

16 가장 작은 수: 3.6, 가장 큰 수: 8 → $3.6 \div 8 = 0.45$

17 (배 5개의 무게) $= 4.1 - 0.7 = 3.4$ (kg)
 (배 한 개의 무게) $= 3.4 \div 5 = 0.68$ (kg)

코칭Tip 배 5개의 무게는
(배 5개가 들어 있는 바구니의 무게) $-$ (빈 바구니의 무게)입니다.

18 $6.3 \div \square = 5$ → $\square = 6.3 \div 5 = 1.26$

19 (나무 사이의 간격의 길이)
 $=$ (전체 길의 길이) $\div$ (나무 사이의 간격 수)
 $= 26.7 \div 6 = 4.45$ (m)

코칭Tip (나무 사이의 간격 수) $=$ (나무의 수) -1

20 (경연이네 모둠의 50 m 달리기 기록의 합)
 $= 6.8 + 7.4 + 8.1 + 7.3 + 7.2 = 36.8$ (초)
 → (평균) $=$ (기록의 합) $\div$ (사람 수)
     $= 36.8 \div 5 = 7.36$ (초)

21 $9.15 \div 3 = 3.05$, $8.2 \div 4 = 2.05$
 → $3.05 > 2.05$

22 (1) (사각뿔의 모서리의 수) $=$ (밑면의 변의 수) $\times 2$
                 $= 4 \times 2 = 8$ (개)
 (2) (사각뿔의 한 모서리의 길이)
     $=$ (모든 모서리의 길이의 합)
       $\div$ (사각뿔의 모서리의 수)
     $= 8.4 \div 8 = 1.05$ (m)

23 (통 한 개에 담아야 하는 식초의 양)
 $= 7.42 \div 7 = 1.06$ (L)

24 (직사각형 모양의 벽의 넓이) $= 4 \times 2 = 8$ (m²)
 → (1 m²의 벽을 칠하는 데 사용한 페인트의 양)
    $= 16.4 \div 8 = 2.05$ (L)

25 $26 \div 5 = 5.2$, $12 \div 8 = 1.5$, $21 \div 6 = 3.5$
 → $5.2 > 3.5 > 1.5$이므로 차례로 1, 3, 2를 써넣습니다.

26 (5봉지에 들어 있는 귤의 수) $= 5 \times 4 = 20$ (개)
 (귤 한 개의 무게) $= 3 \div 20 = 0.15$ (kg)

27 몫이 가장 크려면 가장 큰 수를 가장 작은 수로 나누어야 합니다.
 → $7 \div 4 = 1.75$

28 (1) $46.4 \div 5$를 $46 \div 5$로 어림하면 약 9이므로 몫은 9.28입니다.
 (2) $17.36 \div 8$을 $17 \div 8$로 어림하면 약 2이므로 몫은 2.17입니다.

29 자연수의 나눗셈을 이용하여 소수의 나눗셈을 할 때에는 몫의 소수점 위치에 주의해야 합니다.
 $3.9 \div 3$을 $4 \div 3$으로 어림하면 약 1이므로 몫은 1.3이 되어야 합니다.

30 몫이 1보다 큰 나눗셈은 나누어지는 수가 나누는 수보다 큰 경우입니다.

31 (2) (종이 한 장의 무게)
     $=$ (종이 한 묶음의 무게) $\div$ (종이 한 묶음의 수)
     $= 235 \div 50 = 4.7$ (g)
 (4) (종이 한 장의 두께)
     $=$ (종이 한 묶음의 두께) $\div$ (종이 한 묶음의 수)
     $= 8.5 \div 50 = 0.17$ (mm)

코칭Tip 너무 작아 측정하기 어려운 물건의 무게나 두께는 같은 물건을 여러 개 모아서 측정한 다음 물건의 수로 나누어 구할 수 있습니다.

071쪽 서술형 잡기 ※서술형 문제의 예시 답안입니다.

1 ❶ 12.9 ❷ 12.9, 2.15, 2.15 / 2.15

2 ❶ 어떤 수를 구하는 식 쓰기 ▶ 2점
 ❷ 어떤 수 구하기 ▶ 3점

 ❶ 어떤 수를 $\square$라 하여 어떤 수를 구하는 식을 세우면 $\square \times 9 = 14.85$입니다.
 ❷ $\square = 14.85 \div 9 = 1.65$이므로 어떤 수는 1.65입니다. / 1.65

3 ❶ 12.04 ❷ 12.04, 13 / 13

4 ❶ $12.51 \div 3$ 계산하기 ▶ 3점
 ❷ ◆에 알맞은 자연수 중에서 가장 큰 수 구하기 ▶ 2점

 ❶ $12.51 \div 3 = 4.17$
 ❷ ◆ < 4.17이므로 ◆에 알맞은 자연수 중에서 가장 큰 수는 4입니다. / 4

01 14.2

02 3065, 3065, 613, 6.13

03 0.65, 20, 20

04 3.04   **05** 23.4, 2.34

06 36÷5   **07** 0.92

08 0.25   **09** ㉡

10 (위에서부터) 3.35, 1.34

11 (1) •   •   **12** <
      (2) •   ✕   •
      (3) •   •

13 9.33÷3=3.11 / 3.11 m

14 1.63 cm²   **15** ㉠, ㉣

16 4.35 kg   **17** 0.17

18 2.03 cm

서술형

※서술형 문제의 예시 답안입니다.

19
❶ 어떤 수를 구하는 식 쓰기 ▶ 2점
❷ 어떤 수 구하기 ▶ 3점

❶ 어떤 수를 □라 하여 어떤 수를 구하는 식을
세우면 □×7=6.79입니다.
❷ □=6.79÷7=0.97이므로 어떤 수는 0.97
입니다. / 0.97

20
❶ 93÷15 계산하기 ▶ 3점
❷ □ 안에 들어갈 수 있는 자연수 중에서 가장 큰 수
구하기 ▶ 2점

❶ 93÷15=6.2
❷ □<6.2이므로 □ 안에 들어갈 수 있는 자연
수 중에서 가장 큰 수는 6입니다. / 6

01 28.4는 284의 $\frac{1}{10}$배이므로 28.4÷2의 몫은 142의
$\frac{1}{10}$배인 14.2입니다.

02 30.65는 소수 두 자리 수이므로 분모가 100인 분수
로 바꾸어 계산합니다.

03 나누어지는 수의 오른쪽 끝자리에 0이 있는 것으로 생
각하고 0을 내려 계산합니다.

04 나누어야 할 수가 나누는 수보다 작은 경우 몫에 0을
쓰고 수를 하나 더 내려 계산합니다.

05 나누는 수가 같을 때 나누어지는 수가 $\frac{1}{10}$ 배, $\frac{1}{100}$
배가 되면 몫도 $\frac{1}{10}$배, $\frac{1}{100}$배가 됩니다.

06 35.8을 반올림하여 일의 자리까지 나타내면 36이므
로 36÷5로 어림합니다.

07 7.36÷8=0.92

08
```
        0.2 5
  12 ) 3.0 0
        2 4
        ─────
          6 0
          6 0
        ─────
            0
```

09 20.88÷6을 21÷6으로 어림하면 약 3이므로 몫은
3.48입니다.

10 •6.7÷2=3.35   •6.7÷5=1.34

11 (1) 9.72÷4=2.43
     (2) 10.3÷5=2.06
     (3) 2.34÷9=0.26

12 5.49÷9=0.61, 4.69÷7=0.67
     → 0.61<0.67

13 (한 사람이 가지게 되는 털실의 길이)
     =9.33÷3=3.11 (m)

14 (색칠된 부분의 넓이)=6.52÷4=1.63 (cm²)

15 몫이 1보다 작은 나눗셈은 나누어지는 수가 나누는
수보다 작은 경우입니다.

16 (보리쌀의 무게)+(현미의 무게)
     =13.6+12.5=26.1 (kg)
     (한 봉지에 담아야 하는 보리쌀과 현미의 무게)
     =26.1÷6=4.35 (kg)

17 수의 크기를 비교하면 1<3<6<8입니다.
     • 수 카드 3장으로 만들 수 있는 가장 작은 소수 두
       자리 수: 1.36
     • 남은 수 카드의 수: 8
     → 1.36÷8=0.17

18 (삼각기둥의 모서리의 수)=3×3=9(개)
     (삼각기둥의 한 모서리의 길이)
     =18.27÷9=2.03 (cm)

진도북

3
단원

4 비와 비율

1 방법1 4, 4, 4   방법2 4, 2, 2
2 (1) (위에서부터) 20 / 24, 32, 40
   (2) 12, 16, 20 / 변합니다에 ○표
   (3) 2 / 변하지 않습니다에 ○표

1 방법1 뺄셈식을 세우고 복숭아 수와 참외 수의 관계를 알아봅니다.
   방법2 나눗셈식을 세우고 복숭아 수와 참외 수의 관계를 알아봅니다.

2 (2) (색종이 수)−(학생 수)
   → 8−4=4, 16−8=8, 24−12=12,
   32−16=16, 40−20=20
   (3) (색종이 수)÷(학생 수)
   → 8÷4=2, 16÷8=2, 24÷12=2,
   32÷16=2, 40÷20=2

1 (1) 1   (2) 1 : 3
2 (1) 5   (2) 4 : 7
   (3) 3 : 8   (4) 9 : 11
3 (1) 15, 10   (2) $\dfrac{15}{6}\left(=\dfrac{5}{2}\right)$, $\dfrac{10}{4}\left(=\dfrac{5}{2}\right)$
   (3) 같습니다에 ○표

1 (1) 매실 원액의 양이 기준이 되므로 3 : 1입니다.
   (2) 물의 양이 기준이 되므로 1 : 3입니다.

2 (1) 6 대 5 → 6 : 5
   (2) 4와 7의 비 → 4 : 7
   (3) 8에 대한 3의 비 → 3 : 8
   (4) 9의 11에 대한 비 → 9 : 11

3 (1) 가: 가로가 15 cm, 세로가 6 cm이므로 15 : 6입니다.
   나: 가로가 10 cm, 세로가 4 cm이므로 10 : 4입니다.
   (2) (비율)=(비교하는 양)÷(기준량)=$\dfrac{(비교하는 \ 양)}{(기준량)}$
   $15 : 6 \rightarrow \dfrac{15}{6}\left(=\dfrac{5}{2}\right)$, $10 : 4 \rightarrow \dfrac{10}{4}\left(=\dfrac{5}{2}\right)$

코칭Tip 기준량과 비교하는 양이 달라도 비율은 같을 수 있습니다.

1 (1) 4시간에 ○표, 280 km에 ○표   (2) $\dfrac{280}{4}$, 70
2 (1) 130   (2) 125   (3) 가
3 (1) 0.1, 0.09   (2) 인우

1 (2) (비율)=$\dfrac{(비교하는 \ 양)}{(기준량)}$=$\dfrac{(간 \ 거리)}{(걸린 \ 시간)}$
   =$\dfrac{280}{4}$=70

2 (1) (비율)=$\dfrac{(비교하는 \ 양)}{(기준량)}$=$\dfrac{(가의 \ 인구)}{(가의 \ 넓이)}$
   =$\dfrac{65000}{500}$=130
   (2) (비율)=$\dfrac{(비교하는 \ 양)}{(기준량)}$=$\dfrac{(나의 \ 인구)}{(나의 \ 넓이)}$
   =$\dfrac{50000}{400}$=125
   (3) 130(가 지역)>125(나 지역)이므로 인구가 더 밀집한 곳은 가 지역입니다.

3 (1) • 인우: $\dfrac{25}{250}=\dfrac{1}{10}=0.1$
   • 효주: $\dfrac{27}{300}=\dfrac{9}{100}=0.09$
   (2) 0.1(인우)>0.09(효주)이므로 인우가 만든 초콜릿 맛 우유가 더 진합니다.

01 18, 24, 30   **02** 찰흙, 3, 6, 9, 12, 15
03 7, 9, 9   **04** 6, 7 / 6, 7 / 7, 6 / 6, 7
05 4 : 1   **06** 예

07 비교하는 양, 기준량, 비율
08

비	12와 30의 비	75의 25에 대한 비
비교하는 양	12	75
기준량	30	25
비율	$\dfrac{12}{30}\left(=\dfrac{2}{5}=0.4\right)$	$\dfrac{75}{25}(=3)$

09 4 : 6 / 10 : 15   **10** $\dfrac{4}{6}\left(=\dfrac{2}{3}\right)$ / $\dfrac{10}{15}\left(=\dfrac{2}{3}\right)$

11 $\dfrac{5400}{25}(=216)$ / $\dfrac{3520}{16}(=220)$

12 $\dfrac{192}{2}(=96)$, $\dfrac{270}{3}(=90)$

13 노란 버스

01 찰흙 수는 학생 수의 2배이므로 학생 수가 9, 12, 15일 때 찰흙 수는 각각 $9 \times 2 = 18$, $12 \times 2 = 24$, $15 \times 2 = 30$입니다.

02 모둠 수에 따라 $6 - 3 = 3$, $12 - 6 = 6$, $18 - 9 = 9$, $24 - 12 = 12$, $30 - 15 = 15$와 같이 학생 수와 찰흙 수의 관계가 변합니다.

03 나눗셈식을 세우고 학생 수와 선생님 수의 관계를 알아봅니다.
→ $63 \div 7 = 9$이므로 학생 수는 선생님 수의 **9배**입니다.

다른 풀이 '$7 \div 63 = \dfrac{7}{63} = \dfrac{1}{9}$, 선생님 수는 학생 수의 $\dfrac{1}{9}$배입니다.'라고 답할 수도 있습니다.

04 • ■ 대 ▲ → ■ : ▲
• ■와 ▲의 비 → ■ : ▲
• ▲에 대한 ■의 비 → ■ : ▲
• ■의 ▲에 대한 비 → ■ : ▲

05 (쌀의 양) : (콩의 양) = 4 : 1

06 전체 10칸 중 3칸을 색칠합니다.

08 (비율) = $\dfrac{(비교하는\ 양)}{(기준량)}$
비율은 분수 또는 소수로 나타낼 수 있습니다.

09 가로에 대한 세로의 비 → (세로) : (가로)

10 (가로에 대한 세로의 비율) = $\dfrac{(세로)}{(가로)}$

11 (은빛 마을의 넓이에 대한 인구의 비율)
= $\dfrac{5400}{25}(=216)$
(달빛 마을의 넓이에 대한 인구의 비율)
= $\dfrac{3520}{16}(=220)$

12 • 노란 버스: $\dfrac{(달린\ 거리)}{(걸린\ 시간)} = \dfrac{192}{2}(=96)$
• 빨간 버스: $\dfrac{(달린\ 거리)}{(걸린\ 시간)} = \dfrac{270}{3}(=90)$

13 걸린 시간에 대한 달린 거리의 비율이 96(노란 버스) > 90(빨간 버스)이므로 노란 버스가 더 빠릅니다.

코칭Tip 걸린 시간에 대한 달린 거리의 비율이 높을수록 빠른 버스입니다.

1 (1) 60   (2) 60 %
2 (1) 20 퍼센트   (2) 56 %
3 (1) 3   (2) 35
4 (1) 100, 75   (2) 100, 36

1 (1) $50 \times 2 = 100$ → 50개 중 30개가 판매되었으므로 100개 중에서는 $30 \times 2 = 60$(개)가 판매된 것입니다.
(2) $\dfrac{30}{50} = \dfrac{60}{100}$ → 60 %

코칭Tip 기준량이 100인 비율 $\dfrac{■}{100}$를 백분율로 나타내면 ■ %입니다.

2 기준량을 100으로 할 때의 비율을 백분율이라고 합니다. 백분율은 기호 %를 사용하여 나타냅니다.

3 (1) 전체 100칸 중 색칠한 부분이 3칸이므로

$\dfrac{3}{100}$입니다. $\rightarrow \dfrac{3}{100}=3\%$

(2) 전체 100칸 중 색칠한 부분이 35칸이므로

$\dfrac{35}{100}$입니다. $\rightarrow \dfrac{35}{100}=35\%$

코칭Tip 전체 100칸 중에서 색칠한 칸 수를 세어 봅니다.

4 비율에 100을 곱해서 나온 값에 기호 %를 붙입니다.

089쪽 STEP1 교과서 개념 잡기

1 (1) 9000, 3000 (2) 25 / 3000, 25
2 (1) 110, 55 (2) 84, 42 (3) 6, 3
3 60, 12

---

1 (1) (할인 금액)=(원래 가격)-(판매 가격)
　　　　　　　=12000-9000=3000(원)

(2) (할인율)$=\dfrac{(할인 금액)}{(원래 가격)}\times100$

　　　　$=\dfrac{3000}{12000}\times100=25\,(\%)$

2 (1) (하영이의 득표율)

$=\dfrac{(하영이의 득표수)}{(전체 투표수)}=\dfrac{110}{200}\times100=55\,(\%)$

(2) (현수의 득표율)

$=\dfrac{(현수의 득표수)}{(전체 투표수)}=\dfrac{84}{200}\times100=42\,(\%)$

(3) (무효표의 비율)

$=\dfrac{(무효표 수)}{(전체 투표수)}=\dfrac{6}{200}\times100=3\,(\%)$

3 (소금물의 진하기)$=\dfrac{(소금 양)}{(소금물 양)}\times100$

　　　　　　$=\dfrac{60}{500}\times100=12\,(\%)$

코칭Tip 소금물 양에 대한 소금 양의 비율로 소금물의 진한 정도를 알 수 있습니다.

090쪽 STEP2 개념 한번 더 잡기

01 (1) 100 (2) %   **02** 48
03 방법1 62, 62 방법2 62
04 (1) 35 % (2) 65 %
05 (위에서부터) 0.07 / $\dfrac{39}{100}$, 39 / 0.65, 65
06 민규   **07** 64 %
08 30, 3   **09** 20 %
10 15 %   **11** 75 %, 76 %
12 민경   **13** 15 %, 12 %
14 로봇

---

02 전체 50칸 중 색칠한 부분은 24칸입니다.

$\rightarrow \dfrac{24}{50}\times100=48\,(\%)$

03 방법1 기준량이 100인 비율로 나타낸 후 백분율로 나타내기
방법1 비율에 100을 곱해서 나온 값에 기호 % 붙이기

04 (1) $\dfrac{7}{20}\times100=35\,(\%)$

(2) $0.65\times100=65\,(\%)$

05 ・$\dfrac{7}{100}=0.07$

・$0.39=\dfrac{39}{100}$ $\rightarrow$ 39 %

・$\dfrac{13}{20}=\dfrac{65}{100}=0.65$ $\rightarrow$ 65 %

06 ・슬기: $\dfrac{2}{5}\times100=40\,(\%)$

07 (텃밭 넓이에 대한 화단 넓이의 비율)$=\dfrac{16}{25}$

$\rightarrow \dfrac{16}{25}\times100=64\,(\%)$

08 $\dfrac{(불량품 수)}{(전체 청소기 수)}\times100=\dfrac{30}{1000}\times100=3\,(\%)$

09 (할인 금액)=5000-4000=1000(원)

$\rightarrow$ (할인율)$=\dfrac{1000}{5000}\times100=20\,(\%)$

10 (비율)$=\dfrac{30}{200}\times100=15\,(\%)$

11 (대호의 골 성공률)$=\dfrac{15}{20}\times100=75\,(\%)$

(민경이의 골 성공률)$=\dfrac{19}{25}\times100=76\,(\%)$

12 골 성공률을 비교하면 $75\,\%<76\,\%$이므로 골 성공률이 더 높은 사람은 민경입니다.

13 (로봇의 할인율)$=\dfrac{1200}{8000}\times100=15\,(\%)$

(인형의 할인율)$=\dfrac{720}{6000}\times100=12\,(\%)$

14 할인율을 비교하면 $15\,\%>12\,\%$이므로 할인율이 더 높은 것은 로봇입니다.

092쪽 STEP3 수학 익힘 문제 잡기

01 (예) $15-3=12$이므로 노란 색종이는 파란 색종이보다 12장 더 많습니다.
/ (예) $15\div3=5$이므로 노란 색종이 수는 파란 색종이 수의 5배입니다.

02 11, 12, 13 / (예) $13-10=3$이므로 시우 나이는 동생 나이보다 항상 3살 더 많습니다.

03 360 : 260   **04** 나영

05 (1) •——•
(2) • ╳ •
(3) • ╳ •

06 6, $\dfrac{6}{8}\left(=\dfrac{3}{4}=0.75\right)$

07 $\dfrac{6}{10}\left(=\dfrac{3}{5}\right)$, 0.6   **08** ㉠

09 나 병

10 $\dfrac{168}{140}\left(=\dfrac{12}{10}=1.2\right)$, $\dfrac{132}{110}\left(=\dfrac{12}{10}=1.2\right)$
/ 같습니다에 ○표

11 $\dfrac{21}{50}$, 0.42, 42 %

12 18, (예)

출입문

13 ㉡, ㉢, ㉠   **14** 유정

15 3반   **16** 나 영화

17 (1) 17.5, 18   (2) ㉯ 자동차

---

01 • 뺄셈: (노란 색종이 수)−(파란 색종이 수)
$=15-3=12$
• 나눗셈: (노란 색종이 수)÷(파란 색종이 수)
$=15\div3=5$

02 **채점Tip** (시우 나이)−(동생 나이)$=3$을 이용하여 '동생 나이는 시우 나이보다 항상 3살 더 적습니다.' 라고 답할 수도 있습니다.

03 (학교~도서관)=(집~도서관)−(집~학교)
$=620-360=260\,(m)$
(집~학교) : (학교~도서관)=360 : 260

04 • 나영: 5 : 6은 기준량이 6이지만 6 : 5는 기준량이 5이므로 두 비는 서로 다릅니다.
• 성태: 17 : 13 → (비율)$=\dfrac{17}{13}$

05 (1) 11과 20의 비 → 11 : 20 → $\dfrac{11}{20}=\dfrac{55}{100}=0.55$
(2) 4에 대한 3의 비 → 3 : 4 → $\dfrac{3}{4}=\dfrac{75}{100}=0.75$
(3) 6의 25에 대한 비 → 6 : 25 → $\dfrac{6}{25}=\dfrac{24}{100}=0.24$

06 (가로에 대한 세로의 비율)
$=\dfrac{(세로)}{(가로)}=\dfrac{6}{8}=\dfrac{3}{4}=0.75$

07 그림 면이 나온 횟수를 세어 보면 6번입니다.
→ $\dfrac{(그림 면이 나온 횟수)}{(동전을 던진 횟수)}=\dfrac{6}{10}=\dfrac{3}{5}=0.6$

08 (㉠의 골 성공률)$=\dfrac{28}{40}=0.7$,
(㉡의 골 성공률)$=\dfrac{15}{25}=0.6$
→ $0.7>0.6$이므로 골 성공률이 더 높은 것은 ㉠입니다.

09 레몬 주스 양에 대한 레몬 원액 양의 비율이 높을수록 레몬 주스가 진합니다.
• 가 병: $\dfrac{130}{260}=0.5$ • 나 병: $\dfrac{270}{450}=0.6$
→ $0.5<0.6$이므로 나 병의 레몬 주스가 더 진합니다.

10 • 정호: $\dfrac{(그림자 길이)}{(정호의 키)}=\dfrac{168}{140}\left(=\dfrac{12}{10}=1.2\right)$
• 수연: $\dfrac{(그림자 길이)}{(수연이의 키)}=\dfrac{132}{110}\left(=\dfrac{12}{10}=1.2\right)$
→ 두 사람의 키에 대한 그림자 길이의 비율은 1.2로 같습니다.

11 21의 50에 대한 비 → 21 : 50

- 분수, 소수: $\dfrac{21}{50}=\dfrac{42}{100}=0.42$

- 백분율: $0.42\times100=42\,(\%)$

12 (강당 넓이에 대한 무대 넓이의 비율)

$=\dfrac{90}{500}=\dfrac{18}{100}$ → $18\,\%$

따라서 모눈 100칸 중 18칸에 색칠합니다.

13 ㉠ $\dfrac{7}{10}\times100=70\,(\%)$

㉢ $0.93\times100=93\,(\%)$

→ 비율이 높은 것부터 차례로 쓰면

㉡ $120\,\%$, ㉢ 0.93, ㉠ $\dfrac{7}{10}$입니다.

14 • 민수: (할인 금액)$=3000-2100=900$(원)

(할인율)$=\dfrac{900}{3000}\times100=30\,(\%)$

• 유정: (할인 금액)$=1200-780=420$(원)

(할인율)$=\dfrac{420}{1200}\times100=35\,(\%)$

→ $30\,\%<35\,\%$이므로 산 학용품의 할인율이 더 높은 사람은 유정입니다.

15 • 1반의 완주율: $\dfrac{14}{28}\times100=50\,(\%)$

• 2반의 완주율: $\dfrac{13}{25}\times100=52\,(\%)$

• 3반의 완주율: $\dfrac{12}{20}\times100=60\,(\%)$

→ $60\,\%>52\,\%>50\,\%$이므로 완주율이 가장 높은 반은 3반입니다.

16 좌석 수에 대한 관객 수의 비율을 구합니다.

• 가 영화: $37\,\%$

• 나 영화: $\dfrac{120}{300}\times100=40\,(\%)$

→ $37\,\%<40\,\%$이므로 좌석 수에 대한 관객 수의 비율이 더 높은 영화는 나 영화입니다.

17 (1) • ㉮ 자동차 → 210 : 12

→ (비율)$=210\div12=17.5$

• ㉯ 자동차 → 162 : 9

→ (비율)$=162\div9=18$

(2) 비율을 비교하면 $17.5<18$이므로 연비가 더 높은 자동차는 ㉯ 자동차입니다.

095쪽 서술형 잡기 ※서술형 문제의 예시 답안입니다.

1 ❶ 9, 12 ❷ 12, 21
/ 12 : 21

2
> ❶ 복숭아 수 구하기 ▶ 2점
> ❷ 전체 과일 수에 대한 복숭아 수의 비 구하기 ▶ 3점

❶ 전체 과일 54개 중 복숭아는
$54-35=19$(개)입니다.
❷ 전체 과일 수에 대한 복숭아 수의 비는
19 : 54입니다.
/ 19 : 54

3 ❶ 31500, 1500 ❷ 1500, 5, 5 / 5 %

4
> ❶ 이자 구하기 ▶ 2점
> ❷ 예금한 돈에 대한 이자의 비율 구하기 ▶ 3점

❶ 1년 동안 예금한 돈에 대한 이자는
$41600-40000=1600$(원)입니다.
❷ $\dfrac{1600}{40000}\times100=4\,(\%)$이므로 1년 동안 예금한 돈에 대한 이자의 비율은 $4\,\%$입니다.
/ $4\,\%$

096쪽 단원 마무리

01 14 : 11

02 (1) 5 : 6 (2) 5 : 6

03 2, 3, 3

04 $\dfrac{9}{20}$

05 50 %

06 2.5

07 ④

08 예

09 (1) •
(2) •
(3) •

10 20, 100, 4

11 $\dfrac{50}{7}$

12 10 %

13 ㉡

14 1.25, 1.25 / 같습니다에 ○표

15 주하

16 1250, 5200 / 나 도시

17 준규

18 나 비커

19
❶ 여자 관람객 수 구하기 ▶ 2점
❷ 전체 관람객 수에 대한 여자 관람객 수의 비 구하기 ▶ 3점

❶ 전체 관람객 100명 중 여자 관람객은 $100-57=43$(명)입니다.
❷ 전체 관람객 수에 대한 여자 관람객 수의 비는 43 : 100입니다. / 43 : 100

20
❶ 이자 구하기 ▶ 2점
❷ 예금한 돈에 대한 이자의 비율 구하기 ▶ 3점

❶ 1년 동안 예금한 돈에 대한 이자는 $51000-50000=1000$(원)입니다.
❷ $\dfrac{1000}{50000}\times100=2$ (%)이므로 1년 동안 예금한 돈에 대한 이자의 비율은 2 %입니다. / 2 %

02 (1) ■와 ▲의 비 ➡ ■ : ▲
(2) ▲에 대한 ■의 비 ➡ ■ : ▲

04 비 9 : 20의 비율 ➡ $\dfrac{9}{20}$

05 $\dfrac{5}{10}\times100=50$ (%)

06 (직사각형의 세로에 대한 가로의 비율)
$=$(가로)$\div$(세로)$=20\div8=2.5$

07 ① 9 : 8 　　② 5 : 8 　　③ 3 : 8
④ 8 : 11 　　⑤ 7 : 8
➡ 기호 : 뒤에 있는 수가 기준량이므로 기준량이 나머지 넷과 다른 것은 ④입니다.

08 $\dfrac{(색칠한\ 부분의\ 칸\ 수)}{(전체\ 칸\ 수)}=\dfrac{5}{6}$이므로 전체 6칸 중에서 5칸을 색칠합니다.

09 (1) 3과 4의 비 ➡ 3 : 4 ➡ $\dfrac{3}{4}=\dfrac{75}{100}=0.75$
(2) 25에 대한 9의 비 ➡ 9 : 25 ➡ $\dfrac{9}{25}=\dfrac{36}{100}=0.36$
(3) 29 대 50 ➡ 29 : 50 ➡ $\dfrac{29}{50}=\dfrac{58}{100}=0.58$

10 $\dfrac{(불량품\ 수)}{(전체\ 색연필\ 수)}\times100=\dfrac{20}{500}\times100=4$ (%)

11 (걸린 시간)$=7$초, (달린 거리)$=50$ m
➡ (걸린 시간에 대한 달린 거리의 비율)
$=\dfrac{(달린\ 거리)}{(걸린\ 시간)}=\dfrac{50}{7}$

12 (할인 금액)$=30000-27000=3000$(원)
➡ (할인율)$=\dfrac{3000}{30000}\times100=10$ (%)

13 ㉠ $\dfrac{1}{4}\times100=25$ (%)
㉡ $\dfrac{1}{2}=0.5$ ➡ $0.5\times100=50$ (%)
➡ 잘못 설명한 것은 ㉡입니다.

14 ・가 가로등: $\dfrac{(그림자\ 길이)}{(높이)}=\dfrac{250}{200}=1.25$
・나 가로등: $\dfrac{(그림자\ 길이)}{(높이)}=\dfrac{150}{120}=1.25$
➡ 두 가로등의 높이에 대한 그림자 길이의 비율은 1.25 로 같습니다.

15 ・주하의 타율: $\dfrac{13}{20}\times100=65$ (%)
・성희의 타율: $\dfrac{9}{15}\times100=60$ (%)
➡ $65\% > 60\%$이므로 주하의 타율이 더 높습니다.

16 ・(가 도시의 넓이에 대한 인구의 비율)
$=21000000\div16800=1250$
・(나 도시의 넓이에 대한 인구의 비율)
$=13000000\div2500=5200$
➡ $1250 < 5200$이므로 인구가 더 밀집한 곳은 나 도시입니다.

17 골 성공률을 백분율로 나타내어 비교합니다.
・성민: $\dfrac{18}{30}\times100=60$ (%)　　・준규: 65 %
・재경: $\dfrac{6}{15}\times100=40$ (%)
➡ $65\% > 60\% > 40\%$이므로 골 성공률이 가장 높은 사람은 준규입니다.

18 ・가 비커: $\dfrac{46}{230}\times100=20$ (%)
・나 비커: $\dfrac{80}{320}\times100=25$ (%)
➡ $20\% < 25\%$이므로 더 진한 소금물이 담긴 비커는 나 비커입니다.

진도북

4
단원

5 여러 가지 그래프

103쪽 STEP 1 교과서 개념 잡기

---

1 (1) 10만 t, 1만 t (2) 85만 t (3) 광주·전라

2

국가별 이산화 탄소 배출량

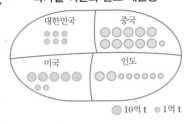

⬤10억 t •1억 t

---

1 (1) 그림의 크기에 따라 나타내는 수가 다릅니다.

(2) 대구·부산·울산·경상: 큰 그림 8개, 작은 그림 5개
➡ 85만 t

(3) 쌀 생산량이 가장 많은 권역은 큰 그림의 수가 가장 많은 광주·전라입니다.

2 • 중국: 101억 t ➡ 큰 그림 10개, 작은 그림 1개
• 인도: 26억 t ➡ 큰 그림 2개, 작은 그림 6개

코칭Tip 10억 t을 나타내는 큰 그림과 1억 t을 나타내는 작은 그림으로 그림그래프를 완성합니다.

105쪽 STEP 1 교과서 개념 잡기

---

1 띠그래프

2 (1) 1 (2) 12 (3) 초코

3 (1) (위에서부터) 30, 20, 15

(2)

공원에 있는 종류별 나무 수

0 10 20 30 40 50 60 70 80 90 100 (%)
소나무 (35 %) / 느티나무 (30 %) / 은행나무 (20 %) / 기타 (15 %)

---

2 (1) 작은 눈금 10칸이 10 %를 나타내므로 작은 눈금 한 칸은 1 %를 나타냅니다.

(3) 가장 많은 학생들이 좋아하는 우유는 띠그래프에서 길이가 가장 긴 초코우유입니다.

코칭Tip 조사한 내용을 분류하고 정리하면서 응답한 수가 적은 것은 기타 항목으로 모아서 넣을 수 있습니다.

---

3 (1) $\dfrac{(종류별\ 나무\ 수)}{(전체\ 나무\ 수)} \times 100$을 계산하여 백분율을 구합니다.

(2) 항목별로 구한 백분율의 크기만큼 선을 그어 띠를 나눕니다.

코칭Tip 각 항목의 백분율을 구한 다음 백분율의 합계가 100 %가 되는지 확인합니다.
➡ 35＋30＋20＋15＝100 (%)

106쪽 STEP 2 개념 한번 더 잡기

---

01 4, 5

02

대륙별 인구수

대륙	인구수
아메리카	☺
아시아	☺☺☺☺☺☺☺
아프리카	☺☺☺☺
유럽	☺☺☺☺☺☺

☺10억 명 ☺1억 명

03 그림그래프에 ○표

04

권역별 공공 도서관 수

⬛100개 ⬛10개

05 서울·인천·경기

06 제주

07 20명

08 25, 20, 20 / 25, 20, 20

09 체육

10 25, 20, 15, 100

11

종류별 의료 시설 수

0 10 20 30 40 50 60 70 80 90 100 (%)
병원 (40 %) / 약국 (25 %) / 한의원 (20 %) / 기타 (15 %)

12 40, 35, 15, 10 /

색깔별 구슬 수

0 10 20 30 40 50 60 70 80 90 100 (%)
파란색 (40 %) / 노란색 (35 %) / 초록색 (15 %) / 분홍색 (10 %)

---

01 아시아: 45억 명 ➔ 큰 그림 4개, 작은 그림 5개

02 인구수에 맞게 그림의 크기에 주의하여 그림그래프로 나타냅니다.

03 • 표: 자료의 정확한 수치를 알기 쉽습니다.
　 • 그림그래프: 어느 대륙의 인구수가 많고 적은지 한 눈에 알 수 있습니다.

04 • 대전·세종·충청: 240개
　　 ➔ 큰 그림 2개, 작은 그림 4개
　 • 광주·전라: 60개 ➔ 작은 그림 6개
　 • 강원: 150개 ➔ 큰 그림 1개, 작은 그림 5개
　 • 대구·부산·울산·경상: 150개
　　 ➔ 큰 그림 1개, 작은 그림 5개
　 • 제주: 20개 ➔ 작은 그림 2개

05 큰 그림 ➔ 작은 그림의 순서로 개수를 비교하면 공공 도서관 수가 가장 많은 권역은 서울·인천·경기입니다.

06 큰 그림 ➔ 작은 그림의 순서로 개수를 비교하면 공공 도서관 수가 가장 적은 권역은 제주입니다.

07 (합계)=7+5+4+4=20(명)

08 전체 학생 수에 대한 과목별 학생 수의 백분율을 구하여 띠그래프에 알맞게 써넣습니다.
　 다른 풀이 띠그래프의 작은 눈금 한 칸은 5 %를 나타냅니다. 눈금을 세어 과목별 학생 수의 백분율을 알아봅니다.

09 가장 많은 학생들이 좋아하는 과목은 띠그래프에서 길이가 가장 긴 체육입니다.

10 • 약국: $\dfrac{15}{60} \times 100 = 25$ (%)
　 • 한의원: $\dfrac{12}{60} \times 100 = 20$ (%)
　 • 기타: $\dfrac{9}{60} \times 100 = 15$ (%)
　 ➔ (합계)=40+25+20+15=100 (%)

11 띠그래프의 작은 눈금 한 칸은 5 %를 나타냅니다. 약국 5칸, 한의원 4칸, 기타 3칸만큼 띠를 나누고 각 항목의 내용과 백분율을 씁니다.

12 • 파란색: $\dfrac{16}{40} \times 100 = 40$ (%)
　 • 노란색: $\dfrac{14}{40} \times 100 = 35$ (%)
　 • 초록색: $\dfrac{6}{40} \times 100 = 15$ (%)
　 • 분홍색: $\dfrac{4}{40} \times 100 = 10$ (%)

109쪽 STEP 1 교과서 개념 잡기

1 원그래프　　　　　**2** (1) 5　(2) 30　(3) 쌀

3 (1) (위에서부터) 35, 25, 15
　 (2) **혈액형별 학생 수**

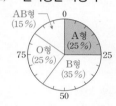

2 (1) 눈금 5칸이 25 %를 나타내므로 눈금 한 칸은 25÷5=5 (%)를 나타냅니다.
　 (3) 가장 수확량이 많은 곡식은 원그래프에서 차지하는 부분의 넓이가 가장 넓은 쌀입니다.

3 (1) $\dfrac{(혈액형별\ 학생\ 수)}{(전체\ 학생\ 수)} \times 100$을 계산하여 백분율을 구합니다.
　 (2) 항목별로 구한 백분율의 크기만큼 선을 그어 원을 나눕니다.

　 코칭Tip 원그래프는 원의 중심에서 원의 둘레에 표시된 눈금까지 선으로 이어서 그립니다. 원그래프 안에 항목의 내용과 백분율을 쓰기 어려울 때에는 화살표를 사용하여 그래프 밖에 내용과 백분율을 씁니다.

111쪽 STEP 1 교과서 개념 잡기

1 (1) 사과　(2) 20　(3) 16, 2
2 (1) 2배　(2) 3배　(3) 줄어들었습니다에 ◯표

1 (1) 원그래프를 보면 사과 32 %, 포도 24 %, 망고 20 %, 복숭아 16 %, 기타 8 %입니다.
32 %>24 %>20 %>16 %>8 %이므로 가장 많은 학생들이 좋아하는 과일은 사과입니다.
(3) 사과 32 %, 복숭아 16 % → 32÷16=2(배)

2 (1) 2021년의 띠그래프에서 세탁기 판매량과 냉장고 판매량의 비율을 비교합니다.
→ 28÷14=2(배)
(2) 2020년과 2021년의 띠그래프에서 건조기 판매량의 비율을 비교합니다.
→ 30÷10=3(배)
(3) 2020년의 에어컨 판매량: 40 %
2021년의 에어컨 판매량: 28 %
→ 2021년에는 2020년에 비해 에어컨 판매량의 비율이 줄어들었습니다.

113쪽 STEP**1** 교과서 개념 잡기

1 전교 학생 회장 후보자별 득표수

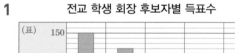

전교 학생 회장 후보자별 득표수

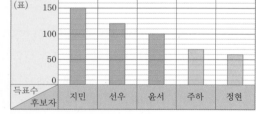

(1) 막대그래프에 ○표 (2) 띠그래프에 ○표

2 (1) 꺾은선그래프 (2) 원그래프

---

1 (1) 막대그래프는 수량의 많고 적음을 한눈에 비교하기 쉽습니다.
(2) 띠그래프는 전체에 대한 각 부분의 비율을 한눈에 알아보기 쉽습니다.

2 (1) 꺾은선그래프로 나타내면 교실 온도의 변화하는 모습이나 정도를 쉽게 알 수 있습니다.
(2) 원그래프로 나타내면 좋아하는 운동별 학생 수의 비율을 한눈에 알아보기 쉽습니다.
코칭Tip 그림그래프는 자료에 따라 상징적인 그림으로 나타내고 싶을 때 알맞습니다.

114쪽 STEP**2** 개념 한번더 잡기

01 25명
02 32, 20, 8 / (위에서부터) 8, 20
03 휴대 전화   **04** 30, 20, 15, 100
05 세계문화관에 있는 지역별 문화재 수

06 (1) ○ (2) ○   **07** 2배
08 노래, 악기 연주   **09** 63 %
10 연예인
11 막대그래프 / 꺾은선그래프 / 띠그래프
12 ㉰   **13** ㉯

---

01 (합계)=10+8+5+2=25(명)

02 전체 학생 수에 대한 선물별 학생 수의 백분율을 구하여 원그래프에 알맞게 써넣습니다.
다른 풀이 원그래프의 작은 눈금 한 칸은 1 %를 나타냅니다. 눈금을 세어 선물별 학생 수의 백분율을 알아봅니다.

03 원그래프에서 차지하는 부분이 가장 넓은 항목은 휴대 전화이므로 가장 많은 학생들이 받고 싶은 선물은 휴대 전화입니다.

04 • 일본: $\frac{60}{200}×100=30$ (%)
• 이집트: $\frac{40}{200}×100=20$ (%)
• 중앙아시아: $\frac{30}{200}×100=15$ (%)
→ (합계)=35+30+20+15=100 (%)

05 각 항목의 백분율에 맞게 원그래프로 나타냅니다.

06 (1) 전체 문화재 수에 대한 지역별 문화재 수의 비율이 높을수록 문화재 수가 많고, 비율이 낮을수록 문화재 수가 적습니다.

07 운동: 40 %, 독서: 20 % → 40÷20=2(배)

08 띠그래프에서 차지하는 부분의 길이가 서로 같은 취미를 찾으면 노래와 악기 연주입니다.

09 연예인: 38 %, 선생님: 25 %
→ 38＋25＝63 (%)

10 비율이 30 % 이상인 것은 비율이 30 %이거나 30 %보다 높은 항목이므로 비율이 38 %인 연예인입니다.

11 • ㉮: 조사한 자료의 수량을 막대 모양으로 나타낸 그래프 ➡ 막대그래프
• ㉯: 변화하는 양을 점으로 표시하고 그 점들을 선분으로 이어 그린 그래프 ➡ 꺾은선그래프
• ㉰: 전체에 대한 각 부분의 비율을 띠 모양으로 나타낸 그래프 ➡ 띠그래프

12 띠그래프에서 띠의 길이와 백분율로 월별 입장객 수의 비율을 한눈에 비교할 수 있습니다.

13 꺾은선그래프에서 선분의 기울기로 월별 입장객 수의 변화를 한눈에 비교할 수 있습니다.

코칭Tip 3월에서 6월로 갈수록 입장객 수가 증가하고 있으며 5월과 6월 사이에 입장객 수가 가장 많이 증가하였습니다.

116쪽 STEP3 수학 익힘 문제 잡기

01 동욱
02 11만 대
03 25, 40, 10, 20, 5, 100
04 책
05 장난감
06 (위에서부터) 50 / 20, 10
07 새해 계획별 학생 수

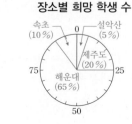

08 운동, 40 %
09 도시가스 요금
10 약 2배
11 60000원
12 15, 60, 25, 100
13 5, 20, 65, 10, 100
14 일정별 희망 학생 수　　장소별 희망 학생 수

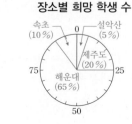

---

15 ㉠, ㉢
16 $\frac{1}{2}$배(＝0.5배)
17 800개
18 70 %
19 2배
20 30 / 좋아하는 동물별 학생 수

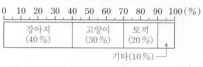

21 (위에서부터) 800, 300, 200, 700, 2000 / 40, 15, 10, 35, 100

22 마을별 감자 생산량

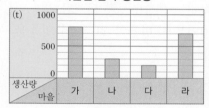

23 마을별 감자 생산량

24 등교 방법별 학생 수

등교 방법	도보	버스	자전거	기타	합계
학생 수(명)	80	70	40	10	200
백분율 (%)	40	35	20	5	100

25 등교 방법별 학생 수

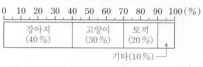

26 등교 방법별 학생 수

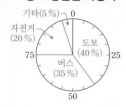

27 ㉠, ㉢, ㉡
28 (1) 2시간 이상 3시간 미만, 3시간 이상에 ○표
(2) 70 %

5. 여러 가지 그래프　29

01 • 동욱: 그림그래프는 큰 그림과 작은 그림으로 권역별 전기차 판매량의 많고 적음을 쉽게 알 수 있습니다.
• 재은: 전체 전기차 판매량에 대한 권역별 전기차 판매량의 비율은 띠그래프 또는 원그래프로 쉽게 알 수 있습니다.

02 서울·인천·경기: 24만 대,
대구·부산·울산·경상: 35만 대
➔ $35-24=11$(만 대)

03 (합계)$=25+40+10+20+5=100$ (%)

04 띠그래프에서 길이가 가장 긴 항목을 찾으면 책입니다.

05 옷은 전체 물건 수의 10 %를 차지합니다.
$10\times2=20$이므로 비율이 20 %인 항목을 찾으면 장난감입니다.

06 • 외국어 공부: $250-100-75-25=50$(명)
➔ $\dfrac{50}{250}\times100=20$ (%)
• 기타: $\dfrac{25}{250}\times100=10$ (%)

07 띠그래프의 작은 눈금 한 칸은 5 %를 나타냅니다. 백분율을 구한 표를 보고 비율에 맞게 띠그래프로 나타냅니다.

08 가장 많은 학생들이 세운 새해 계획은 띠그래프에서 차지하는 부분이 가장 긴 운동이고, 전체의 40 %입니다.

09 원그래프에서 넓이가 두 번째로 넓은 항목을 찾으면 도시가스 요금입니다.

10 전기 요금: 43 %, 상하수도 요금: 21 %
$43\div21=2.04\cdots$ ➔ 약 2배

11 도시가스 요금: 30 %, 기타: 6 %
$30\div6=5$이므로 도시가스 요금은 기타 요금의 5배입니다.
➔ (도시가스 요금)$=12000\times5=60000$(원)

12 (합계)$=15+60+25=100$ (%)

13 (합계)$=5+20+65+10=100$ (%)

14 각 항목이 차지하는 백분율만큼 선을 그어 원을 나누고, 나눈 부분에 각 항목의 내용과 백분율을 씁니다.

15 ㉠ 테니스용품: 8 %, 야구용품: 16 %
➔ 야구용품 판매량은 테니스용품 판매량의 2배입니다.
㉢ 판매량이 높은 종류부터 차례로 쓰면 수영용품, 축구용품, 야구용품, 테니스용품입니다.

16 야구용품: 16 %, 축구용품: 32 %
➔ $16\div32=\dfrac{16}{32}=\dfrac{1}{2}=0.5$(배)
코칭Tip $32\div16=2$(배)로 답하지 않도록 주의합니다.

17 축구용품: 32 %, 테니스용품: 8 %
$32\div8=4$이므로 축구용품 판매량은 테니스용품 판매량의 4배입니다.
➔ (축구용품 판매량)$=200\times4=800$(개)

18 2021년 돼지: 42 %, 2021년 닭: 28 %
➔ $42+28=70$ (%)
코칭Tip 돼지의 수와 닭의 수의 비율을 2021년 띠그래프에서 찾아야 하는데 2019년 띠그래프에서 찾지 않도록 주의합니다.

19 2019년 소: 15 %, 2021년 소: 30 %
➔ $30\div15=2$(배)

20 원그래프에서 전체는 100 %이므로 고양이를 좋아하는 학생 수의 백분율은
$100-40-20-10=30$ (%)입니다.

21 • 가 마을: $\dfrac{800}{2000}\times100=40$ (%)
• 나 마을: $\dfrac{300}{2000}\times100=15$ (%)
• 다 마을: $\dfrac{200}{2000}\times100=10$ (%)
• 라 마을: $\dfrac{700}{2000}\times100=35$ (%)

22 세로 눈금 5칸이 500 t을 나타내므로 세로 눈금 한 칸은 $500\div5=100$ (t)을 나타냅니다.
➔ 가 마을: 8칸, 나 마을: 3칸, 다 마을: 2칸, 라 마을: 7칸

23 마을별 감자 생산량의 백분율을 보고 원그래프로 나타냅니다.

24 (기타의 학생 수)$=200-80-70-40=10$(명)
(기타의 백분율)
$=\dfrac{10}{200}\times100=5$ (%)

28 ⑵ 2시간 이상 3시간 미만: 40 %,
　　 3시간 이상: 30 %
　　→ 2시간 이상 사용한 학생은 전체의
　　　 40＋30＝70 (%)입니다.

121쪽 **서술형 잡기**　　　　　　※서술형 문제의 예시 답안입니다.

1 ❶ 45, 15, 3 ❷ 3, 630 / 630대

2 ❶ 부주의로 인한 화재 수는 기타로 인한 화재 수의 몇 배
　　 인지 구하기 ▶ 3점
　　 ❷ 부주의로 인한 화재는 몇 건인지 구하기 ▶ 2점

　　 ❶ 부주의는 전체의 48 %, 기타는 전체의 12 %
　　 이므로 부주의로 인한 화재 수는 기타로 인한 화
　　 재 수의 4배입니다.
　　 ❷ 부주의로 인한 화재는 30×4＝120(건)입니
　　 다. / 120건

3 ❶ 검은색 ❷ 45

4 ❶ 알 수 있는 내용 쓰기 ▶ 3점
　　 ❷ 알 수 있는 내용 한 가지 더 쓰기 ▶ 2점

　　 ❶ 부주의로 인한 화재 수가 가장 많습니다.
　　 ❷ 전기 또는 기계로 인한 화재 수는 전체의
　　 40 %입니다.

122쪽 **단원 마무리**

01 원그래프 **02** 4개, 2개

03 　　　　　　 **마을별 어획량**

마을	어획량
가	◁▷◁▷◁▷◁▷◁▷
나	◁▷◁▷◁▷◁▷◁▷◁
다	◁▷◁▷◁▷◁▷◁◁
라	◁▷◁▷◁▷◁◁◁

◁▷10만 t
◁1만 t

04 5 % **05** 15 %

06 100 % **07** 원그래프에 ○표

08 6, 30 / 4, 20

09 　　　　　 **좋아하는 채소별 학생 수**

0　10　20　30　40　50　60　70　80　90　100 (%)			
감자 (35 %)	고구마 (30 %)	당근 (20 %)	기타 (15 %)

10 55 % **11** 감자

12 45, 25, 25, 5

13 　　 **가고 싶은 축제별 학생 수**

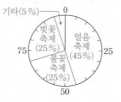

14 벚꽃 축제 **15** 얼음 축제

16 18

17 　　　　　　 **용돈의 쓰임새별 금액**

0　10　20　30　40　50　60　70　80　90　100 (%)		
저금 (42 %)	도서 (30 %)	학용품 (18 %)

간식(10 %)

18 약 2배

서술형　　　　　　　　　※서술형 문제의 예시 답안입니다.

19 ❶ 유럽에 가고 싶은 학생 수는 기타 지역으로 가고 싶
　　 은 학생 수의 몇 배인지 구하기 ▶ 3점
　　 ❷ 유럽에 가고 싶은 학생은 몇 명인지 구하기 ▶ 2점

　　 ❶ 유럽은 전체의 30 %, 기타는 전체의 10 %이
　　 므로 유럽에 가고 싶은 학생 수는 기타 지역으로
　　 가고 싶은 학생 수의 3배입니다.
　　 ❷ 유럽에 가고 싶은 학생은 24×3＝72(명)입
　　 니다. / 72명

20 ❶ 원그래프를 보고 알 수 있는 내용 쓰기 ▶ 3점
　　 ❷ 원그래프를 보고 알 수 있는 내용 한 가지 더 쓰기
　　　　　　　　　　　　　　　　　 ▶ 2점

　　 ❶ 중식을 좋아하는 학생 수가 가장 많습니다.
　　 ❷ 한식 또는 일식을 좋아하는 학생 수는 전체의
　　 30 %입니다.

02 다 마을은 42만 톤이므로 10만 톤을 나타내는 큰 그
　　 림 4개, 1만 톤을 나타내는 작은 그림 2개로 나타내
　　 어야 합니다.

03 • 나 마을: 51만 t → 큰 그림 5개, 작은 그림 1개
　　 • 다 마을: 42만 t → 큰 그림 4개, 작은 그림 2개
　　 • 라 마을: 33만 t → 큰 그림 3개, 작은 그림 3개

진도북

5
단원

04 작은 눈금 2칸이 10 %를 나타내므로 작은 눈금 한 칸은 5 %를 나타냅니다.

05 읽은 책 수가 10권 이상 15권 미만인 학생 수의 비율은 15 %입니다.

06 (합계)=20+35+15+30=100 (%)

07 장소별 사고 발생 건수의 비율을 한눈에 알아보기 쉬운 것은 띠그래프 또는 원그래프입니다.

08 $\dfrac{(채소별\ 학생\ 수)}{(전체\ 학생\ 수)} \times 100$을 계산하여 백분율을 구합니다.

09 띠그래프의 작은 눈금 한 칸은 5 %입니다.
고구마 6칸, 당근 4칸, 기타 3칸만큼 띠를 나누고 각 항목의 내용과 백분율을 씁니다.

10 감자: 35 %, 당근: 20 % ➡ 35+20=55 (%)

11 가장 많은 학생들이 좋아하는 채소는 띠그래프에서 길이가 가장 긴 감자입니다.
다른 풀이 백분율을 비교하면
35 %>30 %>20 %>15 %이므로 가장 많은 학생들이 좋아하는 채소는 감자입니다.

12 • 얼음 축제: $\dfrac{18}{40} \times 100 = 45$ (%)

• 불꽃 축제: $\dfrac{10}{40} \times 100 = 25$ (%)

• 벚꽃 축제: $\dfrac{10}{40} \times 100 = 25$ (%)

• 기타: $\dfrac{2}{40} \times 100 = 5$ (%)

14 불꽃 축제와 벚꽃 축제에 가고 싶은 학생 수의 비율은 각각 25 %로 같습니다.

15 비율이 30 % 이상인 축제는 비율이 45 %인 얼음 축제입니다.

16 원그래프에서 전체는 100 %이므로 학용품의 백분율은 100−42−10−30=18 (%)입니다.

17 항목별 백분율에 맞게 띠그래프로 나타냅니다.

18 • 저금: 42 %
• 학용품: 18 %
42÷18=2.3… ➡ 약 2배

6 직육면체의 부피와 겉넓이

129쪽 STEP **1** 교과서 개념 잡기

1 (1) =, < / < **2** (1) 18, 16 (2) 가
3 16 / 12 / 18
(1) 다에 ○표 (2) 가에 ○표

1 두 과자 상자의 가로(10 cm)와 세로(9 cm)가 같으므로 밑면의 넓이가 같습니다.
➡ 높이를 비교하면 8 cm<11 cm이므로
(가의 부피)<(나의 부피)입니다.

2 (2) 쌓기나무의 개수를 비교하면 18>16이므로
(가의 부피)>(나의 부피)입니다.

3 (1) 가와 나 상자에 담으려고 하는 떡은 모양과 크기가 같으므로 담으려고 하는 떡의 수를 세어 가와 나 상자의 부피를 비교할 수 있습니다.
(2) 담을 수 있는 떡의 수가 더 많은 가 상자의 부피가 더 큽니다.

131쪽 STEP **1** 교과서 개념 잡기

1 $1\ cm^3$, 1 세제곱센티미터
2 (위에서부터) 3, 3, 2, 3, 3 / 6, 12, 18
3 3, 12 / 4, 3, 5, 60
4 6, 6, 6, 216

1 한 모서리의 길이가 1 cm인 정육면체의 부피
➡ 쓰기: $1\ cm^3$, 읽기: 1 세제곱센티미터

2 부피가 $1\ cm^3$인 쌓기나무가 ■개이면 직육면체의 부피는 ■ cm^3입니다.
코칭Tip 밑면의 넓이가 같은 두 직육면체에서 높이가 ▲배가 되면 직육면체의 부피도 ▲배가 됩니다.

3 쌓기나무가 한 층에 4×3=12(개)씩 5층입니다.
➡ (직육면체의 부피)=4×3×5=60 (cm³)

4 (정육면체의 부피)
=(한 모서리의 길이)×(한 모서리의 길이)×(한 모서리의 길이)
=6×6×6=216 (cm³)

01 나에 ◯표　　　　**02** 다
03 <　　　　　　　　**04** 가
05 $1\,cm^3$ / 1 세제곱센티미터
06 3, 2, 24 / 24　　　**07** 5, 360
08 (1) $30\,cm^3$　(2) $48\,cm^3$
09 $343\,cm^3$　　　　　**10** 수경
11 $9\,cm^3$
12 $15 \times 5 \times 3 = 225$ / $225\,cm^3$

01 두 직육면체는 세로와 높이가 같고, 가로만 다릅니다. 가로의 길이를 비교하면 $6\,cm < 7\,cm$이므로 나의 부피가 더 큽니다.

02 가, 나, 다는 가로가 $2\,cm$, 높이가 $5\,cm$로 모두 같으므로 세로가 가장 긴 다의 부피가 가장 큽니다.

03 • 직육면체 가의 쌓기나무: 16개
　　 • 직육면체 나의 쌓기나무: 18개
　➔ 쌓기나무의 수가 더 많은 나의 부피가 더 큽니다.

04 초콜릿을 가에는 24개, 나에는 18개 담을 수 있습니다. 따라서 초콜릿을 더 많이 담을 수 있는 가의 부피가 더 큽니다.

05 한 모서리의 길이가 $1\,cm$인 정육면체의 부피를 $1\,cm^3$라 쓰고, 1 세제곱센티미터라고 읽습니다.

06 부피가 $1\,cm^3$인 쌓기나무가 $4 \times 3 \times 2 = 24$(개)이므로 직육면체의 부피는 $24\,cm^3$입니다.

07 (직육면체의 부피) = (색칠한 면의 넓이) × (높이)
　　　　　　　　　 $= 72 \times 5 = 360\,(cm^3)$

08 (1) (직육면체의 부피) = (가로) × (세로) × (높이)
　　　　　　　　　　　 $= 5 \times 3 \times 2 = 30\,(cm^3)$
　　 (2) (직육면체의 부피) $= 2 \times 4 \times 6 = 48\,(cm^3)$

09 (정육면체의 부피)
　 = (한 모서리의 길이) × (한 모서리의 길이) × (한 모서리의 길이)
　 $= 7 \times 7 \times 7 = 343\,(cm^3)$

10 수경: 정육면체의 부피는 한 모서리의 길이를 3번 곱해서 구합니다.

11 • 가의 부피: $3 \times 2 \times 3 = 18\,(cm^3)$
　　 • 나의 부피: $3 \times 3 \times 3 = 27\,(cm^3)$
　➔ 나의 부피는 가의 부피보다 $27 - 18 = 9\,(cm^3)$ 더 큽니다.

12 (필통의 부피) = (가로) × (세로) × (높이)
　　　　　　　　 $= 15 \times 5 \times 3 = 225\,(cm^3)$

1 (1) 100　(2) 1000000
2 (1) 5 m, 3 m, 3 m　(2) $45\,m^3$
3 (1) 3000000　(2) 2500000　(3) 4　(4) 67
4 9, 5, 7, 315

1 $1\,m = 100\,cm$이므로 부피가 $1\,m^3$인 정육면체를 만들려면 부피가 $1\,cm^3$인 쌓기나무가 모두 $100 \times 100 \times 100 = 1000000$(개) 필요합니다.

2 (1) $1\,m = 100\,cm$이므로
　　　 $500\,cm = 5\,m$, $300\,cm = 3\,m$입니다.
　 (2) (직육면체의 부피) $= 5 \times 3 \times 3 = 45\,(m^3)$

3 $1\,m^3 = 1000000\,cm^3$

4 (직육면체의 부피) = (가로) × (세로) × (높이)
　　　　　　　　　 $= 9 \times 5 \times 7 = 315\,(m^3)$

1 (1) 예 18, 12, 24, 108
　 (2) 예 24, 18, 12, 108
　 (3) 예 24, 4, 6, 4, 6, 108
2 (1) 5, 5, 25　(2) 25, 150

1 $4 \times 6 = 24\,(cm^2)$인 면이 2개,
　 $6 \times 3 = 18\,(cm^2)$인 면이 2개,
　 $4 \times 3 = 12\,(cm^2)$인 면이 2개입니다.

　코칭Tip 직육면체는 합동인 면이 3쌍 있으므로 넓이가 같은 면이 2개씩 있습니다.

2 (1) (한 면의 넓이)
　＝(한 모서리의 길이)×(한 모서리의 길이)
　＝5×5＝25 (cm²)
(2) (정육면체의 겉넓이)
　＝(한 면의 넓이)×6＝5×5×6
　＝25×6＝150 (cm²)

코칭Tip 정육면체는 여섯 면의 넓이가 같으므로 한 면의 넓이를 6배 합니다.

138쪽 STEP**2** 개념 한번더 잡기

01 1 m³, 1 세제곱미터
02 (　　) (○) (　　)
03 (1) 70 m³　(2) 125 m³
04 40000000, 40　　**05** (1) 4200000　(2) 3.1
06 예 54, 24, 228
07 (1) 예 28, 14, 28, 14, 100　(2) 예 4, 2, 100
08 (1) 예

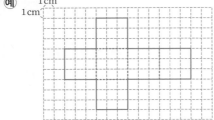

　　(2) 54 cm²
09 162 cm²　　　　**10** 486 cm²
11 (1) 150 cm², 160 cm²　(2) 지후, 10 cm²

---

02 컨테이너의 부피를 cm³로 나타내면 큰 수가 나오므로 cm³보다 더 큰 단위인 m³로 나타냅니다.

03 (1) (직육면체의 부피)＝5×7×2＝70 (m³)
(2) (정육면체의 부피)＝5×5×5＝125 (m³)

04 m 단위로 부피를 구합니다.
400 cm＝4 m, 200 cm＝2 m, 500 cm＝5 m
(직육면체의 부피)＝4×2×5＝40 (m³)
→ 40 m³＝40000000 cm³

다른풀이 cm 단위로 부피를 구합니다.
(직육면체의 부피)＝400×200×500
　　　　　　　　＝40000000 (cm³)
→ 40000000 cm³＝40 m³

05 1 m³＝1000000 cm³

06 (직육면체의 겉넓이)
　＝(9×4＋9×6＋4×6)×2
　＝(36＋54＋24)×2＝228 (cm²)

07 (1) 여섯 면의 넓이의 합으로 직육면체의 겉넓이를 구합니다.
(2) 두 밑면의 넓이와 옆면의 넓이의 합으로 직육면체의 겉넓이를 구합니다.

08 (2) (정육면체의 겉넓이)
　＝(한 면의 넓이)×6
　＝3×3×6＝9×6＝54 (cm²)

09 (직육면체의 겉넓이)
　＝(한 꼭짓점에서 만나는 세 면의 넓이의 합)×2
　＝(6×7＋6×3＋7×3)×2
　＝(42＋18＋21)×2＝81×2＝162 (cm²)

10 (정육면체의 겉넓이)
　＝(한 면의 넓이)×6＝9×9×6
　＝81×6＝486 (cm²)

11 (1) (민주가 만든 상자의 겉넓이)
　＝(36＋27＋12)×2＝75×2＝150 (cm²)
(지후가 만든 상자의 겉넓이)
　＝(16＋32＋32)×2＝80×2＝160 (cm²)
(2) 지후가 만든 상자의 겉넓이가
160－150＝10 (cm²) 더 큽니다.

140쪽 STEP**3** 수학 익힘 문제 잡기

01 가, 다, 나　　　　**02** ㉡
03 5　　　　　　　　**04** 8배
05 8 cm　　　　　　**06** ㉠
07 729 cm³　　　　　**08** 1.26 m³
09 수현　　　　　　　**10** 0.12 m³
11 ㉢　　　　　　　　**12** 4000개
13 28 cm²　　　　　　**14** 294 cm²
15 8　　　　　　　　**16** 120 cm²
17 (1) 10, 840 / 3, 120　(2) 720 cm³

01
- 가: 한 층에 12개씩 2층이므로 24개 담을 수 있습니다.
- 나: 한 층에 4개씩 3층이므로 12개 담을 수 있습니다.
- 다: 한 층에 6개씩 3층이므로 18개 담을 수 있습니다.

→ 24>18>12이므로 부피가 큰 것부터 차례로 쓰면 가, 다, 나입니다.

02
- ㉠ 2 cm, 6 cm인 모서리의 길이가 같으므로 비교할 수 있습니다.
- ㉡ 가로, 세로, 높이 중 두 종류 이상의 길이가 같지 않으므로 비교할 수 없습니다.
- ㉢ 2 cm, 4 cm인 모서리의 길이가 같으므로 비교할 수 있습니다.

03 직육면체의 부피가 $270\ \mathrm{cm}^3$이므로
직육면체의 높이를 □ cm라고 하면
$6 \times 9 \times \square = 270,\ 54 \times \square = 270,$
$\square = 270 \div 54 = 5$입니다.

04 (한 모서리의 길이가 2 cm인 정육면체의 부피)
$= 2 \times 2 \times 2 = 8\ (\mathrm{cm}^3)$
(한 모서리의 길이가 4 cm인 정육면체의 부피)
$= 4 \times 4 \times 4 = 64\ (\mathrm{cm}^3)$
→ $64 \div 8 = 8$(배)

코칭Tip 정육면체의 각 모서리의 길이가 2배가 되면 부피는 $2 \times 2 \times 2 = 8$(배)가 됩니다.

05 같은 수를 3번 곱해서 512가 되는 경우를 찾으면
$8 \times 8 \times 8 = 512$이므로 정육면체의 한 모서리의 길이는 8 cm입니다.

06
- ㉠ $15 \times 8 \times 4 = 480\ (\mathrm{cm}^3)$
- ㉡ $16 \times 12 \times 2 = 384\ (\mathrm{cm}^3)$
- ㉢ $6 \times 6 \times 6 = 216\ (\mathrm{cm}^3)$

→ 부피를 비교하면
$216\ \mathrm{cm}^3 < 384\ \mathrm{cm}^3 < 480\ \mathrm{cm}^3$이므로 부피가 가장 큰 물건은 ㉠입니다.

07 정육면체를 만들려면 가로, 세로, 높이가 모두 같아야 하므로 직육면체의 가장 짧은 모서리의 길이인 9 cm를 정육면체의 한 모서리의 길이로 해야 합니다.
→ (만들 수 있는 가장 큰 정육면체의 부피)
$= 9 \times 9 \times 9 = 729\ (\mathrm{cm}^3)$

08 70 cm=0.7 m, 90 cm=0.9 m입니다.
→ (서랍장의 부피)$= 0.7 \times 0.9 \times 2 = 1.26\ (\mathrm{m}^3)$

09 $5400000\ \mathrm{cm}^3 = 5.4\ \mathrm{m}^3$
→ $6\ \mathrm{m}^3 > 5.4\ \mathrm{m}^3$이므로 부피가 더 큰 것을 말한 사람은 수현입니다.

10 30 cm=0.3 m, 40 cm=0.4 m, 100 cm=1 m
→ 전개도를 접으면 가로 0.3 m, 세로 0.4 m, 높이 1 m인 직육면체가 되므로 부피는
$0.3 \times 0.4 \times 1 = 0.12\ (\mathrm{m}^3)$입니다.

11
- ㉠ $20\ \mathrm{m}^3 = 20000000\ \mathrm{cm}^3$
- ㉡ $4.8\ \mathrm{m}^3 = 4800000\ \mathrm{cm}^3$

→ 부피 단위 사이의 관계를 바르게 나타낸 것은 ㉡입니다.

12 4 m=400 cm, 2 m=200 cm
한 모서리의 길이가 20 cm인 정육면체 모양의 상자를
4 m에는 $400 \div 20 = 20$(개),
2 m에는 $200 \div 20 = 10$(개)씩 놓을 수 있습니다.
→ 정육면체 모양의 상자를
$20 \times 10 \times 20 = 4000$(개)까지 쌓을 수 있습니다.

13 (정육면체 가의 겉넓이)
$= 9 \times 9 \times 6 = 486\ (\mathrm{cm}^2)$
(직육면체 나의 겉넓이)
$= (11 \times 7 + 11 \times 10 + 7 \times 10) \times 2 = 514\ (\mathrm{cm}^2)$
→ (정육면체 가와 직육면체 나의 겉넓이의 차)
$= 514 - 486 = 28\ (\mathrm{cm}^2)$

14 (정육면체의 한 모서리의 길이)$= 14 \div 2 = 7\ (\mathrm{cm})$
→ (정육면체의 겉넓이)$= 7 \times 7 \times 6 = 49 \times 6$
$= 294\ (\mathrm{cm}^2)$

15 (직육면체의 겉넓이) ┌•$10 \times 6 = 60\ (\mathrm{cm}^2)$
$=$ (한 밑면의 넓이)$\times 2 +$ (옆면의 넓이)
$= 120 +$ (옆면의 넓이)$= 376$
(옆면의 넓이)$= 376 - 120 = 256\ (\mathrm{cm}^2)$
(옆면의 가로)$= 6 + 10 + 6 + 10 = 32\ (\mathrm{cm})$
→ $32 \times \square = 256,\ \square = 256 \div 32 = 8$

16 빵을 똑같이 4조각으로 자르면 자른 4조각의 겉넓이의 합은 2조각으로 잘랐을 때 겉넓이의 합보다 $60\ \mathrm{cm}^2$ 더 늘어납니다.
따라서 빵 4조각의 겉넓이의 합은 처음 빵의 겉넓이보다 $60 \times 2 = 120\ (\mathrm{cm}^2)$ 더 늘어납니다.

17 (1) (큰 직육면체의 부피)
$=12 \times 10 \times 7 = 840 \text{ (cm}^3)$
(작은 직육면체의 부피)
$=4 \times 10 \times 3 = 120 \text{ (cm}^3)$
(2) (입체도형의 부피)
$=$(큰 직육면체의 부피)$-$(작은 직육면체의 부피)
$=840 - 120 = 720 \text{ (cm}^3)$

143쪽 서술형 잡기
※서술형 문제의 예시 답안입니다.

1 ❶ 6, 5 ❷ 30, 3 / 3 cm

2 ❶ 문제에 알맞은 식 만들기 ▶ 3점
❷ ㉠은 몇 cm인지 구하기 ▶ 2점

❶ 직육면체의 부피를 구하는 식을 이용하면
㉠$\times 2 \times 3 = 42$입니다.
❷ ㉠$\times 6 = 42$, ㉠은 7 cm입니다.
/ 7 cm

3 ❶ 72, 216 ❷ 216, 36, 6 / 6 cm

4 ❶ 직육면체 가의 겉넓이 구하기 ▶ 2점
❷ 정육면체 나의 한 모서리의 길이 구하기 ▶ 3점

❶ (직육면체 가의 겉넓이)
$=(150 + 60 + 90) \times 2 = 600 \text{ (cm}^2)$
❷ (정육면체 나의 한 면의 넓이)
$=600 \div 6 = 100 \text{ (cm}^2)$
(정육면체 나의 한 모서리의 길이)
$=10 \text{ cm}$
/ 10 cm

144쪽 단원 마무리

01 1 cm^3 **02** 36 cm^3
03 2, 2, 24   **04** ㉡, ㉢ / ㉠, ㉣
05 96 cm^3 **06** 366 cm^2
07 <   **08** 5.7
09 150 cm^2
10 예 $(8 \times 7 + 8 \times 10 + 7 \times 10) \times 2 = 412$
/ 412 cm^2

11 가   **12** 2.6 m^3
13 512 cm^3 **14** 1000 cm^3
15 0.09 m^3 **16** 104 cm^3
17 ㉡   **18** 4

서술형
※서술형 문제의 예시 답안입니다.

19 ❶ 문제에 알맞은 식 만들기 ▶ 3점
❷ ㉠은 몇 cm인지 구하기 ▶ 2점

❶ 직육면체의 부피를 구하는 식을 이용하면
$3 \times$㉠$\times 2 = 36$입니다.
❷ ㉠$\times 6 = 36$, ㉠은 6 cm입니다.
/ 6 cm

20 ❶ 직육면체 나의 겉넓이 구하기 ▶ 2점
❷ 정육면체 가의 한 모서리의 길이 구하기 ▶ 3점

❶ (직육면체 나의 겉넓이)
$=(27 + 36 + 12) \times 2 = 150 \text{ (cm}^2)$
❷ (정육면체 가의 한 면의 넓이)
$=150 \div 6 = 25 \text{ (cm}^2)$
(정육면체 가의 한 모서리의 길이)$=5 \text{ cm}$
/ 5 cm

01 한 모서리의 길이가 1 cm인 정육면체의 부피를 1 cm^3라고 합니다.

02 부피가 1 cm^3인 쌓기나무가 $6 \times 3 \times 2 = 36$(개)이므로 직육면체의 부피는 36 cm^3입니다.

03 (정육면체의 겉넓이)$=$(한 면의 넓이)$\times 6$
$=2 \times 2 \times 6 = 24 \text{ (cm}^2)$

04 한 모서리의 길이가 1 m이거나 1 m보다 긴 경우는 부피의 단위로 m^3를 사용하면 편리합니다.

05 (직육면체의 부피)$=8 \times 3 \times 4 = 96 \text{ (cm}^3)$

06 (직육면체의 겉넓이)
$=(8 \times 5 + 8 \times 11 + 5 \times 11) \times 2$
$=(40 + 88 + 55) \times 2$
$=183 \times 2 = 366 \text{ (cm}^2)$

07 직육면체 가의 쌓기나무는 24개,
직육면체 나의 쌓기나무는 30개입니다.
→ 쌓기나무의 수가 더 많은 나의 부피가 더 큽니다.

08 $1000000 \text{ cm}^3 = 1 \text{ m}^3$

09 (정육면체의 겉넓이)
$=$(한 면의 넓이)$\times 6=5\times 5\times 6=150$ (cm^2)

10 (직육면체의 겉넓이)
$=(8\times 7+8\times 10+7\times 10)\times 2$
$=206\times 2=412$ (cm^2)

11 • 가: 한 층에 9개씩 3층이므로 27개 쌓을 수 있습니다.
• 나: 한 층에 12개씩 2층이므로 24개 쌓을 수 있습니다.
➔ 27>24이므로 가 상자에 블록을 더 많이 쌓을 수 있습니다.

12 $100\times 200\times 130=2600000$ (cm^3) ➔ 2.6 m^3
다른 풀이 100 cm=1 m, 200 cm=2 m, 130 cm=1.3 m
➔ $1\times 2\times 1.3=2.6$ (m^3)
코칭Tip 직육면체의 부피를 cm^{3}가 아닌 m^{3}로 답해야 하는 것에 주의합니다.

13 $8\times 8=64$이므로 정육면체의 한 모서리의 길이는 8 cm입니다.
➔ (정육면체의 부피)$=8\times 8\times 8=512$ (cm^3)

14 정육면체를 만들려면 가로, 세로, 높이가 모두 같아야 하므로 직육면체의 가장 짧은 모서리의 길이인 10 cm를 정육면체의 한 모서리의 길이로 해야 합니다.
➔ (만들 수 있는 가장 큰 정육면체의 부피)
$=10\times 10\times 10=1000$ (cm^3)

15 50 cm=0.5 m, 20 cm=0.2 m, 90 cm=0.9 m
➔ $0.5\times 0.2\times 0.9=0.09$ (m^3)

16 (선물 상자의 부피)$=10\times 6\times 5=300$ (cm^3)
(시계의 부피)$=7\times 4\times 7=196$ (cm^3)
➔ $300-196=104$ (cm^3)

17 ㉠ 5 m^3 ㉡ 40 m^3 ㉢ 5.3 m^3 ㉣ 0.6 m^3
➔ ㉡ 40 m^3 > ㉢ 5.3 m^3 > ㉠ 5 m^3 > ㉣ 0.6 m^3

18 (직육면체의 겉넓이) ┌ •$6\times 3=18$ (cm^2)
$=$(한 밑면의 넓이)$\times 2+$(옆면의 넓이)
$=36+$(옆면의 넓이)$=108$
(옆면의 넓이)$=108-36=72$ (cm^2)
(옆면의 가로)$=3+6+3+6=18$ (cm)
➔ $18\times\square=72$, $\square=72\div 18=4$

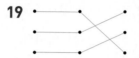

149쪽 학업 성취도 평가

01 $\dfrac{1}{6}$		**02** 30, 30, 6	
03 $\dfrac{7}{8}$		**04** <	
05 $\dfrac{3}{10}$ L$\left(=\dfrac{9}{30}\text{ L}\right)$		**06** 나, 다	
07 육각뿔		**08** 10, 7, 15	
09 6 cm		**10** 민영	
11 342, 34.2		**12** 0.35	
13 8.4		**14** ㉡	
15 0.2 kg		**16** ㉢	
17 70		**18** $\dfrac{252}{3}(=84)$	
19		**20** 혜준	
21 25, 40, 20, 15, 100			

22

과일별 생산량

0	10	20	30	40	50	60	70	80	90	100 (%)

사과 (25 %)	포도 (40 %)	복숭아 (20 %)	기타 (15 %)

23 포도   **24** 21 %
25 52 %   **26** <
27 352 m^3 **28** 405 cm^3
29 864 cm^2 **30** 116 cm^2

02 $\dfrac{6}{7}\div 5=\dfrac{6\times 5}{7\times 5}\div 5=\dfrac{30}{35}\div 5=\dfrac{30\div 5}{35}=\dfrac{6}{35}$

03 $2\dfrac{5}{8}\div 3=\dfrac{21}{8}\div 3=\dfrac{21}{8}\times\dfrac{1}{3}=\dfrac{21}{24}=\dfrac{7}{8}$

04 • $\dfrac{4}{9}\div 2=\dfrac{4\div 2}{9}=\dfrac{2}{9}$
• $\dfrac{7}{10}\div 3=\dfrac{21}{30}\div 3=\dfrac{21\div 3}{30}=\dfrac{7}{30}$
➔ $\dfrac{2}{9}<\dfrac{7}{30}$이므로 $\dfrac{4}{9}\div 2<\dfrac{7}{10}\div 3$입니다.

05 (한 사람이 마신 주스의 양)
$=$(전체 주스의 양)$\div 3$
$=\dfrac{9}{10}\div 3=\dfrac{9\div 3}{10}=\dfrac{3}{10}$ (L)

06 가, 라: 서로 평행하고 합동인 두 면이 없습니다.

07 각뿔의 밑면의 모양이 육각형이므로 육각뿔입니다.

08 오각기둥은 한 밑면의 변의 수가 5개입니다.
(오각기둥의 꼭짓점의 수)$=5\times2=10$(개)
(오각기둥의 면의 수)$=5+2=7$(개)
(오각기둥의 모서리의 수)$=5\times3=15$(개)

09 밑면의 모양은 삼각형이므로 삼각기둥이고, 각기둥의 옆면은 모두 합동이므로 밑면의 변의 길이는 모두 같습니다.
(높이를 나타내는 모서리의 길이의 합)
$=10\times3=30$ (cm)
(두 밑면의 변의 길이의 합)
$=66-30=36$ (cm)
(한 밑면의 변의 길이의 합)$=36\div2=18$ (cm)
(밑면의 한 변의 길이)$=18\div3=6$ (cm)

10 현식: 각뿔의 옆면의 모양은 모두 삼각형입니다.
원태: 각뿔의 밑면은 1개입니다.

11 $684\div2=342 \rightarrow 68.4\div2=34.2$

12
$$
\begin{array}{r}
0.3\,5 \\
7\,)\overline{2.4\,5} \\
\underline{2\,1} \\
3\,5 \\
\underline{3\,5} \\
0
\end{array}
$$

13
$$
\begin{array}{r}
8.4 \\
4\,)\overline{3\,3.6} \\
\underline{3\,2} \\
1\,6 \\
\underline{1\,6} \\
0
\end{array}
$$

14 ㉠ $7.3\div5=1.46$
㉡ $6.12\div2=3.06$
㉢ $14.63\div7=2.09$
$\rightarrow$ ㉡ $3.06 >$ ㉢ $2.09 >$ ㉠ 1.46

15 (감자 한 봉지의 무게)
$=$(감자 5봉지의 무게)$\div$(봉지 수)
$=4\div5=0.8$ (kg)
$\rightarrow$ (감자 한 개의 무게)$=0.8\div4=0.2$ (kg)

16 ㉢ $6:7 \rightarrow$ 7에 대한 6의 비

17 전체 50칸 중 색칠한 부분은 35칸입니다.
$\rightarrow \dfrac{35}{50}\times100=70$ (%)

18 $\dfrac{\text{(간 거리)}}{\text{(걸린 시간)}}=\dfrac{252}{3}(=84)$

19 · $4:5 \rightarrow \dfrac{4}{5}=\dfrac{80}{100}=0.8$
· 7과 25의 비 $\rightarrow 7:25 \rightarrow \dfrac{7}{25}=\dfrac{28}{100}=0.28$
· 10에 대한 7의 비 $\rightarrow 7:10 \rightarrow \dfrac{7}{10}=0.7$

20 · 혜준이가 만든 소금물 양에 대한 소금 양의 비율은
$\dfrac{40}{200}\times100=20$ (%)입니다.
· 승현이가 만든 소금물 양에 대한 소금 양의 비율은
$\dfrac{65}{500}\times100=13$ (%)입니다.
$\rightarrow 20\% > 13\%$이므로 혜준이가 만든 소금물이 더 진합니다.

23 생산량이 가장 많은 과일은 띠그래프에서 길이가 가장 긴 포도입니다.

24 백분율의 합계가 100 %이므로 B형인 학생 수는 전체의 $100-(42+27+10)=21$ (%)입니다.

25 A형: 42 %, AB형: 10 %
$\rightarrow 42+10=52$ %

26 직육면체 가의 쌓기나무는 12개,
직육면체 나의 쌓기나무는 16개입니다.
$\rightarrow$ 쌓기나무가 더 많은 나의 부피가 더 큽니다.

27 (직육면체의 부피)$=8\times11\times4=352$ (m^3)

28 (상자의 부피)$=9\times9\times5=405$ (cm^3)

29 (정육면체의 한 모서리의 길이)$=24\div2=12$ (cm)
$\rightarrow$ (정육면체의 겉넓이)$=$(한 면의 넓이)$\times6$
$=12\times12\times6=144\times6$
$=864$ (cm^2)

30 (직육면체 가의 겉넓이)$=(150+60+40)\times2$
$=250\times2=500$ (cm^2)
(정육면체 나의 겉넓이)$=8\times8\times6=384$ (cm^2)
$\rightarrow$ (직육면체 가와 정육면체 나의 겉넓이의 차)
$=500-384=116$ (cm^2)

기초력 학습지

1 분수의 나눗셈

01쪽 01 | (자연수)÷(자연수)의 몫을 분수로 나타내기

1 $\dfrac{1}{4}$　　　　**2** $\dfrac{1}{6}$　　　　**3** $\dfrac{2}{9}$

4 $\dfrac{5}{8}$　　　　**5** $\dfrac{4}{5}$　　　　**6** $\dfrac{3}{7}$

7 $\dfrac{5}{12}$　　　　**8** $\dfrac{7}{15}$　　　　**9** $\dfrac{11}{16}$

10 $\dfrac{3}{2}\left(=1\dfrac{1}{2}\right)$　　　**11** $\dfrac{9}{5}\left(=1\dfrac{4}{5}\right)$

12 $\dfrac{8}{3}\left(=2\dfrac{2}{3}\right)$　　　**13** $\dfrac{11}{4}\left(=2\dfrac{3}{4}\right)$

14 $\dfrac{13}{6}\left(=2\dfrac{1}{6}\right)$　　　**15** $\dfrac{20}{7}\left(=2\dfrac{6}{7}\right)$

16 $\dfrac{16}{9}\left(=1\dfrac{7}{9}\right)$　　　**17** $\dfrac{33}{8}\left(=4\dfrac{1}{8}\right)$

18 $\dfrac{15}{11}\left(=1\dfrac{4}{11}\right)$

3 ●÷■의 몫을 분수로 나타내면 $\dfrac{●}{■}$입니다.

02쪽 02 | (분수)÷(자연수)

1 $\dfrac{1}{5}$　　　　**2** $\dfrac{1}{9}$　　　　**3** $\dfrac{2}{7}$

4 $\dfrac{2}{13}$　　　**5** $\dfrac{3}{17}$　　　**6** $\dfrac{2}{25}$

7 $\dfrac{3}{23}$　　　**8** $\dfrac{4}{21}$　　　**9** $\dfrac{3}{50}$

10 $\dfrac{1}{12}$　　　**11** $\dfrac{3}{8}$　　　**12** $\dfrac{2}{27}$

13 $\dfrac{5}{56}$　　　**14** $\dfrac{3}{40}$　　　**15** $\dfrac{5}{28}$

16 $\dfrac{4}{45}$　　　**17** $\dfrac{7}{48}$　　　**18** $\dfrac{9}{88}$

03쪽 03 | (분수)÷(자연수)를 분수의 곱셈으로 나타내기

1 $3,\ \dfrac{1}{12}$　　　　**2** $5,\ \dfrac{2}{15}$

3 $2,\ \dfrac{5}{14}$　　　　**4** $4,\ \dfrac{3}{32}$

5 $7,\ \dfrac{11}{42}$　　　　**6** $5,\ \dfrac{21}{50}$

7 $\dfrac{3}{5}\div2=\dfrac{3}{5}\times\dfrac{1}{2}=\dfrac{3}{10}$

8 $\dfrac{2}{9}\div4=\dfrac{2}{9}\times\dfrac{1}{4}=\dfrac{2}{36}\left(=\dfrac{1}{18}\right)$

9 $\dfrac{3}{7}\div9=\dfrac{3}{7}\times\dfrac{1}{9}=\dfrac{3}{63}\left(=\dfrac{1}{21}\right)$

10 $\dfrac{5}{14}\div8=\dfrac{5}{14}\times\dfrac{1}{8}=\dfrac{5}{112}$

11 $\dfrac{37}{30}\div5=\dfrac{37}{30}\times\dfrac{1}{5}=\dfrac{37}{150}$

12 $\dfrac{6}{5}\div12=\dfrac{6}{5}\times\dfrac{1}{12}=\dfrac{6}{60}\left(=\dfrac{1}{10}\right)$

13 $\dfrac{21}{13}\div9=\dfrac{21}{13}\times\dfrac{1}{9}=\dfrac{21}{117}\left(=\dfrac{7}{39}\right)$

14 $\dfrac{20}{11}\div15=\dfrac{20}{11}\times\dfrac{1}{15}=\dfrac{20}{165}\left(=\dfrac{4}{33}\right)$

15 $\dfrac{63}{50}\div18=\dfrac{63}{50}\times\dfrac{1}{18}=\dfrac{63}{900}\left(=\dfrac{7}{100}\right)$

04쪽 04 | (대분수)÷(자연수)

1 $27,\ 9,\ \dfrac{3}{4}$　　　　**2** $25,\ 5,\ \dfrac{5}{8}$

3 $49,\ 7,\ \dfrac{7}{9}$　　　　**4** $24,\ 6,\ \dfrac{4}{7}$

5 $14,\ \dfrac{1}{5},\ \dfrac{14}{45}$　　　**6** $19,\ \dfrac{1}{7},\ \dfrac{19}{28}$

7 $\dfrac{4}{9}$　　　　　**8** $\dfrac{17}{42}$

9 $\dfrac{13}{28}$　　　　**10** $\dfrac{11}{20}$

11 $\dfrac{15}{32}$　　　　**12** $\dfrac{16}{40}\left(=\dfrac{2}{5}\right)$

13 $\dfrac{25}{90}\left(=\dfrac{5}{18}\right)$　　**14** $\dfrac{15}{66}\left(=\dfrac{5}{22}\right)$

15 $\dfrac{18}{351}\left(=\dfrac{2}{39}\right)$

2 각기둥과 각뿔

1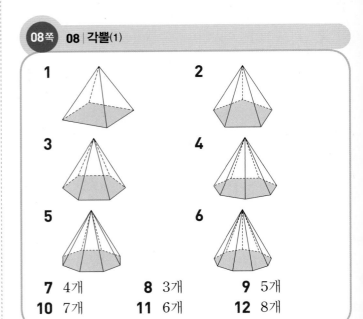

2

3

4

5

6

7 5개   **8** 3개   **9** 6개
10 4개   **11** 8개   **12** 7개

1 각기둥에서 서로 평행하고 합동인 두 면을 밑면이라고 합니다. 이때 두 밑면은 나머지 면들과 모두 수직으로 만납니다.

7 각기둥에서 두 밑면과 만나는 면을 옆면이라고 합니다. 이때 각기둥의 옆면은 모두 직사각형입니다.

1 사각기둥   **2** 삼각기둥
3 육각기둥   **4** 오각기둥
5 칠각기둥   **6** 팔각기둥
7 4, 8, 6, 12   **8** 3, 6, 5, 9
9 5, 10, 7, 15   **10** 6, 12, 8, 18
11 8, 16, 10, 24   **12** 7, 14, 9, 21

7 (각기둥의 꼭짓점의 수)=(한 밑면의 변의 수)×2
(각기둥의 면의 수)=(한 밑면의 변의 수)+2
(각기둥의 모서리의 수)=(한 밑면의 변의 수)×3

1 삼각기둥   **2** 오각기둥
3 사각기둥   **4** 육각기둥
5 (왼쪽부터) 3, 5, 8
6 (왼쪽부터) 3, 5, 6
7 (왼쪽부터) 2, 6, 7
8 (왼쪽부터) 2, 2, 3, 5

1

2

3

4

5

6

7 4개   **8** 3개   **9** 5개
10 7개   **11** 6개   **12** 8개

1 옆면인 모든 삼각형과 만나는 다각형 모양의 면을 찾아 색칠합니다.

7 각뿔에서 밑면과 만나는 면을 옆면이라고 합니다.

1 삼각뿔   **2** 오각뿔   **3** 사각뿔
4 육각뿔   **5** 칠각뿔   **6** 구각뿔
7 3, 4, 4, 6   **8** 4, 5, 5, 8
9 5, 6, 6, 10   **10** 7, 8, 8, 14
11 8, 9, 9, 16   **12** 6, 7, 7, 12

1 밑면의 모양이 삼각형이므로 삼각뿔입니다.

7 (각뿔의 꼭짓점의 수)=(한 밑면의 변의 수)+1
(각뿔의 면의 수)=(한 밑면의 변의 수)+1
(각뿔의 모서리의 수)=(한 밑면의 변의 수)×2

3 소수의 나눗셈

10쪽 **10 자연수의 나눗셈을 이용한 (소수)÷(자연수)**

1 12.1, 1.21		**2** 21.1, 2.11	
3 13.4, 1.34		**4** 12.3, 1.23	
5 13.1, 1.31		**6** 21.1, 2.11	
7 231, 23.1, 2.31		**8** 313, 31.3, 3.13	
9 349, 34.9, 3.49		**10** 221, 22.1, 2.21	
11 613, 61.3, 6.13		**12** 432, 43.2, 4.32	

1 나누는 수가 같을 때 나누어지는 수가
$\frac{1}{10}$배, $\frac{1}{100}$배이면 몫도 $\frac{1}{10}$배, $\frac{1}{100}$배입니다.

11쪽 **11 각 자리에서 나누어떨어지지 않는 (소수)÷(자연수)**

1 75, 75, 25, 2.5		
2 2685, 2685, 537, 5.37		
3 3825, 3825, 425, 4.25		
4 4944, 4944, 1236, 12.36		
5 1.7	**6** 2.3	**7** 1.62
8 4.23	**9** 2.68	**10** 11.42
11 3.17	**12** 4.62	**13** 8.37

12쪽 **12 몫이 1보다 작은 소수인 (소수)÷(자연수)**

1 63, 63, 9, 0.9		
2 84, 84, 14, 0.14		
3 265, 265, 53, 0.53		
4 513, 513, 57, 0.57		
5 0.9	**6** 0.27	**7** 0.29
8 0.73	**9** 0.27	**10** 0.72
11 0.83	**12** 0.57	**13** 0.16

13쪽 **13 소수점 아래 0을 내려 계산하는 (소수)÷(자연수)**

1 150, 150, 25, 0.25		
2 670, 670, 134, 1.34		
3 920, 920, 115, 1.15		
4 860, 860, 215, 2.15		
5 0.14	**6** 2.35	**7** 0.65
8 1.35	**9** 7.18	**10** 3.75
11 4.35	**12** 4.15	**13** 4.65

14쪽 **14 몫의 소수 첫째 자리에 0이 있는 (소수)÷(자연수)**

1 824, 824, 206, 2.06		
2 642, 642, 107, 1.07		
3 530, 530, 106, 1.06		
4 624, 624, 208, 2.08		
5 3.04	**6** 1.09	**7** 1.05
8 1.05	**9** 5.06	**10** 9.05
11 9.05	**12** 6.05	**13** 2.04

15쪽 **15 (자연수)÷(자연수)의 몫을 소수로 나타내기**

1 7, 35, 3.5		**2** 3, 6, 0.6
3 5, 125, 1.25		**4** 8, 32, 0.32
5 12, 3, 15, 1.5		**6** 23, 575, 5.75
7 1.2	**8** 0.8	**9** 4.5
10 3.5	**11** 4.5	**12** 0.25
13 1.45	**14** 1.44	**15** 0.85

16쪽 **16 몫의 소수점의 위치 확인하기**

1 35, 5	**2** 8, 4	**3** 20, 8	**4** 6, 6
5 58, 3	**6** 43, 7	**7** 28, 9	**8** 37, 8

9 12.48÷4=3.12에 ○표
10 4.44÷6=0.74에 ○표
11 32.1÷3=10.7에 ○표
12 16.48÷8=2.06에 ○표
13 4.06÷7=0.58에 ○표
14 158.4÷4=39.6에 ○표

4 비와 비율

17쪽 17 | 비

1 2 : 3	**2** 4 : 5	**3** 3 : 6
4 5 : 8	**5** 4 : 9	**6** 7 : 10
7 3 : 4	**8** 2 : 15	**9** 11 : 24
10 6 : 13	**11** 50 : 51	**12** 13 : 21
13 7 : 12	**14** 17 : 32	**15** 42 : 5
16 30 : 13	**17** 40 : 3	**18** 24 : 23

7 ▲ 대 ■ ➡ ▲ : ■

10 ▲와 ■의 비 ➡ ▲ : ■

13 ■에 대한 ▲의 비 ➡ ▲ : ■

16 ▲의 ■에 대한 비 ➡ ▲ : ■

18쪽 18 | 비율

1 4, 5 / $\dfrac{4}{5}$ **2** 1, 4 / $\dfrac{1}{4}$

3 7, 10 / $\dfrac{7}{10}$ **4** 11, 25 / $\dfrac{11}{25}$

5 $\dfrac{12}{16}\left(=\dfrac{3}{4}\right)$ / 0.75   **6** $\dfrac{9}{20}$ / 0.45

7 $\dfrac{49}{50}$ / 0.98   **8** $\dfrac{14}{35}\left(=\dfrac{2}{5}\right)$ / 0.4

9 $\dfrac{4}{8}\left(=\dfrac{1}{2}\right)$ / 0.5   **10** $\dfrac{37}{100}$ / 0.37

19쪽 19 | 비율이 사용되는 경우

1 $\dfrac{50}{10}(=5)$ **2** $\dfrac{7}{20}(=0.35)$

3 $\dfrac{7800}{6}(=1300)$ **4** $\dfrac{9}{12}\left(=\dfrac{3}{4}=0.75\right)$

5 $\dfrac{450}{150}(=3)$ **6** $\dfrac{12}{30}\left(=\dfrac{2}{5}=0.4\right)$

7 $\dfrac{210}{3}(=70)$ **8** $\dfrac{180}{300}\left(=\dfrac{3}{5}=0.6\right)$

20쪽 20 | 백분율

1 21 %	**2** 8 %
3 43 %	**4** 80 %
5 $\dfrac{7}{100}$ / 0.07	**6** $\dfrac{31}{100}$ / 0.31
7 $\dfrac{59}{100}$ / 0.59	**8** $\dfrac{73}{100}$ / 0.73

9 50	**10** 75	**11** 40
12 60	**13** 45	**14** 68

3 백분율(%)＝(비율)×100 ➡ $0.43 \times 100 = 43\,(\%)$

4 $\dfrac{4}{5} \times 100 = 80\,(\%)$

21쪽 21 | 백분율이 사용되는 경우

1 30 %	**2** 64 %	**3** 5 %	**4** 20 %
5 35 %	**6** 72 %	**7** 20 %	**8** 160 %

3 (이자율)＝$\dfrac{(이자)}{(예금한 돈)} \times 100$

$\qquad = \dfrac{3500}{70000} \times 100 = 5\,(\%)$

4 (설탕물의 진하기)＝$\dfrac{(설탕 양)}{(설탕물 양)} \times 100$

$\qquad = \dfrac{60}{300} \times 100 = 20\,(\%)$

5 (윤서의 득표율)＝$\dfrac{(윤서의 득표수)}{(전체 투표수)} \times 100$

$\qquad = \dfrac{14}{40} \times 100 = 35\,(\%)$

6 (좌석 점유율)＝$\dfrac{(관객 수)}{(영화관 좌석 수)} \times 100$

$\qquad = \dfrac{180}{250} \times 100 = 72\,(\%)$

7 (할인 금액)＝15000－12000＝3000(원)

(수박의 할인율)＝$\dfrac{(할인 금액)}{(수박의 정가)} \times 100$

$\qquad = \dfrac{3000}{15000} \times 100 = 20\,(\%)$

8 (오른 금액)=130-50=80(원)

(빈 병 보증금의 인상률)

$$=\frac{(\text{오른 금액})}{(\text{빈 병의 원래 보증금})}\times 100$$

$$=\frac{80}{50}\times 100=160\,(\%)$$

5 여러 가지 그래프

22쪽 **22 | 그림그래프**

1

지역	생산량
가	
나	
다	
라	

10만 t   1만 t

2

도	소의 수
가	
나	
다	
라	

10만 마리   1만 마리

3

국가	수출량
가	
나	
다	
라	

100만 대   10만 대

4

지역	관광객 수
가	
나	
다	
라	

100만 명   10만 명   1만 명

23쪽 **23 | 띠그래프**

1 35, 30, 20, 15 ,100 /
좋아하는 음식별 학생 수

0 10 20 30 40 50 60 70 80 90 100 (%)

피자 (35 %)	햄버거 (30 %)	떡볶이 (20 %)	기타 (15 %)

2 45, 25, 20, 10, 100 /
취미별 학생 수

0 10 20 30 40 50 60 70 80 90 100 (%)

운동 (45 %)	독서 (25 %)	게임 (20 %)	

기타(10 %)

3 35, 25, 20, 15, 5, 100 /
여행 가고 싶은 나라별 학생 수

0 10 20 30 40 50 60 70 80 90 100 (%)

중국 (35 %)	일본 (25 %)	미국 (20 %)	프랑스 (15 %)

기타(5 %)

4 30, 20, 30, 20, 100 /
좋아하는 운동별 학생 수

0 10 20 30 40 50 60 70 80 90 100 (%)

축구 (30 %)	야구 (20 %)	배구 (30 %)	기타 (20 %)

5 25 %   **6** 10 %   **7** 국어   **8** 2배

24쪽 **24 | 원그래프**

1 40, 35, 15, 10, 100 /
좋아하는 운동별 학생 수

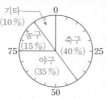

2 50, 25, 15, 10, 100 /
종류별 쓰레기 발생량

3 15 %   **4** 학용품   **5** 2배   **6** 9000원

6 직육면체의 부피와 겉넓이

25 | 직육면체의 부피 구하기

1	$12\,\text{cm}^3$	**2**	$36\,\text{cm}^3$	**3**	$60\,\text{cm}^3$
4	$72\,\text{cm}^3$	**5**	$80\,\text{cm}^3$	**6**	$16\,\text{cm}^3$
7	$252\,\text{cm}^3$	**8**	$42\,\text{cm}^3$	**9**	$270\,\text{cm}^3$
10	$160\,\text{cm}^3$	**11**	$605\,\text{cm}^3$	**12**	$120\,\text{cm}^3$

26 | 정육면체의 부피 구하기

1	$27\,\text{cm}^3$	**2**	$125\,\text{cm}^3$	**3**	$343\,\text{cm}^3$
4	$729\,\text{cm}^3$	**5**	$1000\,\text{cm}^3$	**6**	$1728\,\text{cm}^3$
7	2	**8**	3	**9**	4
10	6	**11**	8	**12**	10

27 | $1\,\text{m}^3$와 $1\,\text{cm}^3$의 관계

1	3000000	**2**	7000000
3	12000000	**4**	20000000
5	4200000	**6**	9500000
7	2	**8**	5	**9**	0.8
10	3.1	**11**	77	**12**	150
13	$40\,\text{m}^3$	**14**	$84\,\text{m}^3$	**15**	$108\,\text{m}^3$

28 | 직육면체의 겉넓이 구하기(1)

1	$108\,\text{cm}^2$	**2**	$142\,\text{cm}^2$
3	$202\,\text{cm}^2$	**4**	$352\,\text{cm}^2$
5	$96\,\text{cm}^2$	**6**	$294\,\text{cm}^2$
7	$150\,\text{cm}^2$	**8**	$216\,\text{cm}^2$

29 | 직육면체의 겉넓이 구하기(2)

1	$240\,\text{cm}^2$	**2**	$122\,\text{cm}^2$
3	$258\,\text{cm}^2$	**4**	$270\,\text{cm}^2$
5	$208\,\text{cm}^2$	**6**	$416\,\text{cm}^2$
7	$150\,\text{cm}^2$	**8**	$384\,\text{cm}^2$
9	$600\,\text{cm}^2$	**10**	$726\,\text{cm}^2$
11	$1014\,\text{cm}^2$	**12**	$1176\,\text{cm}^2$

미리 보는 수학 익힘

1 분수의 나눗셈

(자연수)÷(자연수)의 몫을 분수로 나타내기(1)

1 / $\dfrac{1}{6}$

2 예 / $\dfrac{3}{8}$

3 $\dfrac{1}{5}$, 2, $\dfrac{2}{5}$

4 (1) $\dfrac{1}{7}$ (2) $\dfrac{5}{9}$ (3) $\dfrac{6}{11}$ (4) $\dfrac{9}{10}$

5 $\dfrac{1}{2}\,\text{L}$, $\dfrac{2}{3}\,\text{L}$

6 예 주스 $4\,\text{L}$를 여학생 15명이 똑같이 나누어 마셨습니다. 여학생 한 명이 마신 주스는 몇 L인지 분수로 나타내어 보세요. /

$4 \div 15 = \dfrac{4}{15}$ / $\dfrac{4}{15}\,\text{L}$

2 원 3개를 각각 8로 나누면 $\dfrac{1}{8}$이 3개입니다.

4 ■ ÷ ● → $\dfrac{■}{●}$

5 • 가: $1 \div 2 = \dfrac{1}{2}\,(\text{L})$ • 나: $2 \div 3 = \dfrac{2}{3}\,(\text{L})$

(자연수)÷(자연수)의 몫을 분수로 나타내기(2)

1 / $\dfrac{3}{2}\left(=1\dfrac{1}{2}\right)$

2 3, 3, 3, 3, 7

3 (1) $\dfrac{8}{5}\left(=1\dfrac{3}{5}\right)$ (2) $\dfrac{18}{7}\left(=2\dfrac{4}{7}\right)$

(3) $\dfrac{25}{8}\left(=3\dfrac{1}{8}\right)$

4 $\dfrac{14}{3}\left(=4\dfrac{2}{3}\right)$ **5** 3, 5, 5, $\dfrac{5}{4}$, 1, 1

6 현재네 모둠

3 $\bullet \div \blacksquare \rightarrow \dfrac{\bullet}{\blacksquare}$

5 (전체 식혜의 양)

　　= (한 병에 들어 있는 식혜의 양) × (병 수)

　　= $\dfrac{5}{3} \times 3 = 5$ (L)

　→ (하루에 마셔야 할 식혜의 양)

　　= (전체 식혜의 양) ÷ (날수)

　　= $5 \div 4 = \dfrac{5}{4} = 1\dfrac{1}{4}$ (L)

6 현재네 모둠: $15 \div 2 = \dfrac{15}{2} = 7\dfrac{1}{2}$ (m²)

　다윤이네 모둠: $17 \div 3 = \dfrac{17}{3} = 5\dfrac{2}{3}$ (m²)

　→ $7\dfrac{1}{2} > 5\dfrac{2}{3}$ 이므로 상추를 심을 넓이가 더 넓은 모둠은 현재네 모둠입니다.

32쪽 (분수)÷(자연수)

1 $\dfrac{3}{7}$

2 예 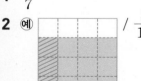 / $\dfrac{3}{16}$

3 (1) 10, 2   (2) 12, 12, 4

4 (1) $\dfrac{2}{13}\left(=\dfrac{6}{39}\right)$ (2) $\dfrac{3}{28}$ (3) $\dfrac{8}{45}$

5 $\dfrac{3}{10} \div 3 = \dfrac{1}{10}$ / $\dfrac{1}{10}$ m

6 분자, 20, 20, 5

1

수직선의 작은 눈금 한 칸이 $\dfrac{1}{7}$ 이므로 $\dfrac{6}{7}$ 을 똑같이 2로 나누면 $\dfrac{6}{7} \div 2 = \dfrac{3}{7}$ 입니다.

---

2 $\dfrac{3}{4}$ 을 4로 나누려면 $\dfrac{3}{4}$ 을 $\dfrac{12}{16}$ 로 바꿉니다.

$\dfrac{12}{16}$ 를 4등분한 것 중의 하나는 $\dfrac{3}{16}$ 입니다.

4 (1) $\dfrac{6}{13} \div 3 = \dfrac{6 \div 3}{13} = \dfrac{2}{13}\left(=\dfrac{6}{39}\right)$

(2) $\dfrac{3}{7} \div 4 = \dfrac{12}{28} \div 4 = \dfrac{12 \div 4}{28} = \dfrac{3}{28}$

(3) $\dfrac{8}{9} \div 5 = \dfrac{40}{45} \div 5 = \dfrac{40 \div 5}{45} = \dfrac{8}{45}$

코칭Tip ・분자가 자연수의 배수인 (분수)÷(자연수)

→ 분자를 자연수로 나누어 계산합니다.

・분자가 자연수의 배수가 아닌 (분수)÷(자연수)

→ 크기가 같은 분수로 바꾸어 분자가 자연수의 배수가 되도록 만든 뒤 계산합니다.

5 정삼각형은 세 변의 길이가 모두 같습니다.

→ (정삼각형의 한 변의 길이)

　= $\dfrac{3}{10} \div 3 = \dfrac{3 \div 3}{10} = \dfrac{1}{10}$ (m)

33쪽 (분수)÷(자연수)를 분수의 곱셈으로 나타내기

1 $\dfrac{1}{3}$, $\dfrac{1}{3}$, $\dfrac{1}{3}$, $\dfrac{4}{15}$

2 (1)   (2)   (3)

3 (1) $\dfrac{3}{30}\left(=\dfrac{1}{10}\right)$ (2) $\dfrac{6}{56}\left(=\dfrac{3}{28}\right)$ (3) $\dfrac{17}{36}$

4 $\dfrac{5}{6}$, 7, $\dfrac{5}{42}$ (또는 $\dfrac{5}{7}$, 6, $\dfrac{5}{42}$)

5 $\dfrac{7}{8} \div 4 = \dfrac{7}{32}$ / $\dfrac{7}{32}$ m

1 그림에서 빗금 친 부분은 $\dfrac{4}{5}$ 를 똑같이 3으로 나눈 것 중의 하나입니다.

3 (1) $\dfrac{3}{5} \div 6 = \dfrac{3}{5} \times \dfrac{1}{6} = \dfrac{3}{30}\left(=\dfrac{1}{10}\right)$

(2) $\dfrac{6}{7} \div 8 = \dfrac{6}{7} \times \dfrac{1}{8} = \dfrac{6}{56}\left(=\dfrac{3}{28}\right)$

(3) $\dfrac{17}{12} \div 3 = \dfrac{17}{12} \times \dfrac{1}{3} = \dfrac{17}{36}$

4 $\dfrac{5}{6} \div 7 = \dfrac{5}{6} \times \dfrac{1}{7} = \dfrac{5}{42}$

5 정사각형은 네 변의 길이가 모두 같습니다.
→ (정사각형의 한 변의 길이)
$$= \dfrac{7}{8} \div 4 = \dfrac{7}{8} \times \dfrac{1}{4} = \dfrac{7}{32} \text{ (m)}$$

34쪽 (대분수)÷(자연수)

1 방법1 25, 25, 5
　방법2 25, 25, 5, $\dfrac{25}{40}\left(=\dfrac{5}{8}\right)$

2 $\dfrac{20}{63}$ / 7, $\dfrac{20}{63}$

3 $2\dfrac{3}{7} \div 3 = \dfrac{17}{7} \div 3 = \dfrac{17}{7} \times \dfrac{1}{3} = \dfrac{17}{21}$

4 (1) $\dfrac{2}{3}$　(2) $\dfrac{11}{10}\left(=1\dfrac{1}{10}\right)$　(3) $\dfrac{17}{54}$

5 $6\dfrac{1}{3} \div 4 = \dfrac{19}{12}\left(=1\dfrac{7}{12}\right)$
　/ $\dfrac{19}{12}$ m²$\left(=1\dfrac{7}{12}$ m²$\right)$

6 1, 2에 ○표

3 (대분수)÷(자연수)를 계산할 때에는 대분수를 가분수로 고쳐서 계산하고, 대분수 상태에서 나눗셈을 하지 않도록 주의합니다.

4 (1) $2\dfrac{2}{3} \div 4 = \dfrac{8}{3} \div 4 = \dfrac{8}{3} \times \dfrac{1}{4} = \dfrac{8}{12} = \dfrac{2}{3}$

(2) $6\dfrac{3}{5} \div 6 = \dfrac{33}{5} \div 6 = \dfrac{33}{5} \times \dfrac{1}{6}$
$= \dfrac{33}{30} = \dfrac{11}{10} = 1\dfrac{1}{10}$

(3) $2\dfrac{5}{6} \div 9 = \dfrac{17}{6} \div 9 = \dfrac{17}{6} \times \dfrac{1}{9} = \dfrac{17}{54}$

5 (페인트 한 통으로 칠한 벽면의 넓이)
　= (페인트 4통으로 칠한 벽면의 넓이)÷4
$= 6\dfrac{1}{3} \div 4 = \dfrac{19}{3} \div 4 = \dfrac{19}{3} \times \dfrac{1}{4} = \dfrac{19}{12} \text{ (m}^2)$

6 $4\dfrac{4}{5} \div 8 = \dfrac{24}{5} \times \dfrac{1}{8} = \dfrac{24}{40} = \dfrac{3}{5}$이므로
$\dfrac{\square}{5} < \dfrac{3}{5}$입니다.
따라서 □ 안에 들어갈 수 있는 자연수는 1, 2입니다.

2 각기둥과 각뿔

35쪽 각기둥(1)

1 (1) 나, 라, 바　(2) 가, 다, 마
(3) 가, 마　(4) 각기둥

2 (1) 　(2) 6개

3 면 ㄴㅅㅇㄷ, 면 ㄷㅇㅈㄹ, 면 ㄹㅈㅊㅁ,
면 ㅁㅊㅂㄱ, 면 ㄱㅂㅅㄴ

4 (1)　(2)

5 선아

1 각기둥: 서로 평행하고 합동인 두 다각형이 있는 입체도형 → 가, 마

2 (1) 각기둥에서 두 육각형은 서로 평행하고 합동인 두 밑면이 됩니다.
(2) 밑면에 수직인 면은 옆면이므로 6개입니다.

3 옆면: 두 밑면과 만나는 면

4 각기둥의 겨냥도에서 보이는 모서리는 실선으로, 보이지 않는 모서리는 점선으로 그립니다.

5

옆면의 수가 가장 적은 각기둥은 밑면의 모양이 삼각형일 때이므로 옆면이 3개입니다.

코칭Tip 각기둥은 밑면의 모양이 다각형이므로 옆면이 2개인 각기둥은 없습니다.

36쪽 각기둥(2)

1 (위에서부터) 삼각형, 삼각기둥 /
사각형, 사각기둥 / 칠각형, 칠각기둥

2 육각기둥

3

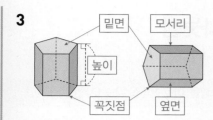

4 (위에서부터) 8, 6, 12 / 10, 7, 15 / 12, 8, 18
/ 2, 2, 3

5 (1) × (2) ○ (3) ○ (4) ×

1 각기둥의 이름은 밑면의 모양에 따라 정해집니다.

2 각기둥의 밑면의 모양이 육각형이므로 각기둥의 이름은 육각기둥입니다.

5 (1) 칠각기둥의 꼭짓점의 수: 7×2=14(개)
(4) • 오각기둥의 모서리의 수: 5×3=15(개)
• 사각기둥의 모서리의 수: 4×3=12(개)
→ 오각기둥의 모서리의 수는 사각기둥의 모서리의 수보다 3만큼 더 큽니다.

37쪽 **각기둥의 전개도**

1 (1) (각기둥의) 전개도 (2) 육각기둥
2 (1) 사각기둥 (2) 선분 ㅈㅇ
(3) 면 ㄱㄴㄷㅎ, 면 ㅎㄷㅂㅋ, 면 ㅋㅂㅅㅊ,
면 ㅊㅅㅇㅈ
3 7 / 8, 7
4 (1) 정오각형 (2) 30 cm (3) 3 cm

1 (2) 밑면의 모양이 육각형이므로 육각기둥입니다.

2 (3) 전개도를 접었을 때 면 ㄷㄹㅁㅂ과 만나지 않는 면은 평행한 면 ㅍㅎㅋㅌ이고 나머지 4개의 면과는 수직으로 만납니다.

4 (2) 각기둥의 높이를 나타내는 모서리는 5개입니다.
→ 5×5=25 (cm)
각기둥의 모든 모서리의 길이의 합은 55cm이므로
(두 밑면의 변의 길이의 합)=55−25=30 (cm)
입니다.

---

(3) (한 밑면의 변의 길이의 합)=30÷2=15 (cm)
→ (밑면의 한 변의 길이)=15÷5=3 (cm)

38쪽 **각기둥의 전개도 그리기**

1 예
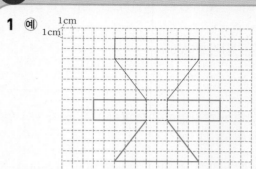

2 예
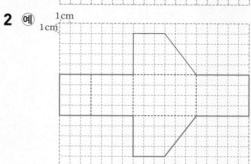

3 예
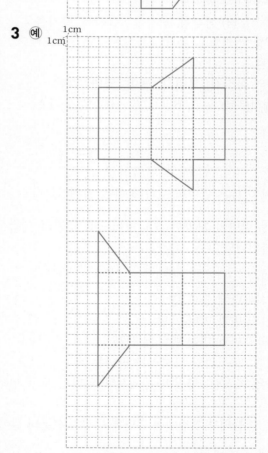

39쪽 각뿔(1)

1 (1) 가, 나, 다, 라, 바 (2) 나, 라
　　(3) 나, 라 (4) 나, 라
2 (1) 면 ㄴㄷㄹㅁ (2) 4개
3 면 ㄱㄴㄷ, 면 ㄱㄷㄹ, 면 ㄱㄹㅁ, 면 ㄱㅁㅂ, 면 ㄱㅂㄴ
4 오각형 / 삼각형 / 1
5 1, 2

1 각뿔: 밑면이 다각형이고 옆면이 모두 삼각형인 입체 도형 ➔ 나, 라

2 (1) 각뿔을 놓았을 때 바닥에 놓인 면을 찾습니다.
　　(2) 밑면과 만나는 면은 옆면이므로 4개입니다.

40쪽 각뿔(2)

1 (위에서부터) 삼각형, 삼각뿔 / 육각형, 육각뿔 / 칠각형, 칠각뿔
2 오각뿔
3 각뿔의 꼭짓점, 모서리, 높이, 옆면, 밑면
4 (위에서부터) 5, 5, 8 / 6, 6, 10 / 7, 7, 12 / 1, 1, 2
5 ㉢

1 각뿔의 이름은 밑면의 모양에 따라 정해집니다.

2 각뿔의 밑면의 모양이 오각형이므로 각뿔의 이름은 오각뿔입니다.

3 각뿔에서
• 밑면: 바닥에 놓인 면
• 옆면: 밑면과 만나는 면
• 모서리: 면과 면이 만나는 선분
• 꼭짓점: 모서리와 모서리가 만나는 점
• 각뿔의 꼭짓점: 꼭짓점 중에서도 옆면이 모두 만나는 점
• 높이: 각뿔의 꼭짓점에서 밑면에 수직인 선분의 길이

5 ㉢ 각뿔에서 각뿔의 꼭짓점은 1개입니다.

3 소수의 나눗셈

41쪽 자연수의 나눗셈을 이용한 (소수)÷(자연수)

1 312, 312, 31.2
2 (왼쪽에서부터) 132, 13.2, 1.32, $\frac{1}{10}$, $\frac{1}{100}$
3 42.1, 4.21　　　**4** 1.22 / 1.22 m
5 $\frac{1}{100}$ / 233, 6.99, 2.33 / $\frac{1}{100}$, 3

2 나누는 수가 같고 나누어지는 수가 $\frac{1}{10}$배, $\frac{1}{100}$배가 되면 몫도 $\frac{1}{10}$배, $\frac{1}{100}$배가 됩니다.

4 4.88은 488의 $\frac{1}{100}$배이므로 ■는 122의 $\frac{1}{100}$배인 1.22입니다.

42쪽 각 자리에서 나누어떨어지지 않는 (소수)÷(자연수)

1 (1) $28.92 \div 4 = \frac{2892}{100} \div 4 = \frac{2892 \div 4}{100}$
$$= \frac{723}{100} = 7.23$$
　　(2) $59.15 \div 7 = \frac{5915}{100} \div 7 = \frac{5915 \div 7}{100}$
$$= \frac{845}{100} = 8.45$$

2 5□1□6　　　**3** (1) 6.35 (2) 1.78
4 11.58, 15.44　　**5** 1.54배
6 1237, 12.37 /
$\frac{1}{100}$, $\frac{1}{100}$, 1237, 1237, 12.37

3 (1)
```
        6.3 5
    5) 3 1.7 5
       3 0
       ───
         1 7
         1 5
         ───
           2 5
           2 5
           ───
             0
```
(2)
```
        1.7 8
    9) 1 6.0 2
       9
       ───
         7 0
         6 3
         ───
           7 2
           7 2
           ───
             0
```

4 $46.32 \div 4 = 11.58$, $46.32 \div 3 = 15.44$

5 지나: (삼각형의 넓이)$=4 \times 6 \div 2 = 12 \, (\text{cm}^2)$
수진: (삼각형의 넓이)$=4 \times 9.24 \div 2$
$= 18.48 \, (\text{cm}^2)$
→ $18.48 \div 12 = 1.54$(배)

4 $3.25 \div 5 = 0.65$, $4.41 \div 7 = 0.63$
→ $0.65 > 0.63$

5 $1 < 3 < 6 < 8$이므로 수 카드 중 3장을 골라 만들 수 있는 가장 작은 소수 두 자리 수는 1.36입니다.
→ $1.36 \div 8 = 0.17$

43쪽 **몫이 1보다 작은 소수인 (소수)÷(자연수)**

1 (1) $1.85 \div 5 = \dfrac{185}{100} \div 5 = \dfrac{185 \div 5}{100}$
$= \dfrac{37}{100} = 0.37$

(2) $0.54 \div 3 = \dfrac{54}{100} \div 3 = \dfrac{54 \div 3}{100}$
$= \dfrac{18}{100} = 0.18$

2
$$
\begin{array}{r}
0.7\,4 \\
8\,)\overline{5.9\,2} \\
\underline{5\,6} \\
3\,2 \\
\underline{3\,2} \\
0
\end{array}
$$

3 (1) 0.42 (2) 0.13

4 >

5 $1.36 \div 8 = 0.17$ / 0.17

6 방법1 $4.32 \div 6 = \dfrac{432}{100} \div 6 = \dfrac{432 \div 6}{100} = \dfrac{72}{100}$
$= 0.72$ / $0.72 \, \text{m}^2$

방법2
$$
\begin{array}{r}
0.7\,2 \\
6\,)\overline{4.3\,2} \\
\underline{4\,2} \\
1\,2 \\
\underline{1\,2} \\
0
\end{array}
$$
/ $0.72 \, \text{m}^2$

2 나누어지는 수 5.92의 자연수 부분 5는 나누는 수 8 보다 작으므로 몫의 자연수 부분에 0을 쓰고 계산해야 합니다.

3 (1)
$$
\begin{array}{r}
0.4\,2 \\
6\,)\overline{2.5\,2} \\
\underline{2\,4} \\
1\,2 \\
\underline{1\,2} \\
0
\end{array}
$$
(2)
$$
\begin{array}{r}
0.1\,3 \\
7\,)\overline{0.9\,1} \\
\underline{7} \\
2\,1 \\
\underline{2\,1} \\
0
\end{array}
$$

44쪽 **소수점 아래 0을 내려 계산하는 (소수)÷(자연수)**

1 (1) $3.6 \div 8 = \dfrac{360}{100} \div 8 = \dfrac{360 \div 8}{100}$
$= \dfrac{45}{100} = 0.45$

(2) $2.49 \div 6 = \dfrac{2490}{1000} \div 6 = \dfrac{2490 \div 6}{1000}$
$= \dfrac{415}{1000} = 0.415$

2 (1) 0.45 (2) 0.95

3 (1)
$$
\begin{array}{r}
0.3\,6 \\
5\,)\overline{1.8\,0} \\
\underline{1\,5} \\
3\,0 \\
\underline{3\,0} \\
0
\end{array}
$$
(2)
$$
\begin{array}{r}
1.1\,5 \\
8\,)\overline{9.2\,0} \\
\underline{8} \\
1\,2 \\
\underline{8} \\
4\,0 \\
\underline{4\,0} \\
0
\end{array}
$$

4 0.68

5 0.33, 0.29 / 진주네 가게의 복숭아

6 $7.5 \div 6 = 1.25$ / $1.25 \, \text{m}$

4
$$
\begin{array}{r}
0.6\,8 \\
5\,)\overline{3.4\,0} \\
\underline{3\,0} \\
4\,0 \\
\underline{4\,0} \\
0
\end{array}
$$

5 (진주네 가게의 복숭아 한 개의 무게)
$= 1.65 \div 5 = 0.33 \, (\text{kg})$
(동주네 가게의 복숭아 한 개의 무게)
$= 1.16 \div 4 = 0.29 \, (\text{kg})$
→ $0.33 > 0.29$이므로 진주네 가게의 복숭아 한 개가 더 무겁습니다.

매칭북

수학 익힘

6 깃발 7개를 꽂으면 깃발 사이의 간격은
7−1=6(군데)입니다.
→ (깃발 사이의 간격)=7.5÷6=1.25 (m)

4 (1)
```
      3.0 6
  3)9.1 8
    9
    ―――
    1 8
    1 8
    ―――
        0
```
(2)
```
      1.0 9
  5)5.4 5
    5
    ―――
    4 5
    4 5
    ―――
        0
```

5 (사각뿔의 모서리의 수)
=(밑면의 변의 수)×2=4×2=8(개)
→ (한 모서리의 길이)=8.24÷8=1.03 (m)

45쪽 몫의 소수 첫째 자리에 0이 있는 (소수)÷(자연수)

1 (1) $9.36÷9=\dfrac{936}{100}÷9=\dfrac{936÷9}{100}$
$=\dfrac{104}{100}=1.04$

(2) $8.2÷4=\dfrac{820}{100}÷4=\dfrac{820÷4}{100}$
$=\dfrac{205}{100}=2.05$

2 (1) 1.06　(2) 1.08

3
```
      1.0 7
  6)6.4 2
    6
    ―――
    4 2
    4 2
    ―――
        0
```

4 (1) 3.06　(2) 1.09

5 8.24÷8=1.03 / 1.03 m

6 방법1 $4.36÷4=\dfrac{436}{100}÷4=\dfrac{436÷4}{100}=\dfrac{109}{100}$
$=1.09$ / 1.09 kg

방법2
```
      1.0 9  / 1.09 kg
  4)4.3 6
    4
    ―――
    3 6
    3 6
    ―――
        0
```

2 나눗셈에서 나누어지는 수를 $\dfrac{1}{100}$배 하면 몫이 $\dfrac{1}{100}$ 배가 됩니다.

3 4는 6보다 작으므로 몫의 소수 첫째 자리에 0을 쓰고 2를 내려 계산해야 합니다.

46쪽 (자연수)÷(자연수)의 몫을 소수로 나타내기

1 (1) $9÷4=\dfrac{9}{4}=\dfrac{225}{100}=2.25$

(2) $11÷2=\dfrac{11}{2}=\dfrac{55}{10}=5.5$

2 (1) 0.8　(2) 0.75

3 (1) 5.75　(2) 0.6

4 (1)・　(2)・
5 5, 4, 20 / 0.15 kg
6 2÷8=0.25

2 나눗셈에서 나누어지는 수를 $\dfrac{1}{10}$배, $\dfrac{1}{100}$배 하면
몫이 $\dfrac{1}{10}$배, $\dfrac{1}{100}$배가 됩니다.

3 (1)
```
      5.7 5
  4)2 3.0 0
    2 0
    ―――――
      3 0
      2 8
    ―――――
        2 0
        2 0
    ―――――
          0
```
(2)
```
      0.6
 15)9.0
    9 0
    ―――
      0
```

4 (1)
```
       1.7 5
 12)2 1.0 0
    1 2
    ―――――
      9 0
      8 4
    ―――――
        6 0
        6 0
    ―――――
          0
```
(2)
```
      0.2 4
 25)6.0 0
    5 0
    ―――――
    1 0 0
    1 0 0
    ―――――
        0
```

5 (자두의 수)=5×4=20(개)

→ (자두 한 개의 무게)

＝(자두 전체의 무게)÷(자두의 수)

＝3÷20=0.15 (kg)

6 나눗셈의 몫이 가장 작으려면 나누어지는 수는 가장 작은 수인 2, 나누는 수는 가장 큰 수인 8이어야 합니다.

→ 2÷8=0.25

1 (1) 28÷4　(2) 7÷7　(3) 120÷5

2 (1) 예 17, 2 / 2.□1□4

(2) 예 14, 4, 3 / 3.□5□2

(3) 예 33, 2, 16 / 1□6.□4

3 (1) 24.12÷6=4.02에 ○표

(2) 53.5÷5=10.7에 ○표

4 예 몫의 소수점 위치가 잘못되었습니다.

5 6.48÷6, 4.6÷4, 5.72÷4에 ○표

1 소수를 소수 첫째 자리 숫자가 0, 1, 2, 3, 4이면 버림하고 5, 6, 7, 8, 9이면 올림하여 자연수로 나타냅니다.

2 소수 첫째 자리에서 반올림하여 소수를 자연수로 만들어 몫을 어림하면 몫의 소수점 위치를 쉽게 찾을 수 있습니다.

3 (1) 24.12를 반올림하여 일의 자리까지 나타내면 24입니다. 24÷6으로 어림하면 약 4이므로 24.12÷6의 몫은 4.02입니다.

(2) 53.5를 반올림하여 일의 자리까지 나타내면 54입니다. 54÷5로 어림하면 약 10이므로 53.5÷5의 몫은 10.7입니다.

4 3.6÷3=1.2

5 나누어지는 수가 나누는 수보다 크면 몫이 1보다 큽니다.

4 비와 비율

1 (1) 3 / 2　(2) 18, 24　(3) 3, 6, 9, 12 / 2

(4) 뺄셈, 나눗셈에 ○표

2 5, 2, 3 / 5, 2, 2.5 $\left(=\dfrac{5}{2}=2\dfrac{1}{2}\right)$

3 뺄셈(또는 덧셈), 나눗셈(또는 곱셈)

2 • 뺄셈으로 비교하기: (가로)－(세로)=5－2=3(칸)

• 나눗셈으로 비교하기:

(가로)÷(세로)=5÷2=$\dfrac{5}{2}$=2$\dfrac{1}{2}$=2.5(배)

1 :, 5 : 6, 5 대 6　　**2** 7 : 2

3 (1) 3, 5　(2) 3, 5　(3) 5, 3

4 예

5 틀립니다에 ○표 / 예 9 : 2는 기준이 2이지만 2 : 9는 기준이 9이기 때문입니다.

6 예 천원짜리 지폐의 가로와 세로의 길이의 비는 2 : 1입니다.

1

$$5 : 6 → \begin{cases} 5 \text{ 대 } 6 \\ 5\text{와 }6\text{의 비} \\ 6\text{에 대한 }5\text{의 비} \\ 5\text{의 }6\text{에 대한 비} \end{cases}$$

3 (1) (식탁 수) : (의자 수)=3 : 5

(2) (식탁 수) : (의자 수)=3 : 5

(3) (의자 수) : (식탁 수)=5 : 3

4 (색칠한 부분) : (전체)=3 : 8

→ 전체가 8칸이므로 3칸에 색칠합니다.

6 다른 정답 예 태극기의 가로와 세로의 길이의 비는 3 : 2입니다.

예 카레를 만들 때 넣은 물 양과 카레 가루 양의 비는 7 : 1입니다.

50쪽 비율

1 (위에서부터) 6, 15, $\dfrac{6}{15}\left(=\dfrac{2}{5}=0.4\right)$ /

11, 20, $\dfrac{11}{20}(=0.55)$ / 21, 7, $\dfrac{21}{7}(=3)$

2
(1) •
(2) •
(3) •

3 $\dfrac{4}{10}\left(=\dfrac{2}{5}\right)$, $\dfrac{10}{25}\left(=\dfrac{2}{5}\right)$ / 같습니다

4 (1) 21 : 27   (2) $\dfrac{21}{27}\left(=\dfrac{7}{9}\right)$

5 (1) 3번   (2) 3 : 10   (3) $\dfrac{3}{10}$, 0.3

---

2 (1) 12와 25의 비 ➜ 12 : 25 ➜ $\dfrac{12}{25}=0.48$

(2) 10에 대한 8의 비 ➜ 8 : 10 ➜ $\dfrac{8}{10}=\dfrac{4}{5}=0.8$

(3) 3의 4에 대한 비 ➜ 3 : 4 ➜ $\dfrac{3}{4}=0.75$

3 가: $\dfrac{(세로)}{(가로)}=\dfrac{4}{10}=\dfrac{2}{5}$ 나: $\dfrac{(세로)}{(가로)}=\dfrac{10}{25}=\dfrac{2}{5}$

4 (1) (짧은 쪽) : (긴 쪽)=21 : 27

(2) 21 : 27 ➜ $\dfrac{21}{27}\left(=\dfrac{7}{9}\right)$

5 (2) (숫자 면이 나온 횟수) : (동전을 던진 횟수)
=3 : 10

(3) 3 : 10 ➜ $\dfrac{3}{10}=0.3$

51쪽 비율이 사용되는 경우

1 (1) 25초에 ○표, 100 m에 ○표   (2) $\dfrac{100}{25}$, 4

2 (1) $\dfrac{8400}{7}(=1200)$ (2) $\dfrac{6800}{4}(=1700)$

(3) 장수, 장수

3 $\dfrac{160}{2}(=80)$, $\dfrac{225}{3}(=75)$, 파란 버스

4 $\dfrac{120}{200}\left(=\dfrac{3}{5}=0.6\right)$, $\dfrac{175}{350}\left(=\dfrac{1}{2}=0.5\right)$, 주호

---

1 $\dfrac{(달린 거리)}{(걸린 시간)}=\dfrac{100}{25}(=4)$

2 (1) 사랑 마을: $\dfrac{(인구)}{(넓이)}=\dfrac{8400}{7}(=1200)$

(2) 장수 마을: $\dfrac{(인구)}{(넓이)}=\dfrac{6800}{4}(=1700)$

(3) 넓이에 대한 인구의 비율을 비교하면 1200＜1700
이므로 인구가 더 밀집한 곳은 장수 마을입니다.

3 • 파란 버스: $\dfrac{(달린 거리)}{(걸린 시간)}=\dfrac{160}{2}(=80)$

• 노란 버스: $\dfrac{(달린 거리)}{(걸린 시간)}=\dfrac{225}{3}(=75)$

➜ 걸린 시간에 대한 달린 거리의 비율을 비교하면
80＞75이므로 파란 버스가 더 빠릅니다.

4 • 주호: $\dfrac{(사과 원액 양)}{(사과 주스 양)}=\dfrac{120}{200}\left(=\dfrac{3}{5}=0.6\right)$

• 선영: $\dfrac{(사과 원액 양)}{(사과 주스 양)}=\dfrac{175}{350}\left(=\dfrac{1}{2}=0.5\right)$

➜ 사과 주스 양에 대한 사과 원액 양의 비율을 비교
하면 0.6＞0.5이므로 주호가 만든 사과 주스가
더 진합니다.

52쪽 백분율

1 100, %   **2** (1) 40   (2) 36

3 (위에서부터) 57 / $\dfrac{4}{100}\left(=\dfrac{1}{25}\right)$, 4 / 0.25, 25

4 (1) 16 %

(2) 예

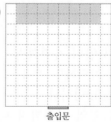

출입문

5 틀립니다에 ○표 / 예 비율 0.2를 백분율로 나타
내면 0.2×100=20이므로 20 %입니다.

2 (1) 전체 10칸 중 색칠한 부분은 4칸입니다.

➜ $\dfrac{4}{10}×100=40$ (%)

(2) 전체 50칸 중 색칠한 부분은 18칸입니다.

$\rightarrow \dfrac{18}{50} \times 100 = 36 \, (\%)$

3 $\dfrac{1}{4} = \dfrac{25}{100} = 0.25 \rightarrow 25\,\%$

4 (1) (강당 넓이에 대한 무대 넓이의 비율)

$= \dfrac{32}{200} = \dfrac{16}{100} \rightarrow 16\,\%$

(2) 모눈 100칸 중 16칸에 색칠합니다.

5 `다른 정답` 예 백분율은 기준량을 100으로 할 때의 비율이므로 비율에 100을 곱해야 하는데 10을 곱했습니다.

53쪽 백분율이 사용되는 경우

1 40 %　　　　　**2** 68, 70 / 민지
3 60, 56, 65 / 3반
4 (1) 60 %　(2) 63 %　(3) 나 영화
5 예 우리 학교 6학년 학생의 65 %는 봉사 활동을 하고 있습니다.

1 (할인 금액)=15000−9000=6000(원)

$\rightarrow$ (할인율)$= \dfrac{6000}{15000} \times 100 = 40 \, (\%)$

2 (승우의 골 성공률)$= \dfrac{17}{25} \times 100 = 68 \, (\%)$

(민지의 골 성공률)$= \dfrac{14}{20} \times 100 = 70 \, (\%)$

$\rightarrow$ 68 %<70 %이므로 민지의 골 성공률이 더 높습니다.

3 (1반 찬성률)$= \dfrac{18}{30} \times 100 = 60 \, (\%)$

(2반 찬성률)$= \dfrac{14}{25} \times 100 = 56 \, (\%)$

(3반 찬성률)$= \dfrac{13}{20} \times 100 = 65 \, (\%)$

4 (2) (나 영화의 좌석 수에 대한 관객 수의 비율)

$= \dfrac{189}{300} \times 100 = 63 \, (\%)$

(3) 60 %<63 %이므로 나 영화가 좌석 수에 대한 관객 수의 비율이 더 높습니다.

---

5 `다른 정답` 예 우리 학교 수학여행에 6학년 학생의 98 %가 참여했습니다.
예 우유 100 mL에는 칼슘이 하루 권장 섭취량의 약 13 %가 들어 있습니다.

5 여러 가지 그래프

54쪽 그림그래프로 나타내기

1 (1) 5, 5　(2) 1, 6, 1, 6
2 국가별 1인당 이산화 탄소 배출량

국가	배출량
캐나다	◉ ● ● ● ● ●
호주	◉ ● ● ● ● ●
일본	◉
독일	◉ ● ● ● ● ● ● ● ●

● 10억 t
● 1억 t

3 태호
4 대구·부산·울산·경상

3 수정: 특정 권역의 사과 생산량을 쉽게 알 수 있는 것은 표입니다.

55쪽 띠그래프

1 띠그래프　　　**2** 300명
3 35, 20 / 35, 20　**4** 2배
5 40000원　　　**6** 군것질, 46

2 표에서 학생 수의 합계를 읽으면 300명입니다.

4 군것질: 40 %, 저금: 20 %
$\rightarrow$ 40÷20=2(배)

5 (합계)=8000+10400+16000+5600
=40000(원)

6 저금: 20 %, 학용품: 26 %
$\rightarrow$ 20+26=46 (%)

56쪽 띠그래프로 나타내기

1 45, 10   **2** 100 %

3 좋아하는 TV 프로그램별 학생 수

0 10 20 30 40 50 60 70 80 90 100 (%)

| 드라마 (30%) | 예능 (45%) | | |

음악 (15%) — 기타 (10%)

4 (위에서부터) 200 / 40, 15

5 방과 후에 하는 활동별 학생 수

0 10 20 30 40 50 60 70 80 90 100 (%)

| 요리 (20%) | 축구 (25%) | 로봇 조립 (40%) | 기타 (15%) |

6 ⓛ, ⓜ, ⓖ

---

2 30＋45＋15＋10＝100 (%)

다른 풀이 띠그래프에서 각 항목의 백분율의 합은 항상 100 %입니다.

4 (로봇 조립을 하는 학생 수)
＝500－100－125－75＝200(명)

・로봇 조립: $\frac{200}{500} \times 100 = 40$ (%)

・기타: $\frac{75}{500} \times 100 = 15$ (%)

57쪽 원그래프

1 원그래프   **2** 200명
3 37, 26 / (왼쪽부터) 26, 37
4 제주도   **5** 약 2배
6 2, 63

---

4 원그래프에서 가장 넓은 부분을 차지하는 섬은 제주도입니다.

5 거제도: 21 %, 진도: 11 %
→ 21 %는 11 %의 약 2배이므로 거제도에 가고 싶은 학생 수는 진도에 가고 싶은 학생 수의 약 2배입니다.

---

6 ・울릉도: 22 %, 진도: 11 %
→ 22÷11＝2(배)
・제주도: 42 %, 거제도: 21 %
→ 42＋21＝63 (%)

58쪽 원그래프로 나타내기

1 30
2 좋아하는 만화책별 학생 수

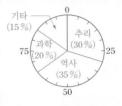

3 6   **4** 70
5 10, 35
6 수학여행 일정별 학생 수   수학여행 장소별 학생 수

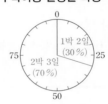   

---

3 180÷6＝30, 210÷6＝35, 120÷6＝20, 90÷6＝15

59쪽 그래프 해석하기

1 4배   **2** 2명
3 휴대 전화, 60   **4** 초등학생
5 $\frac{1}{3}$ 배   **6** 39, 51

---

1 휴대 전화: 60 %, 운동화: 15 %
→ 60÷15＝4(배)

2 자전거(20 %)를 받고 싶은 학생 수는 기타(5 %)에 속하는 학생 수의 4배입니다. 따라서 기타에 속하는 학생 수는 8÷4＝2(명)입니다.

---

4 원그래프에서 가장 넓은 부분을 차지하는 것은 초등학생입니다.

5 대학생: 10 %, 중학생: 30 %

→ $10 \div 30 = \dfrac{10}{30} = \dfrac{1}{3}$ (배)

60쪽 여러 가지 그래프 비교

1 800 / 30

2 마을별 쓰레기 배출량

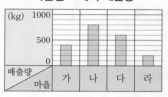

3 마을별 쓰레기 배출량

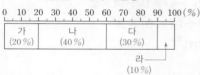

4 마을별 쓰레기 배출량

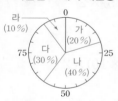

5 예 전체 쓰레기 배출량에 대한 마을별 쓰레기 배출량의 비율을 비교하기 쉽기 때문입니다.

1 (나 마을의 쓰레기 배출량)

$= 2000 - 400 - 600 - 200 = 800$ (kg)

다 마을: $\dfrac{600}{2000} \times 100 = 30$ (%)

코칭Tip 그림그래프에서 나 마을의 쓰레기 배출량은 500 kg짜리 그림 1개, 100 kg짜리 그림 3개이므로 $500 + 300 = 800$ (kg)입니다.

2 마을별 쓰레기 배출량을 보고 막대그래프로 나타냅니다.

3 마을별 쓰레기 배출량의 백분율을 보고 띠그래프로 나타냅니다.

4 마을별 쓰레기 배출량의 백분율을 보고 원그래프로 나타냅니다.

---

6 직육면체의 부피와 겉넓이

61쪽 직육면체의 부피 비교

1 다, 가, 나
2 세로, 높이, 다, 나
3 <
4 (1) 24개, 20개   (2) 가
5 가, 다 / 두에 ○표 / 가, 다

3 가의 쌓기나무는 27개, 나의 쌓기나무는 30개입니다. 따라서 쌓기나무가 더 많은 나의 부피가 더 큽니다.

4 (1) • 가: $3 \times 4 = 12$(개)씩 2층 → 24개
　　• 나: $2 \times 2 = 4$(개)씩 5층 → 20개
(2) 담을 수 있는 휴지 상자의 수를 비교하면 24개>20개이므로 가 포장 상자의 부피가 더 큽니다.

62쪽 직육면체의 부피 구하는 방법

1 2, 5, 3 / 30
2 $4 \times 3 \times 2 = 24$ / 24 cm^3
3 나　　**4** 6 cm
5 3 cm　　**6** 512 cm^3
7 예 3, 6 / 3, 3

1 부피가 1 cm^{3}인 쌓기나무를 (가로)×(세로)씩 높이만큼 쌓은 직육면체의 부피는 (가로)×(세로)×(높이)입니다.

2 (지우개의 부피)=(가로)×(세로)×(높이)
$= 4 \times 3 \times 2 = 24$ (cm^3)

3 (가의 부피)$= 7 \times 15 \times 2 = 210$ (cm^3)
(나의 부피)$= 6 \times 6 \times 6 = 216$ (cm^3)

4 직육면체의 높이를 □ cm라 하면
$8 \times 9 \times □ = 432$입니다.
→ $72 \times □ = 432$, $□ = 432 \div 72 = 6$

5 (작은 정육면체의 개수)$=3 \times 3 \times 3 = 27$(개)

(작은 정육면체 한 개의 부피)$=729 \div 27$
$$=27 \, (\mathrm{cm}^3)$$

따라서 작은 정육면체의 한 모서리의 길이를 □ cm라 하면 □$\times$□$\times$□$=27$, □$=3$입니다.

6 정육면체는 가로, 세로, 높이가 모두 같으므로 직육면체의 가장 짧은 모서리의 길이인 8 cm를 정육면체의 한 모서리의 길이로 해야 합니다.

→ (만들 수 있는 가장 큰 정육면체 모양의 부피)
$$=8 \times 8 \times 8 = 512 \, (\mathrm{cm}^3)$$

7 (직육면체의 부피)$=$(가로)$\times$(세로)$\times$(높이)이므로 세 수의 곱이 36이 되도록 가로, 세로, 높이를 정합니다.

63쪽 m³ 알아보기

1 1 m³, 1 세제곱미터, 1000000
2 (1) 6 m, 3 m, 2 m　(2) 36 m³
3 (1) 5000000　(2) 1.7
4 ⓒ, ⓐ, ⓑ
5 7680개
6 1.71 m³

2 (2) (직육면체의 부피)$=6 \times 3 \times 2 = 36 \, (\mathrm{m}^3)$

3 $1 \, \mathrm{m}^3 = 1000000 \, \mathrm{cm}^3$입니다.

4 부피를 m³ 단위로 나타내어 비교합니다.
ⓐ 3.4 m³
ⓑ $3 \times 3 \times 3 = 27 \, (\mathrm{m}^3)$
ⓒ $0.7 \times 4 \times 0.6 = 1.68 \, (\mathrm{m}^3)$

→ $\underset{ⓑ}{27 \, \mathrm{m}^3} > \underset{ⓐ}{3.4 \, \mathrm{m}^3} > \underset{ⓒ}{1.68 \, \mathrm{m}^3}$

5 1 m에는 25 cm를 4개 놓을 수 있으므로 가로에는 $4 \times 5 = 20$(개), 세로에는 $4 \times 3 = 12$(개), 높이에는 $4 \times 8 = 32$(개) 놓을 수 있습니다.

→ $20 \times 12 \times 32 = 7680$(개)

6 $210000 \, \mathrm{cm}^3 = 0.21 \, \mathrm{m}^3$

→ (옷장과 에어컨의 부피의 차)
$$=1.92 - 0.21 = 1.71 \, (\mathrm{m}^3)$$

64쪽 직육면체의 겉넓이 구하는 방법

1 (1) 54, 54, 36, 36, 24, 24, 228
(2) 54, 36, 24, 228
(3) 20, 6, 228
2 (1) 238 cm²　(2) 268 cm²
3 54 cm²
4 5 cm　　　　**5** 128 cm²

1 (1) 가$+$나$+$다$+$라$+$마$+$바
$$=54+54+36+36+24+24$$
$$=228 \, (\mathrm{cm}^2)$$
(2) (가$+$다$+$마)$\times 2$
$$=(54+36+24) \times 2$$
$$=228 \, (\mathrm{cm}^2)$$
(3) $(6+4+6+4) \times 9 + $마$\times 2$
$$=20 \times 9 + (4 \times 6) \times 2$$
$$=228 \, (\mathrm{cm}^2)$$

2 (1) (직육면체의 겉넓이)
$$=(7 \times 7 + 7 \times 5 + 7 \times 5) \times 2$$
$$=238 \, (\mathrm{cm}^2)$$
(2) (직육면체의 겉넓이)
$$=(8 \times 3 + 3 \times 10 + 8 \times 10) \times 2$$
$$=268 \, (\mathrm{cm}^2)$$

3 (정육면체 모양 상자의 겉넓이)
$$=(\text{한 면의 넓이}) \times 6$$
$$=3 \times 3 \times 6 = 54 \, (\mathrm{cm}^2)$$

4 (직육면체 가의 겉넓이)
$$=(3 \times 4 + 4 \times 9 + 3 \times 9) \times 2$$
$$=150 \, (\mathrm{cm}^2)$$
(정육면체 나의 한 면의 넓이)
$$=(\text{정육면체의 겉넓이}) \div 6$$
$$=150 \div 6 = 25 \, (\mathrm{cm}^2)$$

→ $5 \times 5 = 25$이므로 정육면체 나의 한 모서리의 길이는 5 cm입니다.

5 처음 버터를 똑같이 2조각, 4조각으로 자를 때마다 겉넓이가 64 cm²씩 늘어납니다.
└─ 자른 단면 넓이의 2배

따라서 버터 4조각의 겉넓이의 합은 처음 버터의 겉넓이보다 $64+64 = 128 \, (\mathrm{cm}^2)$ 더 늘어납니다.

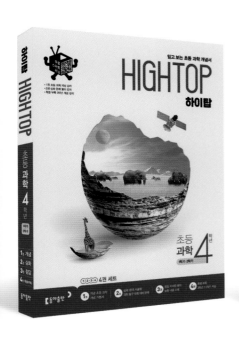

큐브
수학
개념

개념부터 응용문제 학습까지 딱 1권으로 완료!

개념만 하기에는 너무 쉽거나 부족할 것 같은데 그렇다고 심화를 하기엔 두 권을 풀어
-내는 게 역부족이다 싶을 때 정말 딱 괜찮은 책! 개념부터 약간의 응용까지 건드려줘서
아이도 한 권이라 부담이 덜하고 엄마 입장에서도 너무 어렵지 않은 문제를 고루 만날
수 있다는 게 가장 큰 장점이에요. 개념부터 응용까지 폭넓게 다루는 교재는 큐브수학
개념응용밖에 없어요.

닉네임
종***

다양한 난이도 문제로 수학 자신감 UP!

세분화된 개념으로 개념을 꽉 잡을 수 있고, 문제는 간단한 기본문제부터 응용문제까지
난이도와 유형이 다양하게 구성되어 있어 단조롭지 않더라고요. 서술형 문제도 꼼꼼히
살펴보았는데 역시 짧은 서술형 문제부터 좀 더 사고를 요하는 긴 문장의 문제까지 갖
춰져 있어서 지루하지 않았어요. **제대로 개념을 이해하면서, 시간이 걸리더라도 다양
한 문제를 마주하고 익힐 수 있는 책이에요.**

닉네임
유*

서술형 문제 집중 훈련이 필요할 땐! 큐브수학 실력

서술형 코너는 연습→단계→실전의 3단계 학습으로 구성되어 있어요. 저는 이 부분이
가장 좋았어요. '연습'은 풀이 과정을 자연스럽게 익히면서 스스로 풀 수 있을만큼 쉽게
느껴졌고, '단계'는 연습의 복습, '실전'은 혼자 푸는 건데도 두 번의 연습으로 완벽하게
풀 수 있어 **서술형 문제를 내 것으로 만든다는 느낌이 강하게 들었습니다.** 답안 쓰기
훈련을 완벽하게 할 수 있어요.

닉네임
삼**

반복 학습으로 모든 유형을 제대로 익히기!

다양한 유형 문제가 있고, **문제마다 유형-확인-강화 순으로 반복 학습이 가능해요.** 유
사 유형의 문제를 반복적으로 풀어 볼 수 있으니 실력 향상에 도움이 많이 됩니다. 또
서술형도 3단계 학습으로 답안 쓰기 훈련이 정말 잘 됩니다. 그리고 해설지도 문제에
따라 약점 포인트, 정답률까지 나와 있어서 참고하기 너무 편하게 되어 있더라고요.

닉네임
슈****

상위권 도전 첫 교재로 강력 추천!

개념과 유형 문제집까지 다 끝냈는데 심화를 안 풀고 넘어갈 수는 없잖아요? 심화 문제
집도 아이에게 맞는 난이도를 선택하는 것이 무엇보다 중요한데요. **군더더기 없고 깔끔
한 문제 구성과 적절하게 나누어진 난이도 덕분에 심화 시작 교재로 강력 추천합니다.**

닉네임
블***